世界の サラダ図鑑

驚きの組み合わせが楽しい
ご当地レシピ

304

The World's Salads

佐藤 政人

誠文堂新光社

まえがき

　野菜好き、サラダ好きの私にとってこんなうれしい企画はなかった。リスト作りの段階からかなり楽しんだ。とはいっても不安がなかったわけではない。野菜のサラダに限っていえば、世界は広いとはいえ、よく使われる野菜は4大陸似たり寄ったりなのであって。それぞれのサラダにどれだけ違いがあるのか少しばかり心配はしていた。

　そんな心配は無用だった。ドレッシングの違い、材料の切り方の違い、材料の割合、ハーブやスパイスの違いで、同じようなサラダに見えても実はまったく別のサラダなのだ。そしてどれもおいしい。正直、ちょっと苦手だなあと思ったサラダもいくつかあった。でも他は全部、率直においしいと思った。4人分作っても家族2人で全部一気に食べきってしまったこともよくあった。食べるのに数日かかったこともあるが、残したことはめったになかった。何か月もサラダを作り続け、食べ、それでも飽きない。それがサラダのすばらしいところだ。

　この本はサンドイッチ、スープに続く第3弾になるわけだけれど、前2冊とは少しばかり違う部分がある。今回は伝統的な料理に加え、比較的新しい料理も紹介した。サラダは紀元前から食されていたけど、日常の食卓に当たり前のように登場し始めるのは20世紀に入ってからだ。そこに健康志向、ヴェジタリアン、ヴィーガンという流れが加わり、サラダブームが巻き起こった。アメリカではサラダ専門のレストランがいたるところにある。そんな中で新しいサラダが次々と誕生しているのだ。ならばその中から、これから定番になりえるサラダを紹介してもいいんじゃないかと思ったわけである。

　そんなサラダブームの反対側には貧困に苦しむ国の人たちがいる。穀物など炭水化物に頼るそうした人々にとって、野菜や果物が身近にありながら遠い存在であることも少なくない。そのような国にもわずかな材料で作ったサラダはある。そんなことも考えながらそれぞれのサラダを眺めると、違う世界が見えてくるかもしれない。

佐藤政人

Contents

- 2 　まえがき
- 10 　サラダを作る前に
- 12 　サラダの定義

Chapter 1
西ヨーロッパ

- 14 　**イングランド**
  - 14 　プラウマンズ・ランチ・サラッドゥ
  - 15 　カリフラワー・タブーリ
- 16 　**スコットランド**
  - 16 　スコティッシュ・サーモン・アンドゥ・プローン・サラッドゥ
  - 18 　スコティッシュ・アラン・ポテイトゥ・サラッドゥ
- 19 　**アイルランド**
  - 19 　コルカノン
- 20 　**ドイツ**
  - 20 　カルトフェルザラートゥ
  - 21 　ヴルストゥザラートゥ
  - 22 　フランキシャル・スパルゲルザラートゥ
  - 23 　ラディエッシェン ザラートゥ
  - 24 　ロトゥコールザラートゥ
- 25 　**オーストリア**
  - 25 　キエファルボーネンザラートゥ
  - 26 　スタイリシャル・バクヘンドゥルザラートゥ
- 28 　**ベルギー**
  - 28 　アスパラジェス・オブ・ヴラームス・ヴェイズ
  - 29 　サラードゥ・リエージュワーズ
  - 30 　ペショ・トン
  - 31 　トマットゥ・クレヴェットゥ
- 32 　**フランス**
  - 32 　メスクラン
  - 33 　サラードゥ・ニソワーズ
  - 34 　サラードゥ・リヨネーズ
  - 35 　サラードゥ・ドゥ・ランティーユ・ヴェルトゥ
  - 36 　サラードゥ・オヴェルニュ
- 37 　**ルクセンブルク**
  - 37 　ファイアシュテンザロットゥ
- 38 　**オランダ**
  - 38 　クールスラ
  - 39 　ミドゥリウス・サラダ・ファン・パスティナーケン
- 40 　**スイス**
  - 40 　ビルヒャルミューズリ

Chapter 2
南ヨーロッパ

- 42 　**アルバニア**
  - 42 　サラーテ・イエシーレ
  - 43 　サラーテ・エ・フレスケットゥ・エ・クングリットゥ
- 44 　**アンドラ**
  - 44 　エスピナーカサ・ラ・カタラーナ
- 45 　**ボスニア・ヘルツェゴビナ**
  - 45 　シリルック
- 46 　**キプロス**
  - 46 　キプリエキ・サラータ・ディミトゥリアコン
  - 47 　バカラール・ス・クルムピロム
- 48 　**クロアチア**
  - 48 　サラタ・オドゥ・ホボトゥニゼ
- 49 　**ギリシャ**
  - 49 　ダコス
  - 50 　トノサラータ
  - 51 　カルブーズィ・サラータ
  - 52 　タラマサラータ
- 53 　**イタリア**
  - 53 　インサラタ・カプレーゼ
  - 54 　パンツァネッラ
  - 55 　インサラタ・ディ・ファロ
  - 56 　カポナータ
  - 58 　インサラタ・ディ・フィノッキ
  - 59 　インサラタ・ディ・ズッキーネ・グリグリアーテ
  - 60 　マチェドニア・ディ・フルッタ
- 61 　**北マケドニア**
  - 61 　ピンジュール
- 62 　**マルタ**
  - 62 　ファゾーラ・バイダ・ビットゥ テウム・ウ・トゥルスィーン
  - 63 　カプナータ・マルティーヤ
  - 64 　インサラタ・タトゥティン
- 65 　**モンテネグロ**
  - 65 　サラタ・オドゥ・ヘリディニ・レザナツァ
- 66 　**ポルトガル**
  - 66 　サラダ・ジ・グレオン・ジ・ビーコ
  - 67 　サラダ・ジ・ポルヴォ
  - 68 　サラダ・ジ・メラウン
  - 69 　サラダ・ジ・カランゲージュ
- 70 　**セルビア**
  - 70 　ウルネベース
- 71 　**スロベニア**
  - 71 　レグラトヴァ・ソラータ

- 72 スペイン
  - 72 ピリニャーカ
  - 73 エンサラダ・デ・ピミエントス・ロホス
  - 74 エンサラダ・デ・アロース
  - 75 サルピコン・デ・マリスコ
- 76 トルコ
  - 76 デニズ・ブルルジェスィ・サラタスゥ
  - 77 ピヤス
  - 78 イエスィル・ゼイティン・サラタスゥ
  - 79 タヒンリ・イスパナック・サラタスゥ
  - 80 カルナバハーシュ・サラタスゥ

81 Chapter 3
北&東ヨーロッパ

- 82 デンマーク
  - 82 カリサレイトゥ
  - 83 ライエサレイトゥ・メドゥ・エスパールス
- 84 フィンランド
  - 84 プナカーリサラーティ
- 85 アイスランド
  - 85 ライキュサラットゥ
  - 86 レイクトゥ・ラクササラーティ
- 87 ノルウェー
  - 87 アグルックサラットゥ
  - 88 ポテットゥサラットゥ
- 89 スウェーデン
  - 89 グブローラ
  - 90 エプレ, セルリ オック・ヴォルナットゥサラッドゥ
- 91 エストニア
  - 91 ノゲゼザラットゥ
  - 92 ポルドアザラットゥ
  - 93 コルヴィッツァザラットゥ
- 94 ラトビア
  - 94 ラソルス
  - 95 ポピニュ・サラーテ
- 96 リトアニア
  - 96 プロケイリウ・ミスリアネア
- 97 ベラルーシ
  - 97 サラートゥ・パパラッツ・クヴェトゥカ
- 98 ポーランド
  - 98 サラトゥカ・ズ・ピクロヴァネミ・イエイカミ
  - 99 スロフカ
- 100 チェコ共和国
  - 100 サラートゥ・ヴォルドルフ
- 101 ブルガリア
  - 101 ショクスカ・サラータ
  - 102 サラータ・スネジャンカ
- 103 モルドバ
  - 103 サラタ・デ・カルトフ
- 104 ルーマニア
  - 104 サラタ・デ・ボエウフ
- 105 スロバキア
  - 105 トゥレスカ・ヴ・マヨネーゼ
- 106 ウクライナ
  - 106 フルプナイヤ・バリャーナ
  - 108 ブリャコヴィ・サラートゥ
  - 109 サラットゥ・ズ・ツイプルユ ボレイ, ヤブルコム・イ・モルコイユ
- 110 ロシア
  - 110 セリョドゥカ・ポッドゥ・シュボイ
  - 111 サラートゥ・ミモーザ
  - 112 サラートゥ・オリヴィエ
- 113 アルメニア
  - 113 イーチ
  - 114 コロヴァーツ・プサカン・アフツァン
  - 115 カンカル・アフツァン
- 116 アゼルバイジャン
  - 116 ナル・サラティ
- 117 ジョージア
  - 117 イスパナヒス・プハリ
  - 118 ロビオス・サラータ

119 Chapter 4
東&中央アフリカ

- 120 ブルンジ
  - 120 カチュムバリ
- 121 コモロ
  - 121 アシャール・ウ・レギュム
- 122 エリトリア
  - 122 ファタ
- 123 エチオピア
  - 123 イスィオピアン・グリーン・サラッドゥ
  - 124 ティマティム
  - 126 アジファ
- 127 ケニア
  - 127 パイナップル・コールスロー・サラッドゥ

- 128 **マダガスカル**
  - 128 ラサーリ
  - 129 サラディ・ヴォンカズ
- 130 **モーリシャス**
  - 130 モーリシャン・パーム・ハートゥ・サラッドゥ
  - 131 サラッドゥ・ラロ
- 132 **モザンビーク**
  - 132 サラダ・ジ・アボカーチ
- 133 **ルワンダ**
  - 133 ルワンダン・フルートゥ・サラッドゥ
- 134 **セーシェル**
  - 134 セーシェルズ・オクトパス・サラッドゥ
- 135 **南スーダン**
  - 135 サラタ・アスワッドゥ
- 136 **ウガンダ**
  - 136 クク
- 137 **タンザニア**
  - 137 カチュムバリ・ヤ・マタンゴ
- 138 **ジンバブエ**
  - 138 ジンバブウェン・ライス・サラッドゥ
- 139 **アンゴラ**
  - 139 サラダ・リマウン
- 140 **カメルーン**
  - 140 カメルーニアン・フルートゥ・サラッドゥ
- 141 **チャド**
  - 141 サラッドゥ・デュ・シャッドゥ
- 142 **ガボン**
  - 142 サラッドゥ・ドゥ・コンコムブル・ギャボネ

- 143 **Chapter 5**
  北＆南＆西アフリカ

- 144 **アルジェリア**
  - 144 アルジェリアン・サンセットゥ・サラッドゥ
  - 145 バデンジェル
- 146 **エジプト**
  - 146 サラタ・バラディ
  - 147 ファフファヒーナ
  - 148 エジプシャン・スモークドゥ・ヘリング・サラッドゥ
  - 149 エジプシャン・ファトゥーシュ
  - 150 デュカ・チキン・サラッドゥ
- 152 **モロッコ**
  - 152 シュラダ・バタタ・ハルワ
  - 153 リムン・ベルケルファ
  - 154 シュラダ・アルクッサ
  - 155 シュラダ・アルクスクス
  - 156 シュラダ・マティサ・ヴァル・ハメッドゥ・マルカドゥ
  - 157 シュラダ・マングーブ
- 158 **スーダン**
  - 158 サラタ・トマティム・ベル・ダクア
  - 159 サラタトゥ・ザバディ・ビットゥ・アヤール
- 160 **チュニジア**
  - 160 サラタ・メシュイア
  - 161 アメック・フリア
- 162 **南アフリカ**
  - 162 ウムポココ
  - 163 コッパー・ペニー・サラッドゥ
- 164 **エスワティニ**
  - 164 スラーイ
- 165 **ガンビア**
  - 165 ガムビアン・キャベッジ・アンドゥ・パイナップル・サラッドゥ
  - 166 ガムビアン・フォニオ・サラッドゥ
- 167 **ガーナ**
  - 167 ガネイアン・サラッドゥ
  - 168 ガネイアン・アボカド・サラッドゥ
- 169 **リベリア**
  - 169 ライベリアン・ポテイトゥ・サラッドゥ
- 170 **ニジェール**
  - 170 ナイジャーズ・マンゴー・サラッドゥ
- 171 **ナイジェリア**
  - 171 ナイジェリアン・サラッドゥ
- 172 **セネガル**
  - 172 サラッドゥ・ニエベ

- 173 **Chapter 6**
  カリブ海諸島

- 174 **アンティグア・バーブーダ**
  - 174 トゥロピカル・カリードゥ・チキン・サラッドゥ
  - 175 スパイスィー・マンゴー・アンドゥ・アボカド・サラッドゥ
- 176 **バハマ**
  - 176 コンク・サラッドゥ

- 177 ヴァージン諸島
  - 177 ロブスター・サラッドゥ
- 178 キューバ
  - 178 エンサラダ・デ・アグアカテ，ベロ，イ・ピニァ
  - 179 エンサラダ・クバノ
- 180 ドミニカ共和国
  - 180 エンサラダ・デ・コリフロル
  - 181 エンサラダ・ベルデ
- 182 グレナダ
  - 182 ブレッドゥフルートゥ・サラッドゥ
  - 183 グレナダ・ブラック・ビーン，ハートゥ・オブ・パーム・アンドゥ・コーン・サラッドゥ
- 184 ハイチ
  - 184 ピクリース
- 185 ジャマイカ
  - 185 ジャメイカン・ジャーク・チキン・サラッドゥ
  - 186 ジャメイカン・フルートゥ・サラッドゥ
- 187 プエルトリコ
  - 187 エンサラダ・デ・レポイヨ
  - 188 エンサラダ・デ・コディトス
  - 189 セレナタ・デ・バカラオ
  - 190 ユカ・エネスカベチェ
- 191 セントルシア
  - 191 グリーン・フィグ・サラッドゥ
- 192 トリニダード・トバゴ
  - 192 ブルジョル

193 Chapter 7
ラテンアメリカ

- 194 ベリーズ
  - 194 ベリズィアン・ポテイトゥ・サラッドゥ
- 195 エルサルバドル
  - 195 レフレスコ・デ・エンサラダ・デ・フルタ
- 196 グアテマラ
  - 196 フィアムブレ
  - 198 エンサラダ・エネスカベチェ
  - 199 チョヒン
- 200 メキシコ
  - 200 スィーザー・サラッドゥ
  - 201 ビオニコ
  - 202 エンサラダ・デ・ノパレス
  - 204 エスキテス
  - 205 サルピコン・デ・レス
- 206 シェック
  - 207 エンサラダ・デ・ナビダッド
  - 208 エンサラダ・デ・トゥレス・レグムブレス
- 209 ニカラグア
  - 209 ビゴロン
  - 210 ワカモール
- 211 パナマ
  - 211 パスタ・プリマベーラ
- 212 アルゼンチン
  - 212 エンサラダ・クリオーヤ
- 213 ボリビア
  - 213 エンサラダ・デ・キノア・イ・フリホレス
  - 214 スィルパンチョ
- 215 ブラジル
  - 215 サルサ・ジ・パルミート
  - 216 サラダ・ジ・コウヴィ・コム・マンガ
  - 217 シュシュ
- 218 チリ
  - 218 エンサラダ・デ・アロス・フリオ
- 219 エクアドル
  - 219 アグアカテ・レイエーノ・コン・アトゥン
  - 220 エンサラダ・ミクスタ
- 221 ギアナ
  - 221 カラワン
- 222 パラグアイ
  - 222 エンサラダ・デ・マンディオカ
- 223 ペルー
  - 223 エンサラダ・デ・キヌア
  - 224 アグアカテ・レイエーノ・コン・カマロネス
- 225 スリナム
  - 225 グダニャン
- 226 ウルグアイ
  - 226 エンサラダ・デ・ポロトス

227 Chapter 8
北アメリカ

- 228 カナダ
  - 228 メイプル・ドレッスィング・サラッドゥ
  - 229 カネイディアン・ビーフ・タコ・サラッドゥ
- 230 アメリカ
  - 230 アンブロスィア
  - 231 セルリ・ヴィクター

- 232 コブ・サラッドゥ
- 234 シェフ・サラッドゥ
- 235 クラブ・ルイ
- 236 セヴン レイヤー・サラッドゥ
- 237 ウォーターゲイトゥ・サラッドゥ
- 238 ウォルドーフ・サラッドゥ
- 239 スパイシィー・ケイジャン・ポテイトゥ・サラッドゥ
- 240 ケイル・サラッドゥ
- 241 シェイヴドゥ・ブラッセルズ・スプラウトゥ・サラッドゥ
- 242 ロー・バターナットゥ・スクアッシュ・サラッドゥ

243 Chapter 9
東アジア

244 中国
- 244 リャンバンムーアル
- 245 リャンバントゥードウスー
- 246 リャンバンチウクイ
- 247 リャンバンピーダン
- 248 リャンバンリェンオウ
- 249 リャンバンハイダイスー

250 日本
- 250 和え物
- 252 酢の物
- 253 お浸し
- 254 海藻サラダ
- 255 ぶっかけそば

256 韓国
- 256 コルベンイムッチム
- 257 トラジムッチム
- 258 ヘパリネンチェ
- 259 ナムル
- 260 ムセンチェ

261 台湾
- 261 リャンバンホアングァー
- 262 リャンバンチエツー

263 Chapter 10
東南アジア

264 ブルネイ
- 264 ルジャック

265 カンボジア
- 265 ニオルム・サック・モアン
- 266 ラブ・クメル

267 インドネシア
- 267 ララブ
- 268 ガド・ガド
- 270 ブレチン・カンクン

271 ラオス
- 271 ラープ
- 272 タム・マク・フーン

273 マレーシア
- 273 パセムブール

274 シンガポール
- 274 ユサン

276 ミャンマー
- 276 ジン・ソー
- 277 ラペットゥ・ソー
- 278 トーフ・ソー

279 フィリピン
- 279 エンサラダン・アムバラヤ
- 280 エンサラダン・イトゥログ・ナ・マーラットゥ

281 タイ
- 281 タム・カヌーン
- 282 ミアン・カム
- 283 カノム・ジーン・サオ・ナム
- 284 スップ・ノル・マイ

285 ベトナム
- 285 ノム・フア・チュオイ
- 286 ゴン・ンゴ・セン
- 288 ゴイ・ギャ・バップ・ガイ

289 Chapter 11
南アジア

290 アフガニスタン
- 290 バンジャン・サラットゥ

291 バングラデシュ
- 291 アーム・ボルタ
- 292 アル・カブリ
- 293 ジャル・ムリ

294 ブータン
- 294 キャベッジ・イゼイ

295 インド
- 295 コサンバリ
- 296 シンジュ
- 297 スリー・ビーン・チャートゥ
- 298 バレンディンディナ・コサンバリ
- 300 シャッカルカンディ・キ・チャートゥ
- 301 ポハ・サラッドゥ

- 302 **ネパール**
  - 302 サデコ・アルー
  - 303 カクロコ・アチャール
- 304 **モルディブ**
  - 304 マス・フニ
  - 305 ボシ・マスニ
- 306 **パキスタン**
  - 306 ライタ
  - 307 チュカンダル・キ・サラッドゥ
- 308 **スリランカ**
  - 308 ヴェルカダラル・サンダル

- 309 **Chapter 12**
  ## 中央アジア＆中近東
- 310 **キルギス**
  - 310 アシュラムフ
- 312 **カザフスタン**
  - 312 シャルガム
- 313 **タジキスタン**
  - 313 クルトーブ
- 314 **ウズベキスタン**
  - 314 サブザヴォートゥ・ヴァ・ヌフトリ・ガザク
  - 315 タシュケントゥ・サラティ
- 316 **イラン**
  - 316 オマル・ピヤーズ
  - 317 サブジ・ホルダン
- 318 **イラク**
  - 318 ザラタットゥ・アダス
- 319 **イスラエル**
  - 319 サラットゥ・アヴォカド
- 320 **レバノン**
  - 320 タブーレ
  - 322 ラヒーブ
  - 323 サラターテ・ミルフール
  - 324 シンクリーシ
- 325 **オマーン**
  - 325 スルタートゥ・アトゥーナ
- 326 **パレスチナ**
  - 326 ファティタージア
  - 328 サラタッテ・ダジャージュ・ワ・フリーカ
- 329 **カタール**
  - 329 サラタッテ・ジャルジール

- 330 **シリア**
  - 330 ファトゥーシュ
- 331 **イエメン**
  - 331 サラタットゥ・イエメニ
- 332 **中近東全域**
  - 332 サラタットゥ・ホンモス

- 333 **Chapter 13**
  ## オセアニア
- 334 **オーストラリア**
  - 334 チーズ・スロー
  - 335 ストロベリー・スピナッチ・サラッドゥ
  - 336 カンガルー・サラッドゥ
- 337 **ニュージーランド**
  - 337 イカ・マタ
  - 338 クマラ
  - 340 ブラウン・ライス・サラッドゥ
- 341 **フィジー**
  - 341 フィジアン・ライタ
- 342 **グアム**
  - 342 ケラグエン・マノック
  - 343 グアマニアン・ポテイトゥ・サラッドゥ
- 344 **ハワイ**
  - 344 ハワイアン・マカロニ・サラッドゥ
  - 345 ハワイアン・コールスロー
  - 346 ポケ
- 347 **サモア**
  - 347 サモアン・トゥロピカル・サラッドゥ

- 348 参考文献＆参考サイト
- 351 あとがき

サラダを作る前に

　レシピの表記は個々のサラダだけでなく、本全体でも統一感を持たせてあるが、いくつか言及しておきたいことがある。実際に作る前にぜひ参考にしてほしい。

- レシピの人数は一部を除いてすべて4人分だが、サラダによって分量にかなりの差がある。そのサラダが前菜なのか、副菜なのかメインディッシュなのかで分量は違ってくるし、1人分が国によって違うということもある。このことを念頭に入れて、また好みの問題もあるので、まずは少量作ってみることを勧める。ドレッシングは多めに作り、少しずつ加えて好みの味にする。ドレッシングは材料と混ぜずに個人が好みの量加えるのもいい。
- 各々の材料の分量も一応の目安と考え、主役となる材料はできる限り分量、割合に従ってほしいが、他の材料は好みで増減させていい。ドレッシングも人によって好みが違うので、酢や塩の量は個人の好みに合わせる。
- 具体的な材料についていくつか言及しておきたい。多くのサラダにパセリが使われているが、すべてイタリアンパセリである。ピーチは日本語で桃だが実

際はかなり違う。ピーチは日本の桃に比べて小さく硬いので、桃を使う場合はできるだけ硬いものを選んでほしい。また、東アジアの国では唐辛子だが、他の国ではチリペッパーと表記した。これは単に表記の違いで好みのチリペッパーを好みの量使ってかまわない。ただほとんどの場合生なので注意が必要。サラダに使うハーブはほとんど生である。ドライハーブを使う場合はドライオレガノのように表記してある。豆には乾燥豆と料理済がある。レシピに調理済と書いてあるが、乾燥豆を使う場合は分量に注意が必要だ。その逆も同じ。

- 材料の切り方はかなり細かく切る場合を除いて、正確にレシピ通りのサイズに切る必要はない。形もサイズもある程度同じならOKだ。写真を参考に。ジャガイモとニンジンは基本的にすべて皮をむいているが、ニンジンはむかなくてもいい。ジャガイモも大きく切る場合、小さいものを使う場合はむかなくてもいい。

- ドレッシングの材料としてだけでなく、他の場面でもよくオリーブ油が登場してくる。レシピの中では単にオリーブ油と書いてあるが、すべてエキストラ・ヴァージン・オリーブ油なので注意する必要あり。

サラダの定義

　サラダと聞いてイメージするのは生野菜をドレッシングで和えた料理だ。でもそんな簡単に片付けられるものではないことにすぐ気がつく。卵サラダ、ツナサラダ、ポテトサラダはどうするのだ。シーフードサラダ、温サラダみたいのもある。一口にサラダといっても雑多であることに気がつく。

　サラダと呼ばれない料理の中にも、実はサラダなのだという料理もある。日本の和え物、酢の物、韓国のナムルなどはその典型だろう。ぶっかけそばやうどんも日本の外から見れば明らかにサラダである。野菜やトルティーヤなどをつけて食べるラテンアメリカのサルサもサラダなのだ。

　では実際に、サラダにはどんなタイプがあるのだろうか。タイプに分けると大体こんな感じになる。①生野菜サラダ。サラダというイメージにぴったりのサラダ。レタス、トマト、キュウリなどの生野菜のほか、アスパラガスなど湯がいた野菜も加えられることがある。②ライス、パスタサラダ。他の穀物を使ったサラダ、ぶっかけそば、うどんもここに入る。③ソース和えサラダ。マヨネーズで和えたツナサラダ、ポテトサラダ、卵サラダなどがこのタイプ。④調理野菜サラダ。茹でる、湯がく、焼くなど調理した野菜を使うサラダで、和え物、ナムル、アスパラガスサラダなどがある。⑤肉、魚介類サラダ。タコやエビを使ったサラダはよく知られる。ローストビーフ、生ハムを使ったものもここに入る。中には大きなローストチキンのスライスがデンと野菜の上にのっていたりすることもある。このサラダはメインディッシュとして出されることが多い。⑥マリネ、ピクルスサラダ。いわゆる漬物である。少なくとも1時間、普通は一晩寝かして味を馴染ませる。⑦フルーツサラダ。これは説明無用。果物のサラダ。⑧ソース系サラダ。魚卵のタラモサラダなどがこれに当たる。⑨デザートサラダ。これはあまり馴染みがないが、アメリカではかなりポピュラーだ。中にはクッキーやチョコレートバーのサラダまである。

※サラダの日本語表記は、現地の発音にできるだけ近付けました。また、サラダの名称は基本的に現地の呼称に合わせましたが、現地名がわからなかったものに関しては英名で表記しています。

The World's Salads

Chapter
1

西ヨーロッパ
Western Europe

イングランド／スコットランド／アイルランド／ドイツ／オーストリア
ベルギー／フランス／ルクセンブルク／オランダ／スイス

Ploughman's Lunch Salad

プラウマンズ・ランチ・サラッドゥ

ランチといってもサラダの横にはビールかエールというのが決まり

イングランド

イギリスといえばパブ、パブといえばパンやチーズ、玉ネギが皿にのったプラウマンズ・ランチである。ランチといってもパブのことなので、コーヒーなどではなくビールかエールということになる。農作業に携わるプラウマン（農夫）のこの昼食は14世紀の書物にも出てきたほど長い歴史があるのだが、実際にイギリス中に広まったのは、1950年代にチーズの販売促進が目的で宣伝されたかららしい。

このサラダは正直な話、そんな料理のパン以外の材料を混ぜてしまったというだけのものである。そのまま食べてもよし、パンを混ぜても、サンドイッチにしてもよし。でもビールやエールが友であることには変わりなし。

材料（4人分）

チェリートマト：24個（丸ごと、あるいは縦2等分）／リーフレタス（数種類ミックスしてもOK）：8枚（食べやすい大きさにちぎる）／クレソン：8枝（下の太い枝は切り落とす）／熟成したチェダーチーズ：200g（薄くスライス）／リンゴ：1個（スライス）／ガーキン（キュウリのピクルス、小さいもの）：8本／ハード系のパン：4枚

ピックルドオニオン
エシャロット：2個（薄くスライス）／ハチミツ：小さじ2／赤ワイン酢：大さじ3／水：80ml／塩：適宜

ドレッシング
オリーブ油：大さじ4／白ワイン酢：大さじ2／ハチミツ：小さじ1／マスタード：小さじ1/2／塩・コショウ：適宜

作り方

❶ピックルドオニオンの材料をすべて小さな鍋に入れて火にかけ、沸騰したら1分ほど煮て火から下ろし、冷めたら瓶などに詰め替えて、冷蔵庫で30分ほど味を馴染ませる。❷ドレッシングの材料をすべて器に入れてよく混ぜる。❸ボウルにチェリートマト、レタス、クレソンを入れ、ドレッシングを注いでよく混ぜる。❹③のサラダ、ピックルドオニオン、その他のサラダの材料を皿に盛りつける。❺パン以外を混ぜて食べる。あるいはパンをちぎってサラダに混ぜる。

Cauliflower Tabbouleh

|| カリフラワー・タブーリ

ロンドンのイスラエル出身名シェフが考案した人気サラダ

イングランド

タブーリはブルグルと呼ばれる砕いた小麦が使われるが、これはブルグルの代わりにカリフラワーが使われている。

ロンドンの有名シェフ、イスラエル出身のオトレンギが考案した、おいしいというだけでなく、とても美しいサラダである。イギリスでポピュラーになりつつあるだけでなく、オーストラリアなどでも人気だ。あらかじめ細かく刻んだこのサラダ用ともいえるカリフラワーが売られていたりもする。

このサラダに使われているカリフラワーは生である。イギリスに限らず、カリフラワーやブロッコリーを生で食べることは意外と多い。生だと栄養も損なわれない。

材料（4人分）

カリフラワー：500g（包丁、チーズおろし器、フードプロセッサーなどで米粒大にする）／青ネギ：2本（粗みじん切り）／イタリアンパセリ：大さじ2（粗みじん切り）／ミント：大さじ2（粗みじん切り）／ディル：大さじ1（粗みじん切り）／ザクロの実：80g／レモン：1個（櫛形に切る）

ドレッシング

レモン汁：大さじ2／オリーブ油：大さじ2／オールスパイス：小さじ1/2／塩・コショウ：適宜

作り方

❶カリフラワーは生をそのまま使うが、抵抗があるならサッと湯がいて水を切っておく。❷ドレッシングの材料をすべて器に入れて混ぜる。❸カリフラワーを含むサラダの材料（ザクロとレモン以外）をすべてボウルに入れ、ドレッシングを注いでよく混ぜる。❹サラダを器に盛りつけて、その上にザクロの実を散りばめ、レモンを添える。

Scottish Salmon and Prawn Salad

スコットランド

∥ スコティッシュ・サーモン・アンドゥ・プローン・サラッドゥ

スコットランドの名産品、サケとエビをペアにした贅沢な一品

　スペイ、テイ、ツウィードなど世界に名だたるサーモンフィッシングの名川が流れるスコットランドは、野生のサケだけでなく養殖サケの輸出国としても知られる。品質の高さもトップクラスだ。品質の証明ともいえるフランスのラベルルージュ（赤ラベル）の表示が認可された、フランス国外初の魚でもあるのだ。

　サラダにサケというとスモークサーモンを思い浮かべるが、このサラダでは焼いただけのサケが使われる。同じくスコットランド名産の生エビを別々にフライパンで焼き、野菜とともにオレンジ汁、ライム汁、ハチミツが入ったドレッシングで味つけする、爽やかなサラダである。

材料（4人分）
生サケ切り身（できればアトランティックサーモン）：250g／サラダ油：大さじ1+1／生エビ：250g（頭、殻、背ワタを取る）／ライム汁：大さじ1／オレンジ：1個／ミックスグリーンサラダ（レタス、クレソン、ルッコラなど。一口大にちぎる）：150g／紫玉ネギ：小1/2個（スライス）／塩・コショウ：適宜

ドレッシング
サラダ材料のオレンジから取れたジュース：全量／オリーブ油：大さじ3／ライム汁：大さじ2／ハチミツ：大さじ1／砂糖：小さじ1/2／ディジョンマスタード：小さじ1/2／クミンパウダー：一摘み／ガーリックパウダー：一摘み／塩・コショウ：適宜

作り方
❶ サケに塩・コショウをしたら、フライパンにサラダ油大さじ1を熱し、皮を下にして焼き始め、完全に火が通るまで中火で焼く。❷ ①のフライパンを洗い、サラダ油大さじ1を熱したらエビを加え、塩とコショウを振りかけて赤く色づくまで焼く。焼けたら火を消してライム汁を加えて混ぜる。❸ 焼いたサケとエビを冷蔵庫で1時間ほど冷やす。❹ オレンジの皮と袋を取って実だけを取り出す。出てきたジュース、実を取った残りの部分を絞って出てきたジュースは取っておく。❺ ④のオレンジジュースと他のドレッシングの材料を器に入れて、泡立て器でよく混ぜる。❻ ミックスグリーンサラダをボウルに入れ、好みの味になる程度にドレッシングを加えてよく混ぜる。❼ 器にミックスグリーンサラダ、食べやすい大きさにほぐしたサケ、エビ、オレンジの実、玉ネギを盛りつける。

Scottish Arran Potato Salad

スコットランド

|| スコティッシュ・アラン・ポテイトゥ・サラッドゥ

スコットランドの島、アラン島特産のねっとりジャガイモのサラダ

　7000近い島がある日本には遠く及ばないけど、スコットランドにもおよそ1000の島がある。スコットランドの西海岸にあるクライド湾に浮かぶ最も大きな島がアラン島だ。このサラダの発祥の地である。島の経済を支えるのは観光だが、漁業や農業も盛んで、このサラダには本来、アラン島産のアランチーフという品種のジャガイモが使われる。

　このジャガイモはホクホクの男爵というより、メークインのようなねっとり系である。なので、日本で作る場合はメークインということになる。真っ赤なビーツ、そして卵の黄身と生クリームでできたクリーミーなドレッシングが加わり、全体がピンク色に染まる。

材料（4人分）
茹でたジャガイモ（皮付き、皮なしは好みで）：4個（600g、一口大に切る）／茹でたグリーンピース（缶詰可）：40g／茹でたビーツ（缶詰可）：40g（皮をむいてジャガイモよりも小さめのサイコロ切り）／玉ネギ：小さじ1（みじん切り）／イタリアンパセリ：小さじ1（みじん切り）＋適宜（飾り用）

サラダクリーム
茹で卵（黄身のみ）：1個／マスタード：大さじ1／レモン汁：小さじ2／白ワイン酢：大さじ1／生クリーム：80ml／砂糖：小さじ1／塩・コショウ：適宜

作り方
❶ サラダクリームの材料を小さなボウルに入れ、なめらかになるまでよく混ぜる。❷ サラダの材料をすべて大きなボウルに入れ、サラダクリームを1/4程度加えて軽く混ぜ、好みの味になるまでさらに少しずつ加えて味を調える。❸ サラダを器に盛り、上にイタリアンパセリを散らす。

Colcannon

|| コルカノン

ホクホクのジャガイモの上で溶けるバターの誘惑にはかなわない

そもそもコルカノンとはどういう意味かというと、ゲール語で"白い頭のキャベツ"なのであって、ジャガイモのサラダに見えるが実はキャベツのサラダなのだといえなくもない。アイルランドではハロウィーンに食べるサラダだが、その1日のためだけに作られるというわけではもちろんない。17世紀にはすでにこのサラダの歌があったことからも分かるように、アイルランドの人々がこよなく愛するサラダであることは確かだ。

隣のページのポテトサラダと違い、こちらにはホクホクのジャガイモが向いている。真ん中にポンと置いて溶けたバターが、このサラダのうまさを倍増させる。

材料（4人分）

ジャガイモ：5個／ケールまたはキャベツ：2枚（キャベツの場合3枚。芯は切り落とす）／青ネギ：4本（小口切り）／牛乳：120ml／バター：60g＋適宜（飾り用）／イタリアンパセリ：適宜（みじん切り）／塩・コショウ：適宜

作り方

❶ ジャガイモの皮をむいて鍋に入れ、ジャガイモが完全に隠れるまで水を注いで、小さじ1の塩を加えて沸騰させる。中火にしてジャガイモに火が通るまで茹でる。茹で上がったらザルに上げて完全に水を切る。

❷ ジャガイモを茹でている間に別の鍋に湯を沸かし、塩を一摘み加えてケールを好みの硬さに茹でる。ザルに上げて水を切ったら、手で絞って水気を取って細かく刻む。❸ 牛乳をレンジなどで沸騰直前まで温めておく。❹ 茹でたジャガイモをボウルに入れてフォークなどである程度マッシュにしたら、バター60gを加えて全体に行き渡るまで混ぜ、さらに温めた牛乳を加えてマッシュする。完全になめらかにせず、少し粒が残っている程度がいい。❺ ケールと青ネギを加え、塩とコショウで味を調えたら器に盛り、イタリアンパセリを散らして中央にバターを落とす。

Kartoffelsalat

カルトフェルザラートゥ

マヨネーズではなくブロスのドレッシングを使う南ドイツのポテサラ

　東京出身の私にとって、ところてんといえば酢醤油である。関西のように黒蜜で食べるところてんなどというのは、脅威ですらある。他にも食に関する東西のバトルはいまだ健在だ。ドイツにおけるポテトサラダは、日本のそんな状況に似たところがある。北は日本でもお馴染みのマヨネーズ、南ではブロス、つまりスープみたいなものでドレッシングを混ぜる。南のブロス系にはいくつかのバリエーションがあり、酢を加えたり、ベーコンから出た油を加えたりすることも多い。

　ここで紹介するのは、ブロス系の中でも最もシンプルなものだ。ジャガイモを味わいたいならこのサラダがベストといえる。

材料（4人分）

ジャガイモ：4〜5個（500g）／イタリアンパセリ：適宜（みじん切り）

ドレッシング
サラダ油：大さじ1（炒め用）＋2／玉ネギ：小2個（みじん切り）／チキンまたはビーフブロス（コンソメ＋水でもOK）：100ml／マスタード：大さじ1／砂糖：一摘／塩・コショウ：適宜

作り方

❶ ジャガイモを皮のまま、塩少々を加えたお湯で茹でる。崩れない程度まで茹でたらザルにあけて冷ます。
❷ ジャガイモを茹でている間、別の鍋でドレッシングを作る。鍋にサラダ油大さじ1を入れて熱し、玉ネギをさっと炒めたらブロスを加えてひと煮立ちさせて火から下ろし、塩・コショウ以外の残りのドレッシングの材料を加えてよく混ぜる。❸ ジャガイモが冷めたら5mm程度にスライスしてボウルに入れ、その上にドレッシングをかけて混ぜる。そのまま30分ほどおき、塩とコショウで味を調える。❹ サラダを器に盛りつけ、上にイタリアンパセリを散らす。

Wurstsalat

|| ヴルストゥザラートゥ

ヴルストゥはソーセージのこと。ドイツ周辺国でも人気のサラダ

　ソーセージパラダイスのドイツなので、ソーセージをサラダにしてしまおうと思うのは当然である。それがこのヴルストゥザラートゥである。ドイツだけでなくオーストリア、スイスでもよく食べられる。ソーセージの種類が豊富なので、このサラダに使われるソーセージも地方によってさまざまだ。中にはブラッドソーセージを加える場合もある。スイスではさらにチーズを加えることが多い。

　このサラダに使われるドレッシングは酢がベースだが、フライシュザラートゥといわれる、材料は似たり寄ったりだがマヨネーズを使うサラダもある。まず簡単に手に入るボローニャソーセージで作ってみたい。

材料（4人分）

リオナール、フライシュヴァルスト、ボローニャソーセージなど：400g（細切り）／紫玉ネギ：小1個（薄くスライス）／キュウリのピクルス：100g（スライス）／チャイブ：大さじ3（みじん切り）

ドレッシング

ピクルスの漬け汁：大さじ1／白ワイン酢：大さじ2／マスタード（甘いもの、辛いものどちらでも可）：小さじ2／サラダ油：大さじ3／砂糖：一摘み／塩・コショウ：適宜

作り方

❶ 小さな器にドレッシングの材料をすべて入れてよく混ぜる。❷ ボウルにサラダの材料をすべて入れ、ドレッシングを注いでよく混ぜる。

Fränkischer Spargelsalat

フランキシァル・スパルゲルザラートゥ

バターが溶け込むドレッシングが浸み込んだアスパラガスのサラダ

　紫というのもあるけど、アメリカではほとんどの場合、アスパラガスといえば緑だが、ドイツでは白であることが圧倒的に多い。白金ともいわれる白いアスパラガスに向けられるドイツ民の思いは相当なものだ。アスパラガスのシーズンは4月中旬から6月の終わりくらいまでで、ドイツの人たちはこの間毎日のようにアスパラガスを食べるともいわれる。2018年には13万トンのアスパラガスが収穫されたというから驚きだ。

　数あるアスパラガスサラダの中からここで紹介するのは、フランケニア地方のサラダだ。アスパラガスの茹で汁にバターを溶かし込んだドレッシングがこのサラダの特徴である。

材料（4人分）

ホワイトアスパラガス：1000g ／レモン：スライス1枚／砂糖：小さじ1／塩：小さじ1／無塩バター：大さじ1／アスパラガスの茹で汁：120mlまたはアスパラガスが浸かる程度

ドレッシング
白ワイン酢：大さじ3／サラダ油：大さじ3／イタリアンパセリ：大さじ2（みじん切り）／チャイブ：大さじ2（みじん切り）／砂糖：一摘み／塩・コショウ：適宜

作り方

❶ アスパラガスの根元を1cmくらい切り、硬い筋をむく。❷ 鍋に十分な量の湯を沸かし、レモンのスライス、砂糖、塩、バターを加えて、アスパラガスが好みの柔らかさになるまで茹でる。❸ トレイなど平らで少し深さのある器にアスパラガスを並べ、茹で汁を加えて冷ます。❹ ドレッシングの材料を小さな器に入れてよく混ぜ、アスパラガスの入った器に注ぐ。❺ 軽く混ぜたら、そのまま1～2時間味を馴染ませる。

Radieschen-Salat

|| ラディエッシェン ザラートゥ

オクトーバーフェストといえばレッドラディッシュの爽やかサラダ

ドイツ

　秋、ミュンヘンで行われるオクトーバーフェストはドイツ最大級のフェスティバルで、毎年600万人が世界各国からやってくる。このフェスティバルで食されるラディッシュ（ダイコンやカブのような根菜）のサラダだ。前ページの少しばかり濃厚なアスパラガスのサラダと違い、とてもさっぱりとしたサラダである。

　普通使われるのは赤くて小粒のレッドラディッシュで、わずかに辛みのあるこのラディッシュに甘味と酸味を備えたリンゴを加え、シンプルなドレッシングと和える。白いラディッシュを使う場合もあるようなので、ダイコンやカブで作ってもいいかもしれない。

材料（4人分）

レッドラディッシュ：10個（スライス）／リンゴ：1個（縦4等分してスライス）／青ネギ：2本（小口切り）

ドレッシング
サラダ油：大さじ3／白または赤ワイン酢：大さじ3／砂糖：一摘み／イタリアンパセリまたはチャイブ：小さじ2（みじん切り）／塩・コショウ：適宜

作り方

❶ ドレッシングの材料をすべて器に入れて混ぜる。
❷ サラダの材料をすべてボウルに入れ、ドレッシングを注いで塩とコショウで味を調えながらよく混ぜる。

Rotkohlsalat

ドイツ

|| ロトゥコールザラートゥ

甘く味つけした紫キャベツのサラダは肉料理などのお供に最適

　ザワークラウトは世界でもよく知られる、キャベツを使ったドイツのピクルスである。ザワークラウトに使用する緑キャベツと同様に、ドイツでよく食べられているのが紫キャベツである。ぎゅっと締まった紫キャベツは緑キャベツよりも硬く、わずかに甘みが強い。
　生で食べることよりも調理することが多い。ロトゥコールザラートゥではリンゴや砂糖を加えて甘くするのが特徴だ。カラントジャムをプラスすることも少なくない。
　肉料理との相性がよく華やかなため、ローストした牛肉などとともに盛りつけるが、単品としてもいけるし、サラダを含めた他の料理のサイドディッシュとしても適している。

材料（4〜6人分）

無塩バター：30g／玉ネギ：1/2個（スライス）／リンゴ（甘くないもの）:小1個（小サイコロ切り）／紫キャベツ：小1個（約800g、千切り）

ドレッシング
赤ワイン酢：大さじ3／赤ワイン：120ml／ビーフブロスまたは水：200ml／クローブ：2粒／粒コショウ：6粒／ジュニパーベリー（お好みで）：2粒／ローリエ：1枚／カラントジャム（お好みで）：大さじ2／塩：適宜／砂糖：適宜

作り方

❶ ドレッシング用の酢、ワイン、ブロスを器に入れて混ぜておき、スパイスを小皿に用意しておく。❷ 鍋にバターを熱し、弱火で玉ネギをしんなりするまで炒めたらリンゴを加え、1〜2分炒める。❸ キャベツを加えて少ししんなりさせたら、①の液とスパイス、ジャム、塩と砂糖少々を加えて沸騰させる。❹ 弱火にして、キャベツが好みの硬さになるまで30〜60分煮る。水分が十分にあるか注意し、少なくなってきたら水を適量加える。出来上がった時に水分がほぼなくなっているくらいが最適。❺ 混ぜながら塩、砂糖で味を調えて、火から下ろす。そのまま食べても冷ましてもOK。冷蔵庫で一晩寝かすと味がより馴染む。

Käferbohnensalat

オーストリア / Austria

|| キエファルボーネンザラートゥ

ビートルビーンなどとも呼ばれるホクホク大粒豆のサラダ

　キエファルボーネンはビートルビーン、日本語でいえば甲虫豆ということになる。大粒で紫のまだら模様の豆というと気がつく人がいるかもしれない。日本では高原で栽培されている、煮豆にするとおいしい紅花インゲン豆のことなのだ。

　キエファルボーネンザラートゥはオーストリアを代表するサラダで、オーストリアの南に位置するシュタイアーマルク州の伝統的な料理である。シュタイアーマルク州では16世紀からこの豆を栽培しているらしい。豆と玉ネギで作るシンプルなサラダだが、トウモロコシ、牛肉、トマト、卵、ラディッシュなどが加えられることも多い。

材料（4人分）

乾燥ベニバナインゲン（花豆）：100g／チャイブまたはイタリアンパセリ：大さじ2（みじん切り）

ドレッシング
玉ネギ：小1個（みじん切り）／パンプキンシード油（なければサラダ油）：大さじ3／白ワイン酢またはリンゴ酢：大さじ2／砂糖：一摘み／塩・コショウ：適宜

オプションとして考えられる材料（分量は各適宜）
コーン、茹でた牛肉のスライス、レッドラディッシュ（千切りまたは粗みじん切り）、トマト（櫛切り。飾りとして）、茹で卵（2か4等分。飾りとして）

作り方

❶ ベニバナインゲンをたっぷりの水に浸して一晩おく。❷ ベニバナインゲンの水を切り、たっぷりの水とともに鍋に入れて沸騰させ、弱火で1時間〜1時間半、柔らかくなるまで煮る。茹で上がったら水を切って冷ます。❸ ドレッシングの材料をすべて器に入れて混ぜる。❹ ベニバナインゲンをボウルにあけ、飾り用以外のオプション（コーンなど）も加えたら、ドレッシングを注いでよく混ぜる。❺ サラダを器に盛りつけ、チャイブ、オプションの飾りを上に散らす。

Steirischer Backhendlsalat

スタイリシャル・バクヘンドゥルザラートゥ

カツは別料理ではなくサラダの一部というちょっと変わったサラダ

　オーストリアで最も知られる料理のひとつにシュニッツェルがある。薄くなるまで叩いた牛肉のカツなのだが、シュタイアーマルク州では鶏カツとなる。

　このサラダは、その鶏カツがデンとのったサラダで、鶏カツもサラダの一部なのだ。カツがサラダの上にのっているだけで、カツはサラダじゃないだろうと言いたくなる人もいるかもしれないが、世界には似たようなサラダが結構あるのだ。カツ、ポテトサラダ、葉物とトマトのサラダという3つの要素で構成されているのがこのサラダの特徴。ドレッシングにはシュタイアーマルク州特産のカボチャ種から取った油が使われる。

材料（4人分）

サラダ1
ジャガイモ：大3個／白ワイン酢：大さじ2／野菜ブロス（なければコンソメ）：150ml／マスタード：小さじ1／サラダ油：大さじ2／玉ネギ：1/2個（みじん切り）／塩・コショウ：適宜

鶏肉のシュニッツェル
パン粉：適宜／パンプキンシード：大さじ3（細かく砕く）／卵：1個／牛乳または水：大さじ2／鶏ムネ肉：2枚（それぞれ4枚に削ぎ切り）／小麦粉：適宜／サラダ油：適宜（フライパンの底を覆う程度）／塩・コショウ：少々

サラダ2
リーフレタス：4枚（一口大にちぎる）／トマト：1個（一口大に切る）／白ワイン酢：大さじ1／パンプキンシード油（なければサラダ油）：大さじ1／ガーデンクレスまたはクレソン：8本（食べやすい長さに切る）／チャイブ：適宜（小口切り）

作り方

サラダ1
❶ ジャガイモを鍋に入れ、たっぷりの水を加えて火にかけ、硬めに茹でる。茹でたらザルに上げて冷ましておく。❷ 違う鍋に白ワイン酢と野菜ブロス、マスタードを入れて温める。❸ ジャガイモの皮をむいて縦半分に切り、厚めにスライスしてボウルに入れる。②を注いで混ぜたら、さらにサラダ油、玉ネギを加えて混ぜる。塩とコショウで味を調える。

鶏肉のシュニッツェル
❶ パン粉とパンプキンシードを器に入れてよく混ぜる。❷ 卵を溶いて牛乳と合わせておく。❸ 軽く塩コショウした鶏肉を小麦粉、②の卵ミックス、①のパン粉ミックスの順にまぶす。❹ フライパンに油を熱し、鶏肉の両面にこんがり焼き色がつくまで焼く。

サラダ2
❶ ボウルにレタス、トマト、白ワイン酢、パンプキンシード油を入れて混ぜる。

盛りつけ
❶ サラダ1を器の上にちりばめ、その上にシュニッツェルをのせる。❷ サラダ2をガーデンクレス、チャイブとともに散りばめる。

オーストリア Austria

Asperges op Vlaamse Wijze

ベルギー

|| アスパラジェス・オプ・ヴラームス・ヴェイズ

ベルギーの過半数を占めるフラマン人の伝統的なアスパラガスサラダ

　ドイツと同様、ベルギーでもアスパラガスというと白のようだ。白と緑のアスパラガスの違いは見た目だけでない。白のほうが甘みがあり、デリケートだとよくいわれる。そのあたりがヨーロッパで持てはやされる理由になるのかもしれない。

　このサラダは、アスパラガスのサラダと卵サラダを組み合わせたものともいえる。実際、アスパラガス、卵、溶かしバターを別に盛り、アスパラガスを溶かしバターに浸してから卵サラダをまぶして食べるという方法もあるようだ。白いアスパラガスは緑のアスパラガスよりも皮が硬いことがしばしばあるので、その場合は皮を丁寧にむくようにしたい。

材料（4人分）

ホワイトアスパラガス：12本／固茹で卵：3個／イタリアンパセリ：適宜（みじん切り）／無塩バター：大さじ4／塩・コショウ：適宜

作り方

❶ アスパラガスの根元を1cmほど切り落とし、根元の硬い筋をスライサーなどでむき取る。❷ 鍋にたっぷりの湯を沸かし、塩少々を加えてアスパラガスを好みの硬さに茹でる。茹で上がったらザルに上げて、水を切って皿に盛る。❸ 茹で卵を白身と黄身に分け、それぞれを別々に細かく刻む。❹ アスパラガスの上に白身、黄身、イタリアンパセリの順で散らす。❺ バターを溶かして全体にかけ、塩とコショウで味つけする。

Salade Liégeoise

ベルギー / Belgium

|| サラードゥ・リエージュワーズ

サヤインゲンとジャガイモで作る温かいまま食べるサラダ

　サラードゥ・ニソワーズが南フランスのニースのサラダであるように、サラードゥ・リエージュワーズはベルギー東部に位置するリエージュのサラダということになる。
　主な材料はサヤインゲン、ジャガイモ、ベーコンで、サヤインゲンのサラダともジャガイモのサラダともいえる。実際、調べると両方出てくるからおもしろい。温かいまま食べることが多く、酢が入るもののサラダのボリュームを考えると少なめなので、軽い味つけといえる。ベーコンと生の玉ネギがいいアクセントになっている。この他に茹で卵が加わることがよくあり、ラズベリーなどで作ったフルーツ酢を使って甘味をプラスすることもある。

材料（4人分）

ジャガイモ：大2個／サヤインゲン：30本／オリーブ油：大さじ1／ベーコン：150g（横に1cm幅くらいに切る）／玉ネギ：小1個（1cm角切り）／イタリアンパセリ：大さじ3（みじん切り）／赤ワイン酢：大さじ2／塩・コショウ：適宜

作り方

❶ ジャガイモを皮付きのまま、切った時に崩れない程度に煮る（あるいは蒸す）。サヤインゲンも同様に、固茹でするか蒸す。茹でた場合は水を切っておく。❷ フライパンにオリーブ油を熱し、ベーコンと玉ネギを加えて、玉ネギが透き通るまで炒める。❸ ジャガイモを一口大、サヤインゲンを4～5cmくらいに切ってボウルに入れ、さらにイタリアンパセリと❷を加えたら、赤ワイン酢を注いで混ぜる。❷のフライパンの中身を油ごとすべて加えると油っこくなる可能性があるので、前もってザルなどで油を切っておいて、混ぜた後に適量加えるといい。❹ 塩とコショウで味を調える。

Pêche au Thon

ペショ・トン

ピーチの穴にツナサラダ。フルーツとツナは想像以上によく合うのだ

　ツナサラダといえば、パンに挟むか上にのせて食べるものという固定観念がある。冷たい麺料理の上にのせたり、おにぎりや海苔巻きの具にしたりすることはあるにしても、ほとんどの場合はサンドイッチである。

　ツナサラダにはこんな食べ方もあるんだと、少しばかり驚いたのがこのサラダだ。ペシュはピーチ、トンはツナのことで、ピーチの種を取った後にできる穴にツナサラダを詰めるのである。ピーチは生でもいいが、缶詰や瓶詰なら簡単だ。ツナサラダはマヨネーズの食べ慣れたものだけど、ヨーグルトやクレムフレッシュでもいいというか、ピーチとの相性でいうと、個人的には後者が好みである。

材料（4人分）

缶詰のツナ：250g／紫玉ネギ：1/2個（みじん切り）／青ネギ：1本（小口切り）／マヨネーズまたはギリシャヨーグルトまたはクレムフレッシュ：80g／パプリカパウダー：小さじ1+α／缶詰または瓶入りピーチ（硬めの桃）：半分に切ったもの8個／ルッコラ、レタスなどの葉野菜のミックス：適宜／ディル：適宜／塩・コショウ：適宜

作り方

❶ ボウルにツナ、玉ネギ、青ネギ、マヨネーズ、パプリカパウダー小さじ1を入れてよく混ぜ、塩とコショウで味を調える。❷ 器に野菜ミックスを敷き、ピーチの余分な水分をふき取って上にのせる。❸ ピーチの中央に①のツナサラダを詰め、上にディルを飾り、パプリカパウダーを少しかける。

Tomate Crevette

ベルギー / Belgium

トマットゥ・クレヴェットゥ

トマトの器にマヨネーズ味の小さなエビを詰め込んだサラダ

　トマトは、サラダの材料として最も人気のあるもののひとつである。野菜はもちろん、肉や魚介類と混ぜてもいい。どうせなら器にしてしまおうという発想が生まれてもまったく不思議がないし、トマトを器にした料理は世界各地にある。

　このサラダはトマトを器にしたエビのサラダである。エビは沿岸で獲れる、大きくても5cmくらいの小さなエビが使われる。グレイシュリンプ、サンドシュリンプとか呼ばれるこのエビの仲間は、世界のかなり広い範囲に生息している。他のエビでもかまわないけれども、ベルギーの人たちはこのエビじゃないとだめだという強いこだわりを持っている。

材料（4人分）

トマト：小4個／マヨネーズ：大さじ4／レモン汁：大さじ1／イタリアンパセリ：大さじ2（みじん切り）／調理済エビ（頭と殻を取ったもの）：小350g／ロメインレタス：適宜（食べやすい大きさにちぎる）／塩・コショウ：適宜

作り方

❶トマトの頭を切り落とし、スプーンなどで種の部分をすくい取る。すくい取った種は刻んで、ザルに入れ、出てきたジュースを器で受け止めて取っておく。切り落とした頭は取っておいて蓋にする。❷トマトの種から取ったジュース、マヨネーズ、レモン汁、イタリアンパセリをボウルに入れてよく混ぜ、エビを加えて塩とコショウで味を調えながらさらに混ぜる。❸皿にロメインレタスを敷き、その上にトマトをのせ、トマトのくぼみを②のエビで満たす。切り落としたトマトの頭を上にのせる。

Mesclun

メスクラン

食感、味の違う葉物を何種類も混ぜたミックスグリーンサラダ

メスクランは若くて柔らかい葉物を何種類もミックスしたサラダだ。フランス南部ニースが発祥だが、歴史は浅く、1970年代に農家の人たちがマーケットで売り始めたのが最初だ。よく使われるのは様々なリーフレタス、タンポポの葉、エンダイブ、ルッコラ、ラディッキオなどで、少なくとも4種類は入っている。要は葉物であれば何でもいい。

以前はフランスでもレストランや特殊なマーケットでしか見かけなかったようだが、最近ではスーパーでも手に入るようだ。アメリカでも人気で、スプリングミックスなどの名で様々な葉物をミックスしたものがパックで売られているので、別々に買う必要がない。

材料（4人分）

各種レタス、ルッコラ、ラディッキオ、タンポポの葉、エンダイブ（フリッセ）などできるだけ多くの種類をミックス：200g（食べやすい大きさにちぎる）

ドレッシング
オリーブ油：大さじ3～4／白ワイン酢：大さじ1／ディジョンマスタード：小さじ1/2／塩・コショウ：適宜

作り方

❶ ドレッシングの材料をすべて小さな器に入れてよく混ぜる。❷ サラダの材料をすべてボウルに入れ、ドレッシングを注いでよく混ぜる。

Salade Niçoise

|| サラードゥ・ニソワーズ

フランスを代表するサラダともいえる豪華でボリュームある一品

　名前からも分かるように、南フランスに位置するニースの伝統的なサラダで、コート・ダジュールのシンボルともいわれている。オーセンティックなこのサラダの材料は茹で卵、ルッコラ、トマト、アンチョビ、ツナ、バジル、オリーブといわれるが、地域によってはサヤインゲン、パプリカ、アーティチョーク、そら豆、葉物のミックスなどが加わる。

　ドレッシングはディジョンマスタードが入ったシンプルなもので、様々な材料をひとつのサラダにまとめ上げるのに最適なドレッシングだといえる。ボリューム感もかなりのもので、このサラダさえあればあとはバゲットだけで十分満足のいく食事となる。

材料（4～6人分）

レタス：1個（大きめにちぎる）／茹で卵：2個（縦4等分）／トマト：中3個（半月に薄くスライス）／サヤインゲン：小～中20本（湯がいて冷水で冷ましておく）／キュウリ：小1本（皮をむいてサイコロ切り）／青ネギ：1本（小口切り）／缶詰のオイル漬けツナ：200g（大きめにほぐす）／オイル漬けアンチョビフィレ：8枚／オリーブ：12個／イタリアンパセリ：適宜（粗みじん切り）

ドレッシング
オリーブ油：大さじ3～4／赤ワイン酢：大さじ1～2／ニンニク：小2片（みじん切り）／ディジョンマスタード：小さじ1/2／塩・コショウ：適宜

作り方

❶ 小さな器にドレッシングの材料をすべて入れてよく混ぜておく。❷ 器にレタスを敷き、少しドレッシングをかける。❸ レタスの上にイタリアンパセリ以外のサラダの材料を盛りつける。❹ イタリアンパセリを散らし、ドレッシングをかける。

Salade Lyonnaise

| サラードゥ・リヨネーズ

ピリッとした野菜にポーチドエッグがのったリヨンの伝統的サラダ

　その昔、ラルドン（フランス版のベーコンのようなもの）と卵、パンを持って河原へピクニックに出かけた洗濯女が、道すがら摘み取ったタンポポの葉と持ってきた食材を混ぜて作った。そんな逸話もあるこのサラダは、リヨンを代表する料理である。

　このサラダはラルドン、葉野菜、卵の3つの材料で構成されている。葉野菜にはフリッセ、タンポポの葉、ルッコラなど辛みのあるものが使われる。卵は普通ポーチドエッグで、ラルドンから出た油で作ったドレッシングがかかる。前菜として出されることが多いが、ボリュームがありハイカロリーなのでランチなどにも向いている。

材料（4人分）

ラルドン（なければベーコン）：200g（1.5cm幅に切る）／エシャロット：1個（粗みじん切り）／赤ワイン酢：大さじ2／ディジョンマスタード：小さじ1／白ワイン酢：大さじ2～4／卵：4個／エンダイブ（フリッセ）：1個（葉ごとに分ける）／塩・コショウ：適宜

作り方

❶ 熱したフライパンにラルドンを加え、中火でカリカリになるまで炒めたら取り出して、器に取っておく。❷ フライパンにエシャロットを加えて透き通るまで炒めたら、赤ワイン酢とディジョンマスタードを加え、沸騰したら火を消し、器にあけておく。❸ 茶漉しを用意し、そこに卵を1つ割り落として液状の白身を取り除き、小さな器に移す。残りの3つも同じようにして別々の器に取っておく。❹ ボウルに氷水を張っておく。❺ 幅の広い深いフライパンに4～5cmの深さになるまで水を注いで沸騰させる。沸騰したら白ワイン酢を加え、弱火にしたら卵を1つずつ静かに落とし、直ちにスプーンで広がった白身を黄身の周りに集める。❻ 火を消して4分ほど待ち、卵を丁寧にすくい取って④の冷水に浸けて冷ましたら、スプーンなどで卵を成形する。出来上がったポーチドエッグはサラダができるまでそのまま水に浸けておく。❼ ボウルにエンダイブ、①のラルドンを入れ、②のドレッシングを注いでよく混ぜる。塩とコショウで味を調える。❽ サラダを器に盛り、作る時に下になっていた表面がなめらかな側を上にしてポーチドエッグをのせる。

Salade de Lentilles Vertes

フランス France

|| サラードゥ・ドゥ・ランティーユ・ヴェルトゥ

豆のキャビアとも称されるル・ピュイのレンティル豆のサラダ

　日本でも知られるようになってきたレンティル豆（レンズ豆）にはグリーン、ブラウンなどがある。このサラダで使われるのはグリーンレンティルだが、正確にはランティーユ・デュ・ピュイというフランス南部のル・ピュイで栽培されるものが使用される。ル・ピュイのレンティル豆は普通のレンティル豆よりもひと回り小さく、煮るのに時間はかかるが煮崩れしないという特徴を持っている。味も少し違い、よりナッツっぽくわずかな土臭さがある。ニンジン、トマトなどの野菜、ナッツ、チーズが加わり、ディジョンマスタードが入ったヴィネグレットで和えるなど、様々な味、食感が混ざり合った複雑な味わい。

材料（4人分）

グリーンレンティル豆（できればランティーユ・ヴェルトゥ・デュ・ピュイ、フランスのピュイ産グリーンレンティル豆）：250g／ローリエ：1枚／タイム：4枝／ニンジン：小1本（小サイコロ切り）／紫玉ネギ：小1個（小角切り）／セロリ：1本（小サイコロ切り）／トマト（お好みで）：小1個（小サイコロ切り）／イタリアンパセリ：大さじ4（みじん切り）／クルミまたはピーカンナッツ：100g（粗く砕く）／ゴートチーズまたはフェタチーズ：120g（小さく砕く）

ドレッシング
赤ワイン酢：大さじ1／ディジョンマスタード：小さじ1／オリーブ油：大さじ4／エシャロット：小1個（みじん切り）／塩・コショウ：適宜

作り方

❶ レンティル豆を洗って鍋に入れ、たっぷりの水とローリエ、タイム、塩小さじ1/4を加えて火にかけ、沸騰したら弱火で煮る。❷ 豆がほぼ煮えたところでニンジン、紫玉ネギ、セロリを加えて、すべてに火が通るまで煮たら、ザルに上げて水を切る。❸ 豆と野菜を煮ている間に、ドレッシングの材料をすべて器に入れてよく混ぜる。❹ 豆と野菜が冷めないうちにボウルに移し、トマトを加えてドレッシングを注いでよく混ぜる。塩とコショウで味を調える。❺ 残りのサラダ材料を加えて、もう一度混ぜる。常温あるいは冷蔵庫で冷やしてから食べる。

Salade Auvergne

|| サラードゥ・オヴェルニュ

フランスの名高いブルーチーズの芳香が魅力な生ハム入りのサラダ

　フランス中南部に位置するオヴェルニュは山々に囲まれた今でも豊かな自然が残された地域で、ミネラルウォーターのヴォルヴィックで知られる。オヴェルニュでもうひとつ有名なのは、その名もブルー・ドーヴェルニュと呼ばれるブルーチーズだ。このチーズは他のブルーチーズよりもマイルドで、塩分も少なくクリーミーであることが特徴とされる。

　ドレッシングやパスタ料理にも使われるこのチーズがサラードゥ・オヴェルニュの主役のひとつである。この他にハモン・ドゥ・ペイと呼ばれる生ハムとクルミでこのサラダは構成される。もちろん、実際に作る場合はチーズも生ハムも銘柄にこだわる必要はない。

材料（4人分）

葉野菜のミックス：150g／チェリートマト：12個（半分に切る）／生ハム：4枚（1cm幅くらいに切る）／ブルーチーズ（可能ならばブルー・ドーヴェルニュ）またはカンタルチーズ：100g（1cmサイコロ切り）／クルミ：50g（粗く砕く）

ドレッシング
赤ワイン酢：大さじ2／ウォールナッツ油またはヒマワリ油：大さじ6／塩・コショウ：適宜

作り方

❶ 器に葉野菜のミックスを敷き、その上にチェリートマト、生ハム、チーズをのせる。❷ ドレッシングの材料を器に入れて混ぜ、サラダにかける。❸ クルミを上に散らす。

Feiersténgszalot

ルクセンブルク Luxembourg

|| ファイアシュテンザロットゥ

火打石のサラダなどという変わった名前を持つ牛肉のサラダ

　肉である。エスカロール（レタスに似た野菜）などサラダが一緒についてきたりする。でも、ファイアシュテンザロットゥはフリントストーンサラダという意味なので、明らかにサラダである。

　フリントストーンは火打石のことで、名前からして変わっている。調理した牛肉を薄くスライスしてサラダにするのだが、その肉片がカラカラに乾くと火打石にそっくりだという説がある。このサラダが食べられるようになったのは300〜400年前ではないかとされている。当時、火打石は生活になくてはならないものだった。スライスした薄い肉を見て火打石に似ていると思っても不思議はない。

材料（4人分）

牛塊肉（ランプロースト、ブリスケットなど脂が少ないもの）：500g／エシャロット：1個（みじん切り）／キュウリのピクルス（小さいもの）：30g（薄くスライス）／レタス、ルッコラなどのグリーンサラダ：適宜／茹で卵：2個（スライス）／塩：適宜

ドレッシング
ヒマワリ油（なければサラダ油）：大さじ4／白ワイン酢：大さじ3／マスタード：小さじ1/2／イタリアンパセリ：小さじ1（みじん切り）／タラゴン：小さじ1（みじん切り）／チャイブ：小さじ1（みじん切り）／塩・コショウ：適宜

作り方

❶ 鍋にたっぷりの湯を沸かし、塩を一摘み加えて、牛肉を好みの火の通り具合になるまで茹でたらザルに上げて冷まし、薄くスライスする。❷ ドレッシングの材料をすべて器に入れてよく混ぜる。❸ 牛肉、エシャロット、ピクルスをボウルに入れてよく混ぜる。❹ 器に盛りつけてドレッシングをかけ、グリーンサラダ、茹で卵を添える。

Koolsla

オランダ

クールスラ

クールはオランダ語でキャベツ、つまりお馴染みのキャベツサラダ

　クールスラというこのサラダの名前を聞いて、何か聞いた覚えがあると思う人も多いかと思う。その通り、日本でも人気のキャベツのサラダ、コールスローである。アメリカでは食べ物持ち寄りのパーティーとかがあると、「たぶん肉ばかりだろうから」と誰かしらが必ず持ってくるのがこのサラダで、おそらく日本でもコールスローはアメリカのサラダだと思っている人もいるはずだ。でも実際は、このクールスラが元祖コールスローなのだ。18世紀初頭前後、オランダからの移民がニューアムステルダム、今のニューヨークにやってきた。その時に一緒にやってきたのがクールスラなのである。

材料（4〜6人分）

キャベツ：1/2個（細い千切り）／ニンジン：1/2本（粗くシュレッド）／青ネギ（お好みで）：2本（小口切り）／レーズン：50g／クルミ、ピーカンナッツ、カシューナッツなど（お好みで）：80g

ドレッシング
マヨネーズ：大さじ3／ヨーグルト：大さじ3／白ワイン酢：大さじ1／砂糖：小さじ1／塩・コショウ：適宜

作り方

❶ドレッシングの材料をすべて小さな器に入れてよく混ぜる。❷ナッツ以外のサラダの材料をすべてボウルに入れ、ドレッシングを加えてよく混ぜる。❸1時間ほどそのまま味を馴染ませる。一晩冷蔵庫で寝かしてもいい。❹ナッツを乾煎りして粗く砕き、サラダに加えて混ぜる。

Middeleeuwse Salade van Pastinaken オランダ

ミドゥリウス・サラーダ・ファン・パスティナーケン

ニンジンに似たパースニップを使った中世のサラダが今に蘇る

世界各地から様々な野菜が伝搬されるまで、ヨーロッパで食されていた野菜はそれほど多くない。中世では土で汚れた野菜は貧困層の食べ物で、富裕層は地面から離れている果物を好んだといわれている。中世の料理本に出てくる野菜料理はわずかに10%ほどで、ここに登場するサラダがその数少ないレシピのひとつだ。このサラダで使われているパースニップはニンジンと同様、紀元前より食されていた野菜だけども、日本ではあまり馴染みがない。ニンジンに似ているが白く、甘みが強くて土臭さがある。オランダでは人々が再び強い興味を持ち始め、こうした忘れられた料理が再発見されているようだ。

材料（4人分）

パースニップ：2本（太い部分のみ薄く輪切り）／小麦粉：大さじ2／オリーブ油：大さじ4／レタス：4〜5枚（大きめにちぎる）／白ワイン酢：大さじ1／コリアンダーシード：小さじ1（包丁の腹などで砕いておく）／塩・コショウ：適宜

作り方

❶鍋にたっぷりの湯を沸かし、塩を少々加えてパースニップを1分ほど湯がく。湯がいたらザルに上げて水を切り、ペーパータオルなどで水分をふき取る。❷①に塩を軽くまぶし、さらに全体に小麦粉を振る。❸フライパンにオリーブ油を熱し、パースニップを黄金色になるまで焼いて、油を切っておく。❹ボウルにレタス、白ワイン酢、半量のコリアンダーシードを入れて、塩とコショウで味を調えながら混ぜる。❺④を器に敷き、その上に焼いたパースニップを盛りつけ、残りのコリアンダーシードをふる。

Birchermüesli

スイス

|| ビルヒャルミューズリ

ふやかした押麦に果物やナッツを加えた朝食に最適なサラダ

　スイス版のシリアルともいえるミューズリは、ヘルシー志向の高まりとともに人気が高まった。日本でも朝食にミューズリを食べる人は多い。ミューズリの実際の呼び名はビルヒャルミューズリで、1900年頃、スイスの医者マクシミリアン・ビルヒャル・ベナルによって、チューリッヒにある彼のサナトリウムの患者のために考案された。市販のミューズリにはドライフルーツが入っているが、本来は生のリンゴが使われる。ロールドオーツ（押麦）が主材料で、12時間ほど水に浸してふやかしてから食べる。それにナッツ、リンゴを加える。コンデンスミルクの代わりに生クリームと砂糖が使われることも多い。

材料（4～6人分）

ロールドオーツ（押麦）：大さじ4／水：180ml／コンデンスミルク：大さじ4／リンゴ：2個／レモン汁：小さじ8／ナッツ（ヘーゼルナッツ、クルミ、アーモンドなど）：大さじ4（砕く）

作り方

❶ ロールドオーツと水を瓶などに入れて一晩おく。ロールドオーツはそのままでも食べられるので、急いでいる場合は待つ必要なし。❷ ①にコンデンスミルクを加えてまぜる。❸ リンゴは飾り用にスライスしたものを少し残し、皮付きのままチーズおろし器で粗くシュレッドするか、包丁で細く刻んでレモン汁を加えて混ぜる。さらに ②を加えて混ぜる。❹ サラダを器に盛りつけて、ナッツを上に散らす。

The World's Salads

Chapter

2

南ヨーロッパ

Southern Europe

アルバニア／アンドラ／ボスニア・ヘルツェゴビナ／キプロス／クロアチア
ギリシャ／イタリア／北マケドニア／マルタ／モンテネグロ／
ポルトガル／セルビア／スロベニア／スペイン／トルコ

Sallatë Jeshile

サラーテ・イエシーレ

新鮮な野菜で作るシンプルなアルバニアのグリーンサラダ

　毎日開かれるファーマーズマーケットで新鮮な野菜を買い、昼食や夕食にサラダを作って食卓に並べる。アルバニアの人たちにとってサラダは欠かせない。このサラダは中でも最もシンプルなもので、アルバニアン・グリーン・サラダとも呼ばれ、親しまれている。

　レタス、玉ネギ、オリーブという3種類の材料だけで作られるこのサラダのドレッシングはシンプルで、基本は油、酢、塩で、ディルやフェンネルといったハーブが加わる。

　このサラダは色々なサラダのベースになるサラダともいえる。これに加わる野菜はキュウリ、トマトなどで、アボカドやフルーツが加えられることもある。

材料（4人分）

レタス：1個（一口大にちぎる）／玉ネギ：1/2個（スライス）／オリーブ：6〜8個（横にスライス）／トマト：1個（縦に4か8等分）

ドレッシング

オリーブ油：大さじ3／白または赤ワイン酢（バルサミコ酢またはレモン汁でも可）：大さじ2／ディル：大さじ1（みじん切り）／塩：適宜

作り方

❶ドレッシングの材料を小さな器に入れて混ぜる。
❷トマト以外のサラダの材料をすべてボウルに入れ、ドレッシングを注いでよく混ぜる。❸サラダを器に盛り、トマトを飾る。

Sallatë e Freskët e Kungullit

サラーテ・エ・フレスケットゥ・エ・クングリットゥ

シャキッとした食感が新鮮な生のパンプキンを使ったサラダ

パンプキンは形も色も大きさも様々で、アメリカでも少なくとも4〜5種類のパンプキンが店に並ぶ。日本のカボチャもパンプキンの仲間だ。このサラダは日本でもお馴染みのパンプキンを使ったサラダである。

パンプキンサラダといわれて思い浮かべるのは、ポテトサラダみたいなものかもしれない。カボチャを食べるにしても煮る、蒸す、焼くなどといった過程が必ず存在する。ところが、このサラダは生のパンプキンを使うのだ。調理したパンプキンにはないシャキッとした食感と甘みがあり、これがかなりいける。カボチャを含め多くのパンプキンは生食可能であることを知っていてほしい。

材料（4人分）

カボチャ：1/4個（約400g）／ニンジン：小1本／キュウリ：1/2本／レッドラディッシュ：3個／リンゴ：1/2個／紫玉ネギ：小1個（薄くスライス）／ルッコラ：適宜／ピタブレッドまたはトルティーヤ：1〜2枚

ドレッシング

オリーブ油：大さじ3／リンゴ酢：大さじ2／塩・コショウ：適宜

作り方

❶ カボチャとニンジンは皮をむき、リンゴは縦に2等分して芯を取って皮付きのまま、キュウリ、レッドラディッシュはそのままチーズおろし器の大きな穴などでシュレッドする。❷ ドレッシングの材料を器に入れてよく混ぜる。❸ シュレッドした野菜と玉ネギをボウルに入れ、ドレッシングを加えてよく混ぜる。❹ ピタを扇状に8〜12等分して皿に並べ、各片にサラダをのせる。ルッコラを散らす。

Espinacas a la Catalana

アンドラ

|| エスピナーカサ・ラ・カタラーナ

松の実の香ばしさとレーズンの甘さが魅力の炒めホウレン草のサラダ

　このサラダの名前がスペイン語であることを考えると、アンドラのサラダとして紹介するのには異論があるかもしれない。名前自体を直訳すると、カタルーニャのスピナッチとなる。カタルーニャはバルセロナを含めたスペインの東部を指す。確かにアンドラではカタルーニャ語が公用語である。そのためか、このサラダをアンドラの料理とする場合が少なくない。でも実際にはもっと広い範囲で食されているのかもしれない。

　このサラダではホウレン草を生ではなく炒めるので、サラダらしさがなくなるが、こうした野菜を使った前菜、サイドディッシュをサラダと分類することがよくあるのだ。

材料（4人分）

ホウレン草：300g ／レーズン：40g ／松の実：50g ／オリーブ油：大さじ3 ／塩：適宜

作り方

❶ ホウレン草をよく洗って、食べやすい大きさに切る。後ほど炒めるが、生のままでは抵抗がある場合はさっと湯がいておいてもいい。❷ レーズンに熱湯を少しかけて、柔らかくしておく。❸ フライパンで松の実を乾煎りして、器に取っておく。❹ 空いた❸のフライパンにオリーブ油を熱し、水を切った❷のレーズンを加えて数分中火で炒め、ホウレン草、塩一摘みを加えてざっとかき混ぜたら蓋をし、たまにかき混ぜながら好みの柔らかさになるまで炒め煮して、塩で味を調える。❺ 松の実を加えて混ぜ、器に盛る。

Siriluk

|| シリルック

たっぷりのネギとカッテージチーズでできたディップのようなサラダ

チーズたっぷりのディップのようなこの料理は、一般的なサラダの概念からはかけ離れていると思われるかもしれない。でも名前にサラダと付け加えられることもある、れっきとしたサラダである。しいて言えば、チーズのサラダではなくスプリングオニオンのサラダだ。グリル料理と一緒によく出されるスプリングオニオンは、普通アメリカではスカリオンという名で売られている細くて短い長ネギのような野菜で、日本でいえば青ネギに近い。この青ネギをたっぷり刻んでカッテージチーズのようなフレッシュチーズと混ぜたのがこのサラダ。ボスニアだけでなく、広くバルカン諸国で食される。

材料(4人分)

フレッシュチーズ（カッテージチーズなど）：600g／サワークリーム：200g／イタリアンパセリ：小さじ2（みじん切り）／青ネギ：6本（小口切り）／塩・コショウ：適宜

作り方

❶ ボウルにフレッシュチーズ、サワークリーム、イタリアンパセリを入れて混ぜ、さらに青ネギを加えて混ぜ、塩とコショウで味を調える。

ボスニア・ヘルツェゴビナ Bosnia and Herzegovina

Kypriakí Saláta Dimitriakón

キプロス

キプリエキ・サラータ・ディミトゥリアコン

様々な民族が暮らすキプロスならではの穀物と豆のサラダ

　キプロスはトルコの南に位置する島国で、公用語はギリシャ語とトルコ語だが、アルメニア語やアラビア語を話す人たちもいる。このことからも様々な国の文化が混在していることが分かる。このサラダは周辺国の食文化が混ざり合ったキプロス独特の料理といえる。

　このサラダに使われる特徴的な材料はフリーカとグリーンレンティルだ。フリーカはパスタの材料として知られるデュラム小麦を砕いたもので、中近東のブルグルに似ているが緑色をしている。レンティルも緑だ。そこに何種類かのナッツとハーブ、ザクロ、カラントなどが加わる。キプロスの食文化をそのまま表現したようなサラダだ。

材料（4人分）

フリーカ（なければブルグル、キヌアなど）：80g／フレンチグリーンレンティル（なければ普通の緑レンズ豆）：100g／パンプキンシード：大さじ1／皮なしのアーモンド：大さじ1（砕く）／ヒマワリの種：大さじ1／紫玉ネギ：1/4個（みじん切り）／パクチー：大さじ2（みじん切り）／イタリアンパセリ：大さじ2（みじん切り）／カラント（なければドライクランベリー）：大さじ4／ザクロの実：適宜

ドレッシング
オリーブ油：大さじ2／赤ワイン酢：小さじ2／ケッパー：大さじ1／塩・コショウ：適宜

ソース
ギリシャヨーグルト：120g／クミンパウダー：小さじ1/2／ハチミツ：小さじ2

作り方

❶ フリーカを水洗いし、たっぷりの水とともに鍋に入れ、中火で柔らかくなるまで煮る。レンティルも同様に別の鍋で煮る。煮えたらそれぞれザルにあけ、十分水を切る。❷ 3種のナッツを別々に乾煎りして、器にあけて取っておく。❸ ドレッシングの材料をすべて器に入れてよく混ぜる。ソースの材料も別の器に入れて混ぜる。❹ フリーカも含め、ザクロ以外のサラダの材料をボウルに入れ、ドレッシングを加えてよく混ぜる。❺ サラダを器に盛り、ソースをかけてザクロの実を散らす。

Bakalar s Krumpirom

クロアチア Croatia

バカラール・ス・クルムピロム

塩ダラとジャガイモで作るクロアチア周辺国でもポピュラーなサラダ

　北の海を代表する魚・タラは千年以上も前、バイキングの時代から保存食として塩漬けにされてきた。地中海の国々からすればはるか彼方の北国の魚であるにもかかわらず、今では地中海料理に欠かせない食材となっている。クロアチアだけでなく、イタリア、セルビアなどでもこの塩ダラを使ったサラダ、シチュー、パテなどがクリスマスの食卓を飾る。

　たっぷり時間をかけて塩抜きしたタラとジャガイモを茹でて混ぜ合わせたのが、この温かいまま食べてもおいしいジャガイモのサラダである。少し多めじゃないかと思われる細かく刻んだニンニクとパセリが、このサラダをより引き立てる。

材料（4人分）

塩ダラ：300g／ジャガイモ：2個／イタリアンパセリ：大さじ3（みじん切り）

ドレッシング
レモン汁：大さじ4／オリーブ油：80ml／ニンニク：3片（みじん切り）／塩・コショウ：適宜

作り方

❶ 塩ダラをたっぷりの水に浸けて、塩抜きする。途中何度か水を替える。❷ 鍋にジャガイモ、完全にかぶるくらいの水を加えて火にかけ、沸騰したら中火にして完全に火が通るまで煮る。煮えたらザルに上げて冷ます。❸ ②の鍋を洗って新たにたっぷり水を入れて沸騰させ、塩抜きしたタラを加えて、弱火で身がほぐれるくらいまで煮る。煮えたらザルに上げて冷ます。❹ ジャガイモを大小さまざまなサイズに切る。大きなものは一口大くらい。タラも大小織り交ぜたサイズに裂く。❺ ドレッシングの材料を器に入れて混ぜる。❻ ボウルに④とイタリアンパセリ、ドレッシングを加え、塩とコショウで味を調えながらよく混ぜる。冷蔵庫で少なくとも1時間、できれば一晩味を馴染ませる。

Salata od Hobotnice

|| サラタ・オドゥ・ホボトゥニゼ

魚介類豊富なクロアチア海岸線の人気メニュー、タコサラダ

　クロアチア南部、ダルマチア地方はアドリア海に面した海岸線が続く。魚介類が豊富なこの地方のレストランで最も人気のあるメニューのひとつが、このタコのサラダである。地中海沿岸の国々ではタコをよく食べる。クロアチアもそんなタコ好きの国のひとつだ。

　日本と違い、クロアチアではタコを時間をかけて弱火でゆっくり煮ることが多いようだ。魚介類はオリーブ油、ニンニクとの相性がすこぶるよし。中でもタコとは最高の取り合わせといえる。タコだけでは地中海らしさに欠けるかもしれないが、これに茹でたジャガイモ、トマト、オリーブが加わると一気に地中海の雰囲気満点になる。

材料（4人分）

茹でタコ：1kg（小さめの一口大に切る）／茹でたジャガイモ：3個（小さな一口大に切る）／紫玉ネギ：1個（薄く輪切り）／イタリアンパセリ：大さじ4（みじん切り）／チェリートマト：10〜15個（縦2等分）／オリーブ：15〜20個

ドレッシング
ニンニク：3片（すりおろす）／オリーブ油：大さじ4／白ワイン酢：大さじ4／塩・コショウ：適宜

作り方

❶ ドレッシングの材料をすべて小さな器に入れてよく混ぜる。❷ サラダの材料をすべてボウルに入れて混ぜ、ドレッシングを加えてさらによく混ぜる。❸ 塩とコショウで味を調えて、器に盛る。

Dakos

| ダコス

ギリシャのブルスケッタともいう、ラスクに野菜などをのせたサラダ

　ギリシャ神話にも登場する東西に細長いギリシャで最大の島クレタ島、この島がダコス発祥の地である。ギリシャのブルスケッタとも呼ばれるこのサラダは、パクシマーディアという大麦入りのラスクの上にトマトなどをのせるのが特徴だ。イタリアのブルスケッタとの大きな違いは、ベースになるのがパンではなく硬いラスクであることだ。そのままでは食べられないことはないがカリカリなので、ラスクにすりおろしたトマトをかけて柔らかくすることから料理が始まる。ピクニックのお供にこのラスクを持っていき、上からワインをかけてふやかし、オリーブをのせて食べる人もいるらしい。

材料（4人分）

大麦入りラスク：大4枚または小8枚／完熟トマト：4個（2個は1cmサイコロ切り、残り2個はすりおろして皮は捨てる）／フェタチーズ：150g（指で砕く）

ドレッシング
オリーブ油：大さじ4／塩・コショウ：適宜

飾り
オリーブ油：大さじ4／オリーブ：8個（粗みじん切りまたはスライス）／ケッパー：小さじ2（水に浸けて減塩する）／オレガノ：適宜

作り方

❶ ラスクを深めの皿に並べ、上からすりおろしたトマトをかけて十分水分を吸わせて柔らかくしたら、サーブする器にラスクを崩さないように置く。❷ ドレッシング用のオリーブ油をラスクの上にかけ、塩とコショウを軽く振る。❸ サイコロに切ったトマト、フェタチーズをのせて飾り用のオリーブ油をかけたら、ケッパーとオレガノを散らす。そのまま5分ほど味を馴染ませる。

Tonosalata

トノサラータ

ツナはゴロっとしてるのがよく似合うギリシャのツナサラダ

　日本人のマヨネーズ好きはかなりのものだ。サラダ、お好み焼きはもちろん、揚げ物、焼き物、おにぎりに至るまでマヨネーズが登場する。当然ツナサラダもマヨネーズだ。ギリシャのこのツナサラダにもマヨネーズを使ったものがあるが、個人的にはマヨネーズを使わないドレッシングのツナサラダが好みだ。

マヨネーズ味にする場合も、ヨーグルトと半々にすると比較的あっさりしたサラダに仕上がると思っている。トノサラータには色々な野菜とオリーブが入る。この素材をうまく絡ませ、しかもそれぞれの素材を生かすのがドレッシング。またゴロっとしたツナが食べたいならやはりドレッシングなのである。

材料（4人分）

レタス：4〜5枚（一口大にちぎる）／ピーマン：2個（1cm角切り）／トマト：1個（1cmサイコロ切り）／玉ネギ：中1/2個（粗みじん切り）／コーン（缶詰可）：80g／イタリアンパセリ：大さじ3（みじん切り）／オリーブ：5〜6個（縦に4等分）／缶詰のツナ：60g（水、油を切って大きめにほぐしておく）／好みのパン：4枚

ドレッシング1
オリーブ油：大さじ3／白ワイン酢：小さじ2／レモン汁：大さじ2／粉マスタード：小さじ1／ケッパー：大さじ2（水に浸けて塩抜き）／塩・コショウ：適宜

ドレッシング2
マヨネーズ：大さじ2／ギリシャヨーグルト：大さじ2／レモン汁：大さじ1／粉マスタード：小さじ1／オリーブ油：大さじ1／塩・コショウ：適宜

作り方

❶ 1か2どちらかのドレッシングを選び、材料をすべて小さな器に入れてよく混ぜておく。❷ パン以外のサラダ材料をすべてボウルに入れ、ドレッシングを注いでよく混ぜる。❸ パンの上にサラダをたっぷりのせる。パン2枚で挟んでサンドイッチにしてもいい。

Karpoúzi Saláta

カルプーズィ・サラータ

スイカに塩気を加えるとおいしさが増すと考えるのはギリシャも同じ

　ギリシャで夏の果物といえばスイカである。そのままデザートとして、時にはジュースやカクテルに。しかし圧巻はこのサラダだ。日本でもスイカに塩を振って食べたりする。そうすると甘さが増すからだ。ギリシャでも考えることは同じようだ。

　一口大に切ったスイカにオリーブを加え、塩分強めのフェタチーズを崩して上にかける。スイカの甘さとは正反対のオリーブとフェタの塩辛さのおかげでリフレッシュ感が倍増する。しかも夏野菜の代表キュウリと爽やかミントも加わるというのだから文句なしである。実はスイカはグリルで焼いたりもする。そうすると甘みが増すのである。

材料（4人分）

スイカ：500g（一口大に切る）／キュウリ：1本（スライスまたはサイコロ切り）／紫玉ネギ：小1/2個（薄くスライス）／オリーブ（種なし、できればカラマタオリーブ）：8個（丸ごとまたは縦に半分）／フェタチーズ：80g（パラパラに崩す）／ミントの葉：大さじ2〜3（みじん切り）＋飾り用に適宜

ドレッシング
オリーブ油：大さじ2／レモン汁：大さじ1／塩・コショウ：適宜

作り方

❶ サラダの材料をすべてボウルに入れ、ドレッシングの材料を加えてよく混ぜる。❷ 5分ほどそのままにして味を馴染ませてから器に盛り、上にミントの葉を散らす。

Taramasalata

ギリシャ

タラマサラータ

タラコサラダの元祖がこのコイやボラの卵を使ったサラダ

　タラマサラータという名前は聞き覚えがある。それもそのはず、このサラダはタラモサラータとも呼ばれる。日本のタラコサラダ／タラモサラダの元祖がギリシャのこのタラマサラータなのである。

　このサラダにはタラコも使われるが、おそらく最もよく使われるのはコイの卵である。カラスミ同様、ボラの卵の場合もある。また色も白とピンクがある。ピンクは卵の色ではなく染めたもので、味は白に比べてマイルドだ。タラマサラータはこの塩漬け魚卵をジャガイモや水でふやかしたパンでのばしてディップ状にする。ハード系のパンや野菜スティックとかにたっぷりつけて食べると最高だ。

材料（4人分）

ジャガイモ：小2個（一口大に切る）／タラマ（なければタラコ）：60〜80g（お好みで）／レモン汁：1/2個分／紫玉ネギ：1/4個（みじん切り）／オリーブ油：50ml／オリーブ：適宜／塩：適宜

作り方

❶ 鍋にたっぷりの湯を沸かし、ジャガイモを入れて塩を一摘み加え、中火でジャガイモが崩れるくらいまで煮る。❷ ジャガイモをザルに上げて水を切ったらブレンダーに入れ、茹で汁を少し加えてなめらかなペーストにする。ボウルなどにあけて、室温になるまで冷ます。❸ ②のブレンダーをきれいにして、その中にタラマ、レモン汁、紫玉ネギを加えて、ペースト状になるまで撹拌する。❹ ③のブレンダーにジャガイモのペーストを加え、オリーブ油を少しずつ加えながら攪拌し、クリーム状にする。❺ サラダを器に盛り、オリーブを飾る。

Insalata Caprese

イタリア

インサラタ・カプレーゼ

シンプルだからこそ世界的になったかもしれない名イタリアンサラダ

　カプレーゼはおそらく世界的に最も知られるイタリアのサラダだろう。材料はトマト、モッツァレラチーズ、塩、(コショウ)、バジル、ドライオレガノ、エキストラヴァージンオリーブオイル。どれが主役なのかわからない、それぞれの素材が互いに引き立て合う絶妙のバランスがこのサラダの信条だ。

　シンプルなだけにこだわりはすごい。素材は上質なものを。モッツァレラは室温。トマトは熟しているが張りがある。両者は同じ大きさ。モッツァレラもトマトも余分な水分をペーパータオルなどで除いておく。塩はトマトだけにかける。バジルは大葉のもの。酢はなし。などなど、かなりうるさいのである。

材料 (4人分)

モッツァレラチーズ：200〜250g／トマト：中3〜4個／オリーブ油：適宜／ドライオレガノ：適宜／バジル (大葉のもの)：適宜／塩・コショウ：適宜

作り方

❶ モッツァレラチーズとトマトを4〜5mmくらいの厚さに輪切りにしたら、ペーパータオルで余分な水分を取る。❷ チーズとトマトを交互に器に並べ、上からオリーブ油を少しかける。大皿でも、人数分の皿に盛りつけてもいい。❸ 塩をトマトの上に振り、コショウ、ドライオレガノ、バジルを上に散らす。

Panzanella

イタリア

パンツァネッラ

古くなったパンを蘇らせるトスカーナのパンとトマトのサラダ

　イタリアでは古くなったパンを無駄にせず色々な料理に使う。今でこそパン屋で毎日焼き立てのパンが買えるが、昔は1週間に1度なんてこともあったわけで、買ったパンは次第に硬くなり、そのままでは食べられなくなる。かといって捨てるなどもってのほかだ。必然的に何かしらの料理にするということになる。

　このサラダもメインは古くなったパンだ。ここでは水に浸して柔らかくするが、トマトから出たジュースを使うこともあるようだ。パンが入っているのでさすがにボリュームがある。ハード系のパンなら何でもいいが、トスカーナのサラダなので、手に入るならパネトスカーノにしたい。

材料（4人分）

古くなったハード系パン：400g／紫玉ネギ：小1個／水：60ml／白ワイン酢：60ml／キュウリ：1本（縦2等分して薄くスライス）／トマト：中3個（一口大に切る）／バジルの葉：15枚

ドレッシング
オリーブ油：大さじ3／白ワイン酢：大さじ1／塩・コショウ：適宜

作り方

❶ パンを1cm厚にスライスしてボウルなどに入れ、たっぷりの水を加えてパンをスポンジのように押さえて、水が浸み込みやすいようにする。完全に水を吸うまで30〜45分そのままおいておく。❷ 玉ネギを縦半分に切って薄くスライスし、水、白ワイン酢を混ぜて20分ほどマリネする。❸ ①のパンを取り出して余分な水分を絞り、ちぎりながらボウルに入れる。❹ ②の玉ネギをザルに上げ、水分を切ったら③のボウルに加える。さらにキュウリとトマト、バジルを加えたら、そのまま冷蔵庫で1時間ほど馴染ませる。❺ ドレッシングの材料をすべて器に入れて混ぜ、④のサラダに注いで塩とコショウで味を調えながらよく混ぜる。

Insalata di Farro

イタリア Italy

|| インサラタ・ディ・ファロ

最近注目の古代穀物ファロを使った栄養満点のイタリアンサラダ

　ファロは小麦の仲間で、実際はスペルト、エマー、アインコーンという3種類の小麦を指す。古代穀物のひとつとして扱われる。イタリアを含めヨーロッパではかなり昔から食されていたが、最近再び人気が出始めたようだ。イタリアでファロといえばエマーであることが多い。

　イタリアではパスタはもちろん、米をよく食べる。イタリアの料理を調べてみると、パスタや米に飽きたらみたいな言葉をよく見る。そんな言葉と一緒によく登場するのがこのファロである。日本ではおそらくあまり馴染みのないファロだが、代わりに大麦を使っても同じようにおいしいサラダができる。

材料（4人分）

ファロ：200g／モッツァレラチーズ：200g（1cmサイコロ切り）／チェリートマト：16個（縦2等分）／ケッパー：小さじ1/2（水に浸けておく）／赤パプリカ：1個（1cm角切り）／紫玉ネギ：1/4個（みじん切り）／バジルの葉：5枚／オリーブ油：大さじ4／ブラックオリーブ：20個／塩・コショウ：適宜

作り方

❶ ファロを水洗いして水に30分ほど浸けたら、ザルに上げて水洗いする。❷ 鍋にファロ、塩小さじ1を入れ、ファロの1～2cm上にくるくらいまで水を加えて火にかける。沸騰したら弱火にして柔らかくなるまで煮る。煮えたらザルに上げて水洗いし、そのまま水を切って冷ます。❸ ②のファロを含めオリーブ以外の材料をボウルに入れて、よく混ぜる。塩とコショウで味を調えたら、冷蔵庫で1時間ほど味を馴染ませる。❹ 器に盛り、オリーブを散らす。

Caponata

カポナータ

ナスとトマトという黄金の組み合わせの甘酸っぱいシチリアのサラダ

　ソテーしたナスとトマトソースを合わせたパスタ料理、パスタ・アラ・ノルマはシチリアの象徴ともいえる料理だが、同じくナスとトマトを組み合わせたシチリアのもうひとつの料理がこのカポナータである。フランスのラタトイユ（ラタトゥユ）に似た料理だが、ラタトイユはシチューに、カポナータはサラダに分類されるというのはおもしろい。

　甘くて酸っぱい料理、ソースというのは世界各地にある。日本でも甘酢ダレは様々な料理に使われる。カポナータも砂糖と酢で味つけした甘酸っぱいサラダで、ナスとトマトとの相性抜群で、チャバッタなどハード系パンのスライスにのせて食べるとおいしい。

材料（4人分）

ナス：10〜12本（2〜3cmサイコロ切り）／セロリ：4本（1cm角切り）／オリーブ油：大さじ2／玉ネギ：小2個（みじん切り）／ケッパー：50g（塩抜きする）／グリーンオリーブまたはブラックオリーブ：200g（縦2等分）／松の実：60g／トマト：3個（1cmサイコロ切り）／サラダ油：適宜／白ワイン酢：大さじ4／砂糖：大さじ2／バジル：適宜／塩・コショウ：適宜

作り方

❶ ナスをザルに入れて塩を軽く振ってよく混ぜたら、そのまま1時間ほど放置してアクを取る。❷ ボウルに熱湯と塩を少々入れ、セロリを加えて5分ほどおいてからザルに上げる。ペーパータオルなどの上に置いて水を切っておく。❸ 鍋にオリーブ油を熱し、玉ネギを加えて中火で透き通るまで炒めたら、ケッパー、オリーブ、松の実、②のセロリを加え、さらに数分炒める。❹ トマトを加えて混ぜたら弱火にして、トマトが柔らかくなって他の具材と馴染むまで煮る。❺ 別の鍋にたっぷりのサラダ油を入れて熱し、①のナスの水分をペーパータオルなどで取ってから揚げる。少し焦げ目がつくくらいまで揚げたら、数枚重ねたペーパータオルの上にのせて、余分な油を取る。❻ ④の鍋にナスを加えて5分ほど煮たら、酢と砂糖を加え、塩とコショウで味を調える。❼ 熱いままでも、常温まで冷ましても、冷蔵庫で冷やしてもOK。サラダを器に盛りつけて、バジルを散らす。

Insalata di finocchi

イタリア

|| インサラタ・ディ・フィノッキ

シャキッとしたフェンネルの球根とブラッドオレンジの爽やかサラダ

　フェンネルというとスパイスを思い浮かべる人が多いと思うが、他の部分も食べられる。フェンネルバルブは球根で、葉付きで売られていることが多い。フェンネルはアニスの香りと味を備えているがデリケートで、サラダのほかスープの具にも使う。もうひとつ注目したいのはブラッドオレンジである。ブラッドオレンジは地中海原産のオレンジで、このサラダの地元シチリアではアランチア・ロッサ・ディ・シチリアという品種が使われる。フェンネルとブラッドオレンジという爽やかな2つの材料を使ったこのサラダは、春を告げる初春の料理。ブラッドオレンジの代わりに普通のオレンジを使ってもおいしい。

材料（4人分）

葉付きフェンネルバルブ：1個／ブラッドオレンジ：2個／オリーブ油：大さじ4／塩：適宜／紫玉ネギ：1/2個（スライス）／ブラックオリーブ：16〜20個／松の実、クルミ、レーズン、ルッコラなど（お好みで）：適宜

作り方

❶ フェンネルの茎を切り落とし、球根を縦半分に切って繊維に逆らって横に薄くスライスしたら、水を張ったボウルに入れる。茎は取っておく。❷ ブラッドオレンジの実のみを切り出してボウルに入れる。実以外の部分は手でよく絞り、ジュースを取っておく。❸ ❷で取っておいたオレンジジュース、オリーブ油、塩小さじ1/4を混ぜて、ドレッシングを作る。❹ フェンネルをザルに上げて水を切り、オレンジとは別のボウルに入れる。取っておいたフェンネルの茎についている葉もちぎって適量加える。ドレッシングの半量をかけて、塩で味を調えながら混ぜる。❺ ❷のボウルに、残ったドレッシングをかけて、塩で味を調えながら混ぜる。❻ ❹と❺、紫玉ネギ、好みのトッピングを器に盛り、ボウルに残っているドレッシングをかける。最後にフェンネルの葉をちぎって適宜のせる。

Insalata di Zucchine Grigliate

インサラタ・ディ・ズッキーネ・グリグリアーテ

ズッキーニに代表される夏野菜とハーブをたっぷり使ったサラダ

イタリア

夏になるとトマト、ナス、ズッキーニなどイタリア料理によく使わる野菜が実を結ぶ。バジル、ミントといったハーブも眩しいくらい鮮やかになる。

そんな夏の野菜やハーブを一緒に楽しんでしまおうというのがこのサラダである。メインはグリルしたズッキーニ、一般にサマースクワッシュのひとつとされる。他のウリ科の野菜と同様、ズッキーニは焼くとキャラメライズされて甘みが増す。このレシピでは丸ごとグリルしているが、輪切りや縦に薄くスライスしてから焼いてもいい。サマースクワッシュには色々な種類がある。いくつかを混ぜると見た目も華やかになる。

材料（4人分）

ズッキーニ、イエローズッキーニ、サマースクワッシュなどのミックス：2〜3本／オリーブ油：大さじ1／チェリートマト：12〜15個（縦2等分）／ミントの葉：大さじ3（粗みじん切り）／イタリアンパセリ：大さじ3（粗みじん切り）／バジル：大さじ3（粗みじん切り）

ドレッシング

オリーブ油：大さじ3／バルサミコ酢：大さじ2／塩・コショウ：適宜

作り方

❶ ズッキーニ、スクワッシュの全体にオリーブ油を塗り、グリルできれいに焼き目がついて中に火が通るまで、途中でひっくり返しながら焼く。焼けたら器に移して常温まで冷まし、厚さ1.5〜2cmくらいに切る。
❷ 冷めたら他の材料と一緒にボウルに入れ、ドレッシングの材料を別の器で混ぜてから注いで混ぜる。塩とコショウで味を調える。

Macedonia di Frutta

|| マチェドニア・ディ・フルッタ

色々と謎が多いマケドニアという名前が付いたフルーツサラダ

　マチェドニア（マケドニア）は国の名前であることはなんとなく分かる。実際にギリシャの北には北マケドニアという国がある。でも、いくら調べてもマケドニアというサラダに辿り着けない。もうひとつは世界史に出てくるアレクサンダー大王で知られる、紀元前7世紀に建国されたマケドニア大国だ。どうもこのサラダの名前はこの王国から来ているらしいのだが、ひとつの説というだけで実際は分からない。ただ、マケドニアが付く料理はヨーロッパ各地にある。マケドニアは色々なものがミックスしたものに使われる表現のようで、一般的なのはフルーツサラダ、その代表がこのイタリアのサラダなのだ。

材料（4人分）

旬または好みの果物：800g（2cmサイコロ切り）／レモン汁：大さじ3／マラスキーノリキュール：大さじ3／アーモンドスライス：大さじ5／砂糖：60g／バニラアイスクリーム：4スクープ

作り方

❶ アイスクリーム以外の材料をすべてボウルに入れてよく混ぜ、冷蔵庫で数時間、味を馴染ませる。❷ サラダをアイスクリームとともに器に盛りつける。

Pinjur

ピンジュール

北マケドニア / North Macedonia

パンやクラッカーにのせてもいいナス、トマト、赤パプリカのサラダ

ナスとトマトを組み合わせた料理はヨーロッパ各地、特に地中海料理によく登場する。56ページで紹介したカポナータもそのひとつだ。東南ヨーロッパではトマトの代わりに赤パプリカを使ったアイヴァルという料理がある。普通パンに塗って食べるが、料理の材料として使われることもよくある。

ピンジュールはカポナータよりアイヴァルに似た料理だが、トマトが加わる。アイヴァルにもトマトが入ることがあるので、そっくりだともいえなくもない。ただアイヴァルはペースト状であると思ってまず間違いないが、ピンジュールはもう少し材料の形が残っているような気が私はする。

材料（4人分）

ナス：2本／赤パプリカ：4個／トマト：小2個／オリーブ油：大さじ1+1+4／ニンニク：2片（みじん切り）／イタリアンパセリ：適宜（みじん切り）／塩：適宜

作り方

❶ オーブンを180〜200度にセットする。オーブン用のプレートに大さじ1のオリーブ油を塗り、その上にニンニクとイタリアンパセリ以外の野菜を置いて、上からオリーブ油大さじ1を全体にかける。野菜が柔らかくなり、皮に少し焦げ目がつくくらいまで焼く。焼きナスの要領で直火で焼いても可。❷ 焼いた野菜の皮をむき、それぞれ細かく刻んでボウルに入れる。❸ ニンニクを小さな器に入れ、塩一摘みを加えて、スプーンやすりこ木棒などでつぶすようにしてよく混ぜる。❹ ニンニクを❷のボウルに加えてよく混ぜたら、鍋などにオリーブ油大さじ4を熱し、野菜の上にジュッとかけ、塩で味を調える。❺ サラダを器に盛って、イタリアンパセリを散らす。

Fazola Bajda bit-Tewm u Tursin

マルタ

|| ファゾーラ・バイダ・ビットゥ テウム・ウ・トゥルスィーン

シンプルでしかも簡単、魚介類によく合うマルタ島の白豆サラダ

　ヴィーガンやヴェジタリアンではなくとも、栄養価の高い豆をもっとサラダに使ってもいいんじゃないかと思う。乾燥豆の場合は水に浸した後にじっくり煮るという作業が加わるが、缶詰なら他の野菜やハーブと一緒にドレッシングで和えれば出来上がり。ボリューム満点のサラダができる。

　そんな豆サラダの第一候補として勧めたいのが、マルタのこのサラダである。バタービーンズ（らい豆）がベストだけど、なければ白インゲン豆で全然かまわない。魚介類が豊富な島国マルタだけあって、このサラダは魚介料理との相性がいい。もちろんこのサラダとパンさえあれば満足いくランチになる。

材料（4人分）

調理済バタービーンズ（らい豆）：250g／イタリアンパセリ：大さじ4（みじん切り）／ニンニク：3片（みじん切り）／青ネギ：3本（小口切り）／オリーブ：10粒（粗みじん切り）

ドレッシング
赤ワイン酢：大さじ2／オリーブ油：大さじ2／塩・コショウ：適宜

作り方

❶ ドレッシングの材料をすべて器に入れて混ぜる。
❷ サラダの材料をすべてボウルに入れ、ドレッシングを注いでよく混ぜる。

Kapunata Maltija

マルタ

|| カプナータ・マルティーヤ

マルタ特産のトマトペーストを使ったナスとトマトのサラダ

　北マケドニアのピンジュールに材料は似ているけど、ピンジュールがペーストに近いのに対してこのサラダではそれぞれの素材の形がしっかり残っている。ピンジュールよりもずっとサラダらしい。名前からも分かるように、イタリアのカポナータのマルタ版である。
　カポナータとのいちばんの違いは、クンセルヴァというマルタ特産の伝統的なトマトペーストを使っていることだ。トマトは玉ネギとローリエと一緒に煮込まれ、ペースト状にした後、天日に干して5分の1程度まで濃縮される。クンセルヴァは国外では手に入りにくい。仕上がりと味は違うだろうが、普通のトマトペーストで作っても十分おいしい。

材料（4人分）

オリーブ油：大さじ2／ニンニク：3片（みじん切り）／玉ネギ：1個（少し厚めにスライス）／ナス：5本（400〜500g、2cmサイコロ切り）／ピーマン：4個（1.5cm角切り）／トマト：3〜4個（2cmサイコロ切り）／トマトペースト：大さじ2／ケッパー：小さじ2／オリーブ：10個（横にスライス）／塩・コショウ：適宜／バジルまたはミント：適宜

作り方

❶ 鍋またはフライパンにオリーブ油を熱し、ニンニクと玉ネギを加えて、玉ネギがしんなりするまで炒める。❷ ナスとピーマンを加えてさらに2分ほど炒めたら、トマトを加えて軽く混ぜ、弱火で野菜に火が通る少し手前まで煮る。❸ トマトペースト、ケッパー、オリーブ、塩とコショウ少々を加えて、野菜に完全に火が通るまで煮る。❹ 塩とコショウで味を調えたら、そのまま器に盛りつけるか、冷蔵庫で冷やしてから盛りつけ、バジルあるいはミントをちぎって散らす。

Insalata Tat-tin

マルタ

インサラタ・タトゥティン

イチジク好きの人にはぜひ試してほしいマルタの絶品サラダ

　イチジクはメソポタミア文明の時代から食されていたといわれ、のちに温暖な地中海の国々に移植される。地中海に浮かぶマルタには小さな国であるにもかかわらず6000本ものイチジクの樹がある。フェスティバルも毎年行われる。マルタの人たちにとってイチジクは特別な果物といえる。

　マルタの主なイチジクは緑と紫色の2種類で違う甘味、食感を備える。甘いイチジク、ピリッとした辛みのあるルッコラ、甘酸っぱいチェリートマト、そしてちょっと苦みのある甘さのクルミ。この4つの食材がハチミツとバルサミコ酢でできた甘いドレッシングで混ぜ合わさる、絶妙なバランスのサラダだ。

材料（4人分）
イチジク：8〜10個（縦4〜8等分）／チェリートマト：10〜12個（縦2等分）／ルッコラ：150g／クルミ：100g（粗く砕く）

ドレッシング
オリーブ油：大さじ2／バルサミコ酢：大さじ2／ハチミツ：大さじ1／塩・コショウ：適宜

作り方
❶ ドレッシングの材料をすべて器に入れて混ぜる。
❷ サラダの材料をすべてボウルに入れ、ドレッシングを注いでよく混ぜる。

Salata od Heljdinih Rezanaca

モンテネグロ

| サラタ・オドゥ・ヘリディニ・レザナツァ

ソバとフェタチーズという想像外の組み合わせの味は驚きに値する

'Life From Scratch'という本の中に、モンテネグロのシェフが作ったこのサラダを描写する一節がある。地中海に接する東ヨーロッパの国の中ではかなり前からそば粉を使っていたことは知っていた。でもそばを使っている料理は初めてだった。インターネットで調べると日本のそば料理的なものには出くわすが、ここで紹介するサラダは1つのサイト以外見つからなかった。そのサイトのオーナーはその本の著者でもある。つまり情報源は1つだけということになる。そのわずか1つの情報源をもとに半信半疑で作ったのがこのサラダだ。実際に作って驚きは何倍にもなった。これが文句なしにうまいのである。

材料（4人分）

そば（乾麺）：300g／フェタチーズ：200g（1cmサイコロ切り）／粒コショウ：適宜／塩：適宜

作り方

❶ 鍋にたっぷりの湯を沸かしてそばを茹で、冷水で洗ってザルに上げる。❷ ボウルにそば、フェタチーズを入れて混ぜて、塩で味つけする。❸ 器に盛り、粒コショウを包丁の腹などで砕いて上にかける。

Salada de Grao de Bico

サラダ・ジ・グレオン・ジ・ビーコ

ひよこ豆と塩ダラで作るシンプルで栄養満点ポルトガルの豆サラダ

ひよこ豆は南アジア、中近東で最も食されている豆であるに違いない。インドのカレーや中近東のホンモス（フムス）を思い浮かべる。実はひよこ豆は地中海の国々でも同じようによく食べる。ひよこ豆はツルっとした普通の豆とは違い凹凸があり、皮が薄いのであまり気にならない。ナッツっぽさがあり、ちょっと土臭さがある。粉や皮を除いて割ったダルもある。どちらも皮付きとは違って黄色いのが特徴だ。

このサラダでもうひとつ見逃せない材料は塩ダラだ。ポルトガルで使用する塩ダラは日本の棒ダラのようにカチカチではなく、塩が厚くまぶしてあるが柔らかい。

材料（4人分）

塩ダラ：200g／調理済ひよこ豆：650g／玉ネギ：小1個（みじん切り）／ニンニク：1片（みじん切り）／茹で卵：2個（縦4等分）／パプリカパウダー：適宜

ドレッシング

オリーブ油：大さじ3／リンゴ酢：大さじ1／イタリアンパセリまたはパクチー：大さじ1〜2（みじん切り）／塩・コショウ：適宜

作り方

❶ 塩ダラを水洗いして余分な塩を流し、たっぷりの水に浸して一晩、または完全に塩が抜けるまでおく。途中何度か水を取り替える。❷ 鍋にたっぷりの湯を沸かし、①のタラを水洗いしてから加え、中火で中に火が通るまで煮る。冷めたら食べやすい大きさにほぐす。❸ ドレッシングの材料をすべて器に入れて混ぜる。塩とコショウで味を調える。❹ ボウルに茹で卵とパプリカパウダー以外のサラダの材料を入れ、ドレッシングを注いでよく混ぜる。❺ サラダを器に盛り、茹で卵を飾って、パプリカパウダーを振る。

Salada de Polvo

サラダ・ジ・ポルヴォ

ポルトガルで最も知られるサラダのひとつはタコとパプリカのサラダ

茹でダコを市販のフレンチドレッシングで和えたシンプルなサラダは、結構昔から日本でも食べていたとても好きなサラダで、アメリカに来てからも思い出してたまに食べる。寿司などよりも好きなくらいだ。

48ページにクロアチアのタコサラダがあるが、他の材料に大きな違いがある。クロアチアのサラダではジャガイモが使われているが、このサラダは赤パプリカとピーマンが使われている。クロアチアのサラダではニンニクがかなり入るがこのサラダにはないし、トマトも入っていない。意外にもオリーブも使われていない。ポルトガルのタコサラダのほうがシンプルな感じがある。

材料（4人分）

茹でたタコの脚；300g（小さめの一口大に切る）／赤パプリカ：1/2個（1cm角切り）／ピーマン：1個（1cm角切り）／玉ネギ：小1個（粗みじん切り）／パクチー：大さじ2（みじん切り）

ドレッシング
オリーブ油：100ml／白ワイン酢：大さじ3／塩・コショウ：適宜

作り方

❶ パクチー以外のサラダの材料をボウルに入れてよく混ぜる。❷ ドレッシングの材料、パクチーを加えてもう一度よく混ぜ、塩とコショウで味を調える。

Salada de Melão

ポルトガル

| サラダ・ジ・メラウン

前菜の定番生ハムとメロンに野菜を加えたのがこのポルトガルサラダ

　プロシュットに代表されるいわゆる生ハムは果物と一緒に食べることが多い。塩気が強い生ハムとは正反対の甘い果物が生ハムの味を引き立てる。中でもよく使われるのがメロンで、生ハムを使った前菜の定番のひとつといえる。

　生ハムとメロンを組み合わせるとおいしいなら、他の野菜と一緒にサラダにしてしまおうというのがこのサラダである。プロシュットはイタリア語で、ポルトガル語ではプレズントという。プレズントは手に入りにくい。ないならプロシュットやスペインのハモン・デ・セラーノ、フランスのジャンボン・ドヴェルニュなど他の生ハムを使えばいい。

材料（4人分）

レタス：1/2個（食べやすい大きさにちぎる）／トマト（お好みで）：中1個（半月にスライス）／メロン（できれば違う色のものを2種類）：600g（一口大に切る）／プレズント（ポルトガル版のプロシュット）またはプロシュット：100g（3cm幅くらいに切る）

ドレッシング
オリーブ油：大さじ2／白ワイン酢：大さじ1／レモン汁：小さじ1／塩・コショウ：適宜

作り方

❶ 器にレタスを敷き、トマト、メロン、プレズントの順にレタスの上に散らす。❷ ドレッシングの材料をすべて小さな器に入れて混ぜ、①の上にかける。または個人の器に取り分けた後にかける。

Salada de Caranguejo

ポルトガル / Portugal

| サラダ・ジ・カランゲージュ

できれば茹でるところから始めたい高級感満点のカニサラダ

　カニと聞いただけで高級感を感じてしまうのは私だけではないと思う。日本でも松葉ガニ、毛ガニなど様々なカニを食べるが、どれもけっして安いとはいえない。一般にカニと呼ばれるものには2種類ある。前述の2つのカニはまさしくカニなのだが、タラバガニや花咲ガニは実はカニではなくヤドカリの仲間で、いかついハサミがないので見分けは簡単だ。ポルトガルのこのサラダに使われるカニはおそらくポルトガル沖で漁獲されるサントーラと呼ばれるヤドカリの仲間である。

　このサラダはツナサラダのようなマヨネーズ味だが、甘いポルトワインを使うあたりはいかにもポルトガルらしい。

材料（4人分）

調理済カニの身：400g ／玉ネギ：1個（みじん切り）／ピクルスのミックス：大さじ1（みじん切り）／茹で卵：1個（細かく刻む）／ブラックオリーブ：50g（みじん切り）／カイエンペッパー：小さじ1／マヨネーズ：大さじ2／ポルトワイン：小さじ1／レタス：適宜／イタリアンパセリ：大さじ1（みじん切り）／レモン：1個（櫛切り）／塩：適宜

作り方

❶ ポルトワインまでの材料をすべてボウルに入れてよく混ぜる。❷ レタスを器に敷き、その上に①を盛ってイタリアンパセリを散らし、レモンとともに食卓へ。

Urnebes

セルビア

ウルネベース

塩辛いチーズにチリペッパーをたくさん入れたディップ系サラダ

　肉好きのセルビア人のバーベキューや皮なしソーセージのようなチェバピといつも寄り添っているのが、このサラダだ。サラダといってもディッピングソースのようなものである。使われるのはフェタチーズに似た、ファーマーズチーズと呼ばれるチーズで、塩水に浸かっているので結構塩分が濃い。フェタチーズで代用できるが、それもない場合は最悪カッテージチーズということになるだろう。

　チーズ以外の主な材料はパプリカとチリペッパーで、どちらもローストしてから使う。チリペッパーの量は好みで増減すればいいが、たくさん使ってピリピリにしたほうがよりウルネベースらしくなる。

材料（4人分）

赤パプリカ：5個／生のチリペッパー：1本または好みの量／オリーブ油：大さじ1＋α／ファーマーズチーズ、フェタチーズまたはカッテージチーズ：250g／カイマックまたはクリームチーズ：小さじ2／ニンニク：3片（すりおろす）／茹で卵の黄身：2個分（細かくしておく）／カイエンペッパー：小さじ1/2／塩：適宜

作り方

❶ オーブンを200度にセットする。パプリカとチリペッパーにオリーブ油大さじ1を全体に塗ったら20～30分（チリペッパーは短め）、皮に焦げ目がつき簡単にむけるようになるまで、途中何度かひっくり返しながら焼く。直火で焼いてもOK。❷ パプリカとチリペッパーが冷めたら皮をむき、ヘタと種を取り除いて、パプリカは小さく角切り、チリペッパーはみじん切りにする。❸ チーズをボウルに入れ、フォークなどでマッシュにする。❹ ③に②のパプリカとチリペッパーを加えてつぶすようにしながらよく混ぜ、残りの材料を加えてさらに混ぜる。❺ オリーブ油を好みの量加え、塩で味を調える。

Regratova Solata

スロベニア
Slovenia

| レグラトヴァ・ソラータ

大自然の恵み、身近なタンポポの葉とジャガイモで作るサラダ

　タンポポは日本にもあればアメリカにもある。ヨーロッパにもアジアにもどこにでもある。そして色々な国で食べられている。タンポポはエジプト文明でも食されていたというから驚きだ。アメリカではスーパーにでさえ置いてあるタンポポの葉だが、食べるなら車が通る道から外れた草原などで野生の若い葉だけを摘んで料理したい。

　スロベニアの人は春、摘みたてのタンポポの葉を使ってジャガイモと一緒にサラダにする。ほんのり苦みがあるのが特徴で、そこがタンポポの葉の魅力でもある。ビタミンなどを多く含んでいるので身体にもよし。健康志向の高まりで人気も上昇中だ。

材料（4人分）

小ジャガイモ（新ジャガなど）：8個（皮付きのままでも可）／タンポポの葉：200g（食べやすい大きさにちぎる）／茹で卵：2個（縦4等分）

ドレッシング
オリーブ油：大さじ2／白ワイン酢：大さじ3／塩・コショウ：適宜

作り方

❶鍋にたっぷりの湯を沸かし、塩少々を加えてジャガイモを茹でる。ザルに上げて冷まし、食べやすい大きさに切る。❷ドレッシングの材料を器に入れて混ぜる。❸ボウルにタンポポの葉と茹でたジャガイモを入れて、ドレッシングをかけ、塩とコショウで味を調えながら混ぜる。❹サラダを器に盛りつけ、茹で卵で飾る。

Piriñaca

スペイン

ピリニャーカ

3種の野菜とドレッシングだけのシンプルアンダルシア地方のサラダ

　このサラダの材料はトマト、ピーマン、玉ネギ、ドレッシングだけ。エンサラダ・デ・トマテというトマトだけというサラダもあるけど、スペインで最もシンプルなサラダのひとつであることは確かである。

　このサラダはいくつかの名前を持っている。もともとはアンダルシア地方のサラダで、アンダルシアのカディスではプリニャーカ、ボカディーヨと呼ぶ地方もある。

　材料が少ないだけでなく作り方も簡単だ。野菜を切ってドレッシングで和えるだけで、煮るも焼くもすりおろすこともなしである。魚との相性がよく、スペインではアジなどに添えられて出てくる。

材料（4人分）

トマト：大2個（一口大に切る。種を取るか皮をむくかは好み）／ピーマン（できればイタリアンペッパー）：1個（一口大に切る）／玉ネギ：小または中1個（厚めの粗みじん切り）

ドレッシング
オリーブ油：大さじ2〜3／白ワイン酢またはシェリー酢：大さじ1／塩：適宜

作り方

❶ 切った野菜をすべてボウルに入れる。ドレッシングを別の器に作ってよく混ぜた後、ボウルに加えてよく混ぜる。❷ できれば数時間、あるいは一晩冷蔵庫で寝かせて味を馴染ませる。

Ensalada de Pimientos Rojos

|| エンサラダ・デ・ピミエントス・ロホス

ローストして甘みが増した赤パプリカをたっぷり使ったサラダ

スペイン

　日本では同じ野菜なのに違う呼び名があるのでややこしいが、赤のパプリカや緑のピーマンはローストして皮をむくと甘みが増す。アメリカではすでにローストして皮をむいたものが瓶詰になって、どこのスーパーでも手に入る。もし瓶詰があればあとは材料を切ってドレッシングで和えるだけでできてしまう。といってもローストするのは決して難しくない。焼きナスの要領で直火焼きすればいい。

　このサラダの名前の最後の単語ロホスは赤、つまり赤パプリカのサラダだ。緑のピーマンも一緒に使うとエンサラダ・デ・ピミエントス・アサドスとなる。アサドスはローストという意味だ。

材料（4人分）

オリーブ油：大さじ1+1／赤パプリカ：4〜5個／紫玉ネギ：1/4個（スライス）／ニンニク：3片（薄くスライスまたはみじん切り）／オリーブ：10個（縦に2等分）／茹で卵：2個（縦に4等分）／イタリアンパセリ：適宜（みじん切り）

ドレッシング
オリーブ油：大さじ3／赤または白ワイン酢またはシェリー酢：大さじ2／塩・コショウ：適宜

作り方

❶ オーブンを200度にセットし、赤パプリカ全体にオリーブ油大さじ1を塗って、柔らかくなるまで焼く。直火で焼いてもOK。焼けたら皿に移して冷まし、皮をむいて5mmくらいの細切りにする。❷ フライパンにオリーブ油大さじ1を熱し、紫玉ネギとニンニクを加え、玉ネギが柔らかくなるまで炒める。❸ ドレッシングの材料をすべて器に入れて混ぜる。❹ ボウルに①と②を入れ、ドレッシングを注いでよく混ぜる。❺ サラダを器に盛り、オリーブと茹で卵で飾って、イタリアンパセリを散らす。

Ensalada de Arroz

エンサラダ・デ・アロース

スペインでは子どもも大好きだという、色もきれいなライスサラダ

お米を使ったスペインの料理といえば、海産物をふんだんに使いサフランまで入るパエリヤだが、他にもいろいろある。エンサラダ・デ・アロースは単刀直入にライスサラダという意味だ。ここで紹介するのは鶏肉入りで、正確にはエンサラダ・デ・アロース・コン・ポイヨとなる。ポイヨは鶏肉の意味だ。パエリヤ同様、このサラダにもサフランが使われ、出来上がりが美しい黄色になる。

米は何でもいいが、できればバスマティライスのようなサラサラの米がいい。玄米でもうまい。スペインでは日本の米に似た国産中粒米が他の料理では使われることが多いが、このサラダでは長粒米や玄米が使われるようだ。

材料（4人分）

米（できればロングライス）：150g ／チキンブロス：300ml ／オリーブ油：大さじ1 ／サフラン：小さじ1/2 ／塩：少々／調理済鶏ムネ肉：200g（2cmサイコロ切り）／赤パプリカ：1/2個（1cm角切り）／ピーマン：1個（1cm角切り）／イタリアンパセリ：大さじ2（みじん切り）／トマト：中1個（1cmサイコロ切り）

ドレッシング

オリーブ油：大さじ5 ／白ワイン酢：大さじ2 ／ニンニク：1片（みじん切り）／玉ネギ：中1/2個（みじん切り）／塩・コショウ：適宜

作り方

❶ 米を洗ってたっぷりの水に1時間ほど浸けたら、ザルに上げておく。❷ 厚手の鍋にチキンブロスを入れ、沸騰したら①の米、オリーブ油、塩少々を加えて、弱火で好みの硬さに米を炊く。水分が残っている場合はザルに上げて、水気を切る。常温になるまで冷ます。❸ ドレッシングの材料をすべて器に入れて混ぜる。❹ 炊いた米も含め、サラダの材料をすべてボウルに入れてドレッシングを加え、塩とコショウで味を調えながらよく混ぜる。

Salpicon de Marisco

スペイン 🇪🇸 | Spain

サルピコン・デ・マリスコ

様々な魚介類と野菜をミックスしたアンダルシア地方のサラダ

サルピコンもスペイン語でサラダのことを指す。肉とか魚をミックスする時によく使うらしい。マリスコはシーフードのこと。材料は決まっているわけではなく、赤パプリカ、ピーマン、玉ネギ、タコ、エビは大体いつでも入っているようだ。このほか野菜ではトマトやキュウリ、魚介類ではムール貝やカニなどが加わることがよくある。カニの代わりにこのサラダのようにカニかまが使われることもある。

魚介類を個別に買って料理すると手間だが、シーフードミックスならもう刻んであるので、解凍すればあとは混ぜるだけという、いきなり簡単なサラダになってしまう。

材料（4人分）

調理済エビ：150g（大きなものは食べやすい大きさに切る）／茹でたタコ：200g（食べやすい大きさに切る）／調理済ムール貝（身のみ）：60g／カニかまぼこ：80g（2～3cmに切る）／ピーマン：1個（小サイコロ切り）／赤パプリカ：1/2個（小サイコロ切り）／チャイブ：20g（細かく刻む）／オリーブ：8個

ドレッシング

オリーブ油：大さじ3／白ワイン酢：小さじ4／ニンニク：1片／塩・コショウ：適宜

作り方

❶ ドレッシングの材料を器に入れて混ぜる。❷ ボウルにチャイブ（飾り用に少し残す）までのサラダの材料を入れ、ドレッシングをかけてよく混ぜる。❸ サラダを器に盛りつけてオリーブを飾り、上に残しておいたチャイブを散らす。

Deniz Börülcesi Salatasi

|| デニズ・ブルルジェスィ・サラタスゥ

日本でも見られる汽水域で育つ日本名アッケシソウのサラダ

　海水と淡水が混ざり合う汽水域に繁茂するグラスウォートはシーアスパラガスと呼ばれるほか、日本ではアッケシソウの名で知られている。秋になると真っ赤に染まる。北海道の網走などでは群生が見られる。

　このサラダの地元トルコでは市場に出回るようだが、アメリカではめったに見かけない。幸い近くに海があり、自生していることがわかったので自分で採ってきてこのサラダを作った。グラスウォートは一度茹でた後、茎を押さえて上にしごいて芯を取る。半信半疑だったがこれが見事にスッと抜ける。しかもこの野菜にはすでに塩気があり、サラダにするとびっくりするほどおいしいのだ。

材料（4人分）

グラスウォート（シーアスパラガス）：500g ／ニンニク：3片／オリーブ油：大さじ3／レモン汁、酢、またはポメグラネイトモラセス：大さじ2／チリペッパーフレーク：適宜

作り方

❶ グラスウォートの中央の茎から枝を切り落として、冷水できれいに洗う。❷ 鍋にたっぷりの湯を沸かし、グラスウォートとニンニクを加えて5～6分茹でたら取り出して冷水で冷まし、ザルに上げて水を切る。ニンニクは別の器に取っておく。❸ グラスウォートの根元を指でしっかりつかみ、反対の手の指でその上をつかんで上に押し出すようにして芯を取り除く。食べるのは外側の緑の部分で、白っぽい芯は捨てる。緑の部分はボウルに入れる。❹ 茹でたニンニクはフォークなどでつぶしてペーストにし、オリーブ油、レモン汁か酢またはポメグラネイトモラセスを加えて混ぜ、③のボウルに加えてよく混ぜる。❺ 器に盛り、好みでチリペッパーフレークを振る。

Piyaz

|| ピヤス

スーマックが加わっただけで中近東の香りがしてくる豆のサラダ

　ピヤスはトルコのサラダだが、イランやクルド人の料理としても知られる。サイドディッシュあるいはタパスに似た軽食メゼとして出されることが多いが、ボリューム感があるためか、サラダではなくメインディッシュだといわれることもある。

　同じような素材を使った豆のサラダは地中海沿岸の様々な国に存在するが、スーマックを入れるだけで突然中近東っぽくなるから不思議だ。最もよく使われる豆は白いカンネリーニビーンズだが、キドニービーンズもよく使われる。あまり豆の種類にこだわる必要はないようで、オスマン帝国時代はひよこ豆やそら豆も使われていたらしい。

材料（4人分）

調理済カンネリーニビーンズ（白いんげん豆）：250g／トマト：1個（1cmサイコロ切り）／紫玉ネギ：小1/2個（粗みじん切り）／青ネギ：1本（小口切り）／ニンジン：小1本（3cm程度の細切り）／ブラックオリーブ：4個／イタリアンパセリ：大さじ3（みじん切り）／茹で卵：1個（スライス）／スーマック（お好みで）：適宜

ドレッシング
オリーブ油：大さじ4／レモン汁：大さじ3／チリペッパーフレーク（お好みで）：小さじ1/4／塩：適宜

作り方

❶ドレッシングの材料をすべて器に入れて混ぜる。❷サラダのニンジンまでの材料をボウルに入れてよく混ぜる。❸サラダを器に盛り、ドレッシングを上から注ぐ。オリーブ、イタリアンパセリ、茹で卵を飾り、スーマックをかける。

Yesil Zeytin Salatasi

イエスィル・ゼイティン・サラタスゥ

オリーブを存分に味わいたいなら、オリーブが主役のサラダで決まり

　種あり種なしにかかわらず、オリーブを丸ごと口に放り込むのは最も一般的な食べ方である。オリーブを使うサラダもたくさんある。でもどういうわけかオリーブが主役のサラダは意外と少ない。このサラダはそんな数少ない、オリーブを前面に出したオリーブを楽しむサラダだ。

　トルコにはオリーブの種類がごまんとある。市場にはいつも様々な色、大きさのオリーブが並ぶ。自分で漬け込むための生のオリーブも豊富だ。このサラダで使われるのは緑のオリーブで、トルコで最もよく見られるオリーブのひとつだ。甘いローストした赤パプリカやザクロのシロップがオリーブを引き立てる。

材料（4人分）

グリーンオリーブ：150g（1個を大きめに2～4片に切る）／トマト：小1個（1cmサイコロ切り）／ローステッドレッドペッパー（瓶詰可）：2個（1cm角切り）／青ネギ：1～2本（小口切り）／イタリアンパセリ：大さじ4（みじん切り）／グリーンチリペッパー（お好みで）：1本（小口切り）／トマトペースト：小さじ1

ドレッシング

オリーブ油：大さじ4／レモン汁：1/2個分／ポメグラネイトモラセス：大さじ1～2／タイム：小さじ1/4／塩・コショウ：適宜

作り方

❶ ドレッシングの材料をすべて器に入れて混ぜる。
❷ サラダの材料をすべてボウルに入れ、ドレッシングを注いでよく混ぜる。

Tahinli Ispanak Salatasi

Turkey

|| タヒンリ・イスパナック・サラタスゥ

中近東のゴマペースト入りのドレッシングで食べるホウレン草サラダ

レタスなどの葉物を使ったお馴染みのグリーンサラダも、トルコのものは印象ががらりと変わる。なんてことはないホウレン草のサラダだが、ドレッシングはタヒニ（ゴマペースト）ベースのいわゆるゴマダレなのだ。

タヒニは日本では定番の芝麻醤（チーマージャン）で代用可能だ。タヒニは殻を取った生のゴマ、芝麻醤は殻つきのまま乾煎りしたゴマで作るという違いはあるが、味という点では両者の違いはあまりない。

ホウレン草は湯がく場合と生をそのまま使う場合があるが、生のほうがうまい。えぐみが少ない若いホウレン草が手に入るなら、ぜひ湯がかずそのままサラダに。

材料（4人分）

生食可能なホウレン草：250〜300g／紫玉ネギ：小1/2個（スライス）／皮なしの砕いたアーモンドまたはスライスアーモンド：適宜

ドレッシング

ニンニク：1片／タヒニ：大さじ2／ヨーグルト：80ml／レモン汁：1/2個分／ライム汁：1個分／レモンの皮：小さじ1/2（細切り）／塩・コショウ：適宜

作り方

❶ ホウレン草を洗い、大きい場合は食べやすい大きさに切って、ザルに上げて水を切っておく。❷ ドレッシング用のニンニクをすり鉢などに入れ、塩を少々加えてすりつぶす。❸ ②のニンニクを含め、ドレッシングの材料をすべて器に入れて混ぜる。❹ ホウレン草を器に盛り、玉ネギを上に散りばめたらドレッシングをかけて、アーモンドを散らす。

Karnabahar Salatasi

トルコ 🇹🇷

|| カルナバハーシュ・サラタスゥ

ヨーグルトをかけて食べるカリフラワーとブロッコリーのサラダ

　キャベツの仲間であるカリフラワーは地中海が起源の野菜だといわれる。カリフラワーに似たブロッコリーも地中海原産で、カリフラワーはキプロス、ブロッコリーはイタリアのシチリアが起源ではないかといわれている。地中海に面するトルコでもこの2つの野菜はかなり昔から使われてきた。

　このサラダはカリフラワーだけで作られることもあるが、ブロッコリーが加わることも多い。ブロッコリーが加わると彩りも鮮やかだ。ドレッシングはベーシックなものだが、ヨーグルトをかけて食べるのが興味深い。今は紫、黄色、オレンジのカリフラワーもある。それらを使えばさらに彩りが豊かになる。

材料（4人分）

ブロッコリー：1/2個（小さな房ごとに切り分ける）／カリフラワー：1/2個（小さな房ごとに切り分ける）／ニンジン：小1本（1cmサイコロ切り）／赤パプリカ（お好みで）：1/2個（1cm角切り）／コーン（お好みで）：100g／イタリアンパセリ：大さじ2（みじん切り）／ヨーグルト：150ml／オリーブ油：大さじ1

ドレッシング
オリーブ油：大さじ2／レモン汁：大さじ2／ニンニク：1片（みじん切り）／塩：適宜

作り方

❶ ブロッコリーとカリフラワー、ニンジンを別々に好みの硬さに茹でたら冷水に浸けて冷まし、ザルに上げて水を切って、ボウルにあける。❷ ドレッシングの材料を器に入れてよく混ぜる。❸ ①のボウルにパプリカ、コーン、イタリアンパセリを加え、ドレッシングを注いでよく混ぜる。塩で味を調える。❹ サラダを器に盛り、ヨーグルトを注いで、その上にオリーブ油をかける。

The World's Salads

Chapter

3

北&東ヨーロッパ

Northern & Eastern Europe

デンマーク／フィンランド／アイスランド／ノルウェー／スウェーデン
エストニア／ラトビア／リトアニア／ベラルーシ／ポーランド
チェコ共和国／ブルガリア／モルドバ／ルーマニア／スロバキア
ウクライナ／ロシア／アルメニア／アゼルバイジャン／ジョージア

Karrysalat

デンマーク

|| カリサレイトゥ

デンマークでカレー味というちょっと不思議な酢漬けニシンサラダ

　クリスマスなどで行われるビュッフェスタイルのランチに欠かせないのが、ピックルドヘリングという酢漬けにしたニシンである。というか、デンマークに限らず北欧やヨーロッパ大陸の北の国々ではほんとによくニシンを食べる。デンマークではこの酢漬けのニシンをライ麦パンの上にのせ、マヨネーズにカレー粉を加えたドレッシングをかけて食べる。

　このカレー味のドレッシングの下に置くはずのニシンを切って混ぜたのがこのサラダである。デンマークとカレー粉というのは何とも妙な組み合わせだが、デンマークの伝統ともいえるくらいかなり前から使われているらしい。そしてこれが酢漬けニシンとよく合う。

材料 (4人分)

茹で卵：2個（刻む）／キュウリのピクルス：2本（粗みじん切り）／紫玉ネギ：大さじ1（みじん切り）／リンゴ：1個（小サイコロ切り）／ライ麦パン（お好みで）：4枚／ピックルドヘリング（酢漬けニシン）：2〜3cm幅のもの8枚／ディル：適宜

ドレッシング

マヨネーズ：大さじ6／クレムフレッシュ（なければサワークリーム）：大さじ4／カレー粉：小さじ1／ディジョンマスタード：小さじ1/2／ディル：大さじ1（みじん切り）／塩・コショウ：適宜

作り方

❶ ドレッシングの材料をすべて器に入れ、混ぜておく。❷ 茹で卵〜リンゴまでの材料とドレッシングをボウルに入れて混ぜ、冷蔵庫で数時間、味を馴染ませる。サラダをパンにのせない場合は、ヘリングも小さめの一口大に切って、一緒に混ぜる。❸ 器にライ麦パンを置き、その上にヘリングを並べる。ヘリングの上にサラダをのせ、ディルを散らす。もちろんヘリングも混ぜたサラダをパンの上にのせてもかまわない。

Rejesalat med Asparges

デンマーク Denmark

||ライエサレイトゥ・メドゥ・エスパールス

自然の甘みがあるエビとアスパラガスをマヨネーズで和えたサラダ

　デンマークもドイツやベルギーと同様、春といえばアスパラガスの季節、ホワイトアスパラガスを好む傾向があるようだが、このサラダは普通のグリーンアスパラガスでもかまわない。カリサレイトゥと同じようにこのサラダにもマヨネーズ系のドレッシングを使うが、こちらはカレーではなくケチャップである。

　ドレッシングはマヨネーズだけのことも多いが、サワークリームやクレムフレッシュと半々にするとまろやかになる。特に日本のマヨネーズは酸味が強いので、このどちらかと混ぜることを勧めたい。エビは小さいものを使い、アスパラガスは切ってエビの長さと合わせると食べやすい。

材料（4人分）
生エビ：小200g（殻と頭を取って茹でる）／茹でたホワイトアスパラガス（缶詰可）：16～18本（エビと同じ長さに切る）／レタス：適宜

ドレッシング
サワークリーム：大さじ2／マヨネーズ：大さじ2／レモン汁：大さじ1／ケチャップ：小さじ1／ディル：大さじ2（粗みじん切り）／塩・コショウ：適宜

作り方
❶ 茹でたエビ、アスパラガスはペーパータオルなどでできるだけ水分を取っておく。❷ 小さな器にドレッシングの材料をすべて入れ、よく混ぜておく。❸ ボウルにエビとアスパラガスを入れ、ドレッシングを加えてよく混ぜ、塩とコショウで味を調える。❹ 器にレタスを敷き、その上にサラダをのせる。

Punakaalisalaatti

|| プナカーリサラーティ

フィンランドの短い夏を味わうための紫キャベツのシンプルサラダ

　フィンランドの冬は長く、夏はあっという間に過ぎてしまう。フィンランドの人々はキャベツ、ビーツ、ニンジン、リンゴ、カラントなど新鮮な野菜や果物を使ってサラダを作り、短い夏を味わう。

　プナカーリサラーティはドレッシングすら使わないシンプルな紫キャベツのサラダだ。

　リンゴンベリーはコケモモのことで、カラントとともにフィンランドでよく食される。生か冷凍のものを使うのがいちばんだが、なければジャムでもいい。カラントが使われることもある。紫キャベツは硬いので、クルミ以外の材料を混ぜたらできるだけ長く味を馴染ませると、少し柔らかくなって食べやすい。

材料（4〜6人分）

紫キャベツ：小1/2個（300g〜400g、細い千切り）／生あるいは冷凍のリンゴンベリー、なければジャム：200g（ジャムの場合は大さじ3〜4）／砂糖：適宜／クルミ（お好みで）：50g（乾煎りして粗く砕く）

作り方

❶ クルミ以外の材料をボウルに入れてよく混ぜ、甘味が少ない場合は砂糖を適宜加える。❷ ラップをかけ、冷蔵庫で数時間あるいは一晩、味を馴染ませる。❸ 食卓に出す前にクルミを加えて混ぜる。

Ræbkjusalat

|| ライキュサラットゥ

日本では高級食材として知られる甘エビで作るクリーミーなサラダ

　アイスランドで捕獲されるエビのほとんどはノーザンシュリンプと呼ばれるピンク色のエビで、日本の甘エビがこれに近い。甘エビはノーザンシュリンプの亜種に分類されることもあるようだ。太平洋、大西洋の北洋に広く分布している。

　この甘みのあるエビをクリーミーなドレッシングで和えたのがこのサラダだ。マヨネーズでなくサワークリーム、クレムフレッシュ、ヨーグルトなどが使われる。日本でもアイスランドのスキールが手に入るようになったので、あれば使わない手はない。スキールはヨーグルトとして売られているが、実際はフレッシュチーズであるらしい。

材料（4人分）

茹で卵：2個（細かく刻む）／茹でたエビ：250g

ドレッシング
クレムフレッシュ、またはサワークリーム、またはヨーグルト（ミックスしても可）：250ml／レモン汁：小さじ1／ディル：5g（みじん切り）／パプリカパウダーまたはカレー粉（お好みで）：小さじ1/2／塩・コショウ：適宜

作り方

❶ 小さな器にドレッシングの材料をすべて入れ、よく混ぜておく。❷ ボウルに茹で卵とエビを入れ、ドレッシングをかけてよく混ぜる。塩とコショウで味を調える。

Reyktu Laxasalati

レイクトゥ・ラクササラーティ

🇮🇸 アイスランド

とろけてしまいそうなスモークサーモンを使った豪華なサラダ

　アイスランドの海塩で下処理した後、氷河の冷たい水で洗い、冷燻といわれる燻製の方法を使って低温で時間をかけて燻製にする。アイスランドのスモークサーモンは柔らかく、絹のようだと評されることもある。

　レイクトゥ・ラクササラーティはそのスモークサーモンをふんだんに使ったアイスランドを代表する料理である。刻んだスモークサーモンと茹で卵を和えたサラダを盛りつけ、さらにその上にスモークサーモンのスライスを置く。ライ麦パンの上にのせたオープンサンドとして食卓に上ることも多い。アトランティックサーモン（大西洋サケ）の宝庫アイスランドならではの贅沢なサラダといえる。

材料（4人分）

スモークサーモン：200g（1cm角切り）／茹で卵：4～6個（細かく切る）／青リンゴ（お好みで）：1/2個（小サイコロ切り）／ライ麦パン（お好みで）：薄いスライス4枚

ドレッシング
マヨネーズ：80ml／サワークリーム：80ml／ディル：大さじ3（みじん切り）／塩・コショウ：適宜

飾り
スモークサーモン：2～3cm幅のスライス4～8枚／オリーブ：2～3個（スライス）／ディル、イタリアンパセリなど：適宜

作り方

❶ ドレッシングの材料を器に入れてよく混ぜる。❷ ライ麦パン以外のサラダの材料をボウルに入れ、ドレッシングを加えてよく混ぜる。❸ ライ麦パンを器に置き、その上にサラダをのせて飾りを施す。写真では丸いクッキー型を使用して盛りつけた。

Agurksalat

ノルウェー　Norway

|| アグルックサラットゥ

酢に浸した浅漬けのようにも思えるキュウリのサラダ

　キュウリはインド原産で、メソポタミア文明ではすでに栽培されていたらしい。ギリシャ時代にヨーロッパに移入され、9世紀にはフランス、イギリスに到達したのは14世紀、北欧にやってきたのはおそらく16世紀くらいだろう。以来、完全に定着したキュウリは夏の野菜として親しまれてきた。

　ノルウェー語でキュウリを意味するアグルックはギリシャ語のアングリオン（スイカ）が起源ではないかという説がある。アグルックサラットはサラダというよりも浅漬けに近い気もする。普通、キュウリは薄く輪切りにされるが、このレシピのように縦にスライスすると少し違った雰囲気になる。

材料（4人分）

キュウリ：2本／白ワイン酢：150ml／水：150ml／砂糖：大さじ3／イタリアンパセリ：適宜（みじん切り）／塩・白コショウ：適宜

作り方

❶ キュウリをスライサーを使って縦に薄くスライスし、ボウルに入れる。包丁で薄く輪切りにしてもよい。❷ キュウリと飾り用に少し残したイタリアンパセリ以外の材料をすべて器に入れて混ぜ、①のボウルに加えて塩と白コショウで味を調えながらよく混ぜたら、冷蔵庫に入れて少なくとも30分はおき、味を馴染ませる。❸ 器に盛って、上にイタリアンパセリを散らす。

Potetsalat

ノルウェー

ポテットゥサラットゥ

パンにもホットドックにものせてしまうノルウェー人自慢のサラダ

　ノルウェーの人はポテトサラダがどうも好きらしい。1週間に1度は食べるともいわれる。ホットドックやパンの上にのせて食べることも少なくない。ここで紹介するのは最もシンプルなポテトサラダといえる。

　キュウリなどが加えられることもあるが、基本はジャガイモだけである。この基本形に色々なものを加えたいくつものバリエーションがあり、中にはオイル漬けのサーディンが入る漁師流ポテトサラダなどもある。

　ポテトサラダといえばマヨネーズという例に漏れず、このサラダはマヨネーズとサワークリームで作ったサラダクリームと和える。ディルとチャイブの香りがまた魅力である。

材料（4～6人分）

ジャガイモ（できれば新ジャガ）：600g（皮付きのまま2cmサイコロ切り）／キュウリ（お好みで）：1本（スライス）／リンゴ（お好みで）：1/2個（スライス）

サラダクリーム
サワークリーム：60ml／マヨネーズ：60ml／キュウリのピクルス：20g（みじん切り）／ディル：4g（みじん切り）／チャイブ：3g（みじん切り）／塩・コショウ：適宜

作り方

❶ ジャガイモを形が崩れない程度に茹で、ザルに上げて冷ます。❷ ドレッシングの材料を小さな器に入れて混ぜる。❸ ①と残りの材料をすべてボウルに入れたら、ドレッシングをかけ、野菜が崩れないように混ぜる。

Gubbröra

スウェーデン Sweden

|| グブローラ

シーフード好きのスウェーデン人の伝統的なアンチョビと卵のサラダ

　スウェーデンのクリスマス料理は豪華だ。スモルガスボルドという野菜やシーフードを使った巨大なサンドイッチケーキ、ハム、ソーセージ、ニシンのサラダ、レバーパテなどなどテーブルいっぱいに料理が並ぶ。このサラダもクリスマスによく登場する料理である。
　スウェーデンではシーフードをよく食べる。グブローラは"お年寄りのミックス"みたいな意味らしく、平たく言えば色々混ざったサラダということだろう。その混ぜるものとは卵とアンチョビだ。アンチョビといっても実際はアンチョビではなく、スプラットと呼ばれるニシン科の小魚である。これをスウェーデンの人はスウェーデンのアンチョビと呼ぶ。

材料(4人分)

茹で卵：4個(少し粗めに刻む) ／油漬けのスプラットまたはアンチョビ：100g(粗めに刻む) ／紫玉ネギ：小1個(粗みじん切り) ／パン(できればライ麦パン、お好みで)：4枚

ドレッシング

サワークリーム：大さじ3 ／クレムフレッシュ(なければサワークリーム)：大さじ3 ／キャレス・キャヴィアール(チューブ入りのタラコのクリームのようなものなのでタラコでも可)：大さじ2〜3 ／ディル：大さじ3(粗みじん切り) ／チャイブ：大さじ3(長さ1cmくらいに切る) ／塩・白コショウ：適宜

飾り

ディルとチャイブ：適宜(みじん切り)

作り方

❶ ドレッシングの材料をすべて小さな器に入れ、よく混ぜておく。❷ パン以外のサラダの材料をボウルに入れ、ドレッシングを加え、崩れないようにやさしく混ぜる。❸ オープンサンドにする場合は、皿にパンを置いてその上にサラダをのせ、ディルとチャイブを散らす。

Äpple, Selleri Och Valnötssallad

スウェーデン

|| エプレ, セルリ オック・ヴォルナットゥサラッドゥ

リンゴとセロリという意外な組み合わせが好奇心をそそるサラダ

　リンゴはスウェーデンで最も食べられている果物のひとつだ。リンゴ栽培で知られるスウェーデンの南東に位置するキヴィックでは毎年リンゴフェスティバルも行われる。庭にリンゴの木がある家も少なくない。

　リンゴが主役のこのサラダには、他にセロリがたっぷり入る。正確にはリンゴとセロリのサラダである。あまり考えられない組み合わせだが意外にもよく合う。リンゴの甘さと爽やかなセロリの味が両者のパリッとした食感、さらにはクルミの甘みとほろ苦さとともに口内に広がる。オイルベースのドレッシングのほか、マヨネーズやサワークリームのクリーミーなドレッシングでもおいしい。

材料（4人分）

セロリ：4本（可能なら葉も。細く斜め切りし、葉は飾り用に取っておく）／リンゴ：1個（薄い一口大の扇形に切る）／マスカットなどグリーンのブドウ：100g（皮のまま2等分）／クルミ：20g（乾煎りして大きめに刻む）

ドレッシング
オリーブ油：大さじ2／リンゴ酢：大さじ2／ハチミツ：小さじ2／塩・コショウ：適宜

作り方

❶ドレッシングの材料をすべて器に入れ、よく混ぜる。❷サラダの材料をすべてボウルに入れ、ドレッシングを注いでよく混ぜる。❸器に盛り、セロリの葉を飾る。

Nõgesesalat

エストニア Estonia

ノゲゼザラットゥ

触れるとチクチクするので嫌がられる野草もおいしいサラダに

　エストニアでは春になると人々はスイバ、野生のニンニクなど、様々ないわゆる野草を使ってサラダやスープにする。このサラダはスティンギングネトル、日本ではイラクサと呼ばれる野草を使ったものだ。葉の毛のようなものに触るとちくりとする。ひどい場合はかぶれたみたいになる。でも食べるとこれがうまい。すごくうまい。このサラダではイラクサをさっと湯がいてこの毛を取り除く。ほんの数秒でいい。あとは普通の野菜のように扱ってかまわない。でも収穫から湯がくまでは手袋が必要だ。スイバやタンポポの葉も摘んできて、全部一緒にサラダにしてもいい。もちろんスイバやタンポポの葉は生のままで。

材料（4人分）
イラクサ：200g／茹で卵：2個（細かく刻む）／ニンジン：小1/2本（シュレッド）／ヘーゼルナッツ（他のナッツでも可）：大さじ2（砕く）

ドレッシング
サワークリーム：大さじ2／マヨネーズ：大さじ2／ニンニク：1片（すりおろす）

作り方
❶手袋をして枝ごとイラクサを丁寧に洗ったら沸騰した湯で湯がき、すぐに冷水に浸けて軽く洗いながら冷ます。❷水を切ったら葉だけをむしり取って、他の材料と一緒にボウルに入れて軽くかき混ぜ、器に盛る。1つの器にそれぞれ別に盛りつけてもいい。❸ドレッシングの材料を小さな器に入れて混ぜ、サラダに添える。

Põldoasalat

ポルドアザラットゥ

エストニアの人々に長い間親しまれてきたそら豆のサラダ

　レンズ豆、ひよこ豆、グリーンピース、そしてこのサラダに使われているそら豆は紀元前数千年前より食されていたといわれている。ジャガイモが到来するまで、そら豆とグリーンピースはエストニアの人々にとって欠かせない食材だった。豊富な食べ物が入手可能な今でも、そら豆はライ麦パンと並び最も重要な食物のひとつとして掲げられる。

　エストニアではそら豆をフリッター、スープ、シチューなど様々な料理に使う。ジャガイモやニンジンと一緒にサワークリームのドレッシングで和えたこのサラダもそのひとつだ。ドレッシングに混ぜ込まれたディルの香りと味もまたこのサラダの魅力である。

材料（4人分）

茹でたそら豆：400g（皮を取っておく）／茹でたジャガイモ：200g（1.5cmサイコロ切り）／茹でたニンジン：200g（1.5cmサイコロ切り）／玉ネギ：小1個（みじん切り）／茹で卵：4個（スライス）／ディル：適宜（飾り用）

ドレッシング
サワークリーム：200ml／ディル：大さじ3（みじん切り）／塩・コショウ：適宜

作り方

❶ 小さな器にドレッシングの材料をすべて入れて、よく混ぜておく。❷ 茹で卵以外のサラダの材料をすべてボウルに入れ、ドレッシングを加えてよく混ぜる。塩とコショウで味を調える。❸ 器に盛り、茹で卵を飾ってディルを散らす。

エストニア Estonia

Kõrvitsasalat

|| コルヴィッツァザラットゥ

透明感のある生の食感がまだ残るパンプキンの漬物サラダ

　エストニアの人々はクリスマスを家族と過ごす。クリスマスの日のご馳走にはブラックプディング（ブラッドソーセージ）、ローストポーク、ザワークラウト（キャベツの漬物）、ジャガイモのローストなどが食卓に並ぶ。もうひとつ欠かせないのが、このパンプキンの漬物サラダである。

　パンプキンはスパイスが入った酢で煮るのだが、煮物のように柔らかくなるまで煮るのではなく、透明感が出るまで。なのでまだパンプキンのシャキッとした食感が残っている。砂糖入りで甘いため子どもたちにも人気らしい。漬物なので、冷蔵庫に入れておけば数か月はおいしく食べられる。

材料（4～6人分）
パンプキンまたはカボチャ：1/4個（皮をむいて1.5cmサイコロ切り）

マリネ液
水：200ml／砂糖：60g／クローブ：1粒／シナモンスティック：1本／オールスパイス：1粒／ショウガ（お好みで）：5g（スライス）／酢：120ml

作り方
❶ 鍋に酢以外のマリネ液の材料を入れてよく混ぜ、火にかけて沸騰させたら、酢とカボチャを加えて再度沸騰させ、中火でカボチャに透明感が出るまで煮る。柔らかくしすぎないように注意。あくまでも透明感を出すためで、シャキシャキ感が残っていて構わない。❷ カボチャをザルにあけるが、煮汁はすべてボウルで受けて残しておく。スパイスは捨てる。❸ 熱湯消毒した瓶を用意し、まずカボチャを入れ、ひたひたになるまで煮汁を加えたら蓋をする。❹ 常温まで冷めたら冷蔵庫で寝かせる。1週間後くらいが食べ頃。

Rasols

ラソルス

ニシンやニンジン、キュウリ、リンゴまで入ったポテトサラダ

　ラトビアの人は豚肉をよく食べる。どの部分も余すことなく料理に使うことが誇りだという人も多い。野菜ですらベーコンの脂で料理する。ラトビアの人にとって豚肉料理は国民的料理なのだ。

　ラソルスにも豚肉が入っているのかといえば、珍しくもこのサラダには入っていない。その代わりにニシンが入っている。マヨネーズ系ポテサラの原型と目されるロシアのオリビエサラダの影響が強い。ここでは一部の材料を除いてすべてドレッシングで一緒に和えているが、素材をそれぞれ層にして積み上げることも少なくない。マヨネーズなので日本人にも馴染みやすい。

材料（4人分）

ニンジン：小1本（1cmサイコロ切り）／ジャガイモ：2個／ニシンの酢漬けまたは塩水漬け：120～150g分（2cm角切り）／茹で卵：3個（1cmサイコロ切り程度）／キュウリのピクルス：小2本（1cmサイコロ切り）／キュウリ：小1本（1cmサイコロ切り）／青リンゴ：1/2個（1cmサイコロ切り）／イタリアンパセリ：適宜

ドレッシング
マヨネーズ：大さじ3／サワークリーム：大さじ2／マスタード：小さじ2／リンゴ酢：小さじ2／塩・コショウ：適宜

作り方

❶ 鍋にたっぷりの湯を沸かし、ニンジンを固茹でしてすくい取り、冷水に浸けて冷ました後、ザルに上げて水気を切る。❷ 同じ鍋でジャガイモを皮付きのまま硬めに茹で、冷めたら皮をむいて1cmサイコロ程度に切る。❸ ドレッシングの材料をすべて器に入れ、よく混ぜる。❹ イタリアンパセリと茹で卵少々を残して、その他のサラダの材料をボウルに入れ、ドレッシングを加えてよく混ぜる。❺ サラダを器に盛り、残しておいた卵を上にかけ、イタリアンパセリを散らす。

Pupiņu Salāti

ラトビア Latvia

|| ポピニュ・サラーテ

少ない材料をただ混ぜるだけのキドニービーンズの豆サラダ

豆のサラダというとどうしても尻込みしてしまうけど、冷凍や缶詰の調理済の豆を使えばものすごく簡単なサラダになってしまう。特にこのサラダは材料を全部ボウルかなんかに入れて混ぜるだけだ。調理済の豆でなくても、時間のある時に煮て冷凍しておけば、必要な時にいつでも解凍して使える。

このサラダに使われているキドニービーンズは日本でも手に入るようになってきたようだ。でもキドニービーンズにこだわる必要もない。インゲン豆でもなんでも同じようにおいしいサラダができる。ちなみにラトビアではビーツも加えたサラダもある。ビーツも調理済があるので、それを使えば10分で完成。

材料（4人分）

調理済キドニービーンズ：300g／赤パプリカ：1個（小角切り）／キュウリのピクルス：中2本（小サイコロ切り）／ハム（できれば塊）：80g（小サイコロ切り）／サワークリーム：大さじ1／マヨネーズ：大さじ2／パプリカパウダー：小さじ1/4／塩・コショウ：適宜／リーフレタス：適宜

作り方

❶リーフレタス以外の材料をすべてボウルに入れてよく混ぜ、塩とコショウで味つけする。❷リーフレタスを器に敷き、サラダを盛りつける。

Burokeliu Misraine

リトアニア

ブロケイリウ・ミスリアネア

ジャガイモも白い豆も赤く染まるリトアニア版ビーツサラダ

　日本でも人気のビーツがたっぷり入ったボルシチ。このスープでビーツを初めて食べたという人も多いのではないだろうか。東欧の人たちは本当にビーツをよく食べる。ビーツサラダはどの国でも一見同じように見えて、少しずつ違っていたりしておもしろい。

　ここで紹介するのはリトアニアのビーツサラダだ。ビーツの他にジャガイモや豆が入るのが特徴だが、バリエーションも多い。この他によく加えられる材料はニンジン、グリーンピース、玉ネギ、キュウリやキャベツのピクルスなどで、ニシンの酢漬けが加わることもある。ホースラディッシュ（西洋ワサビ）を加えてちょっとピリッとさせるのもいい。

材料（4人分）

ビーツ：2個／ジャガイモ：大1個（小サイコロ切り）／調理済豆（何でも可。写真は白インゲン豆）：150g／キュウリのピクルス：中2本（粗みじん切り）

オリーブ油ベースドレッシング
オリーブ油：大さじ3／リンゴ酢：大さじ2／塩・コショウ：適宜

マヨネーズベースドレッシング
マヨネーズまたはギリシャヨーグルト：大さじ3／ディジョンマスタード（お好みで）：小さじ1／塩・コショウ：適宜

作り方

❶ ビーツを茹でる、蒸す、ローストするのいずれかの方法で調理し、冷めたら皮をむいて小さいサイコロ状に切る。❷ 鍋にたっぷりの湯を沸かし、ジャガイモを少し硬めに茹で、ザルに上げておく。❸ ドレッシングはオリーブ油ベース、マヨネーズベースどちらかを選び、器に材料を入れて混ぜる。❹ ボウルにサラダの材料、ドレッシングを入れて、塩とコショウで味を調整しながら混ぜる。

Salat Paparats Kvetka

サラートゥ・パパラッツ・クヴェトゥカ

名前の意味もオリジナルも分からない不思議なサラダ

　パパラッツ・クヴェトゥカとはシダの花という意味だ。シダの花？ 皆が知っているどこにでも生えているシダだが、花を見たことがある人はいるだろうか。誰も見たことがないはずだ。シダは花を咲かせないからだ。シダは種ではなく胞子で増える。葉に整然と並ぶ胞子が花に見えるのかもしれない。いずれにしても、このサラダからは想像できない不思議な名前である。

　このサラダには決まった材料はなく、何十ものバリエーションがあり、ベラルーシの人ですらオリジナルがどんなものなのか分からない。なので代表的なもの、よく使われる材料を選んでここでは作ってみた。

材料（4人分）
ステーキ用牛肉（できればサーロイン）：200g ／ハム：200g ／キュウリ：1本／トマト：1個／マヨネーズ：適宜

玉ネギのマリネ
玉ネギ：1個（縦半分に切って横に厚めにスライス）／白ワイン酢：大さじ3／砂糖：小さじ1/2／塩：適宜

作り方
❶ 鍋に湯を沸かし、牛肉を加えて中火で火が通るまで茹でたら、ザルに上げて冷ましておく。❷ 玉ネギのマリネの材料をボウルに入れ、玉ネギを軽くもむようにして混ぜたら、30分ほどそのまま味を馴染ませる。❸ ①の牛肉、ハム、キュウリ、トマト（種は取る）をできるだけ同じ長さ、太さになるように細切りし、それぞれ別々に取っておく。❹ サラダと玉ネギのマリネを器にアレンジして盛り、マヨネーズとともに食卓に出す。

Salatka z Piklowanymi Jajkami

サラトゥカ・ズ・ピクロヴァネミ・イエイカミ

赤く染まった茹で卵の漬物が美しいポーランドの代表的なサラダ

卵をある種の液に漬けて漬物にすることは世界各地で行われている。日本でも茹で卵を醤油漬けにする人は多い。ポーランドではビーツから出た赤い液体に酢と砂糖を混ぜて茹で卵を漬ける。2日も過ぎれば卵が赤く色づき始める。時間をかければかけるほど中まで染まっていき、最終的には黄身も染まってしまう。どのくらいまで染めるかは個人の好みだが、実際のところどこまで染まっているかは切るまでわからない。

ここで紹介するサラダは、同じくポーランドのサラダとして知られる普通ポリッシュサラダと呼ばれるサラダとピックルドエッグを組み合わせたようなサラダである。

材料（4人分）

レタス（何でも可）：半玉〜1玉（食べやすい大きさにちぎる）／キュウリ：1本（スライス）レッドラディッシュ：6〜8個（スライス）／紫玉ネギ：小1/2個（スライス）／チェリートマト：15〜20個（縦2等分）／ピックルドエッグ*：4個（2等分）

*ピックルドエッグ
ビーツの缶詰：1缶（ビーツはスライス）／固茹で卵：4〜6個／玉ネギ：1/2個（スライス）／赤ワイン酢：120ml／砂糖：大さじ4
※生のビーツを使う場合は、2個を皮をむかずにひたひたの水とともに1時間ほど煮て冷まし、ビーツは皮をむいてスライスし一緒に漬ける。

ドレッシング
オリーブ油：大さじ3／レモン汁：大さじ2／塩・コショウ：適宜

作り方

❶ ピックルドエッグを作る。ビーツ缶の漬け汁をボウルにあけ、赤ワイン酢と砂糖を加えてよく混ぜる。瓶などに材料をすべて入れて、卵が隠れない場合は水を足して蓋をし、最低でも4日間、冷蔵庫で漬け込む。❷ 小さな器にドレッシングの材料をすべて入れ、よく混ぜる。❸ ピックルドエッグ以外のサラダの材料をすべてボウルに入れ、ドレッシングを加えてよく混ぜる。❹ 器にサラダと、半分に切ったピックルドエッグを盛りつける。

Surówka

ポーランド

|| スロフカ

ピザ用チーズみたいに小さく切った生ニンジンとリンゴのサラダ

　生のニンジンは甘味があってとてもおいしい。子どもも喜んで食べるほどだ。でも生はよくないと思っている人が多いのも確かだ。その理由はニンジンに含まれるアスコルビナーゼと呼ばれる酵素がビタミンCを破壊するからだ。

　ほとんどのサラダにはドレッシングが必要だ。ドレッシングには酢やレモン汁などが入る。この酢とかレモンがビタミンCを破壊する酵素の働きを抑えてくれるのだ。つまりサラダならばニンジンの生食は心配なしなのである。ニンジンとリンゴをスライサーなどで小さく細くカットすれば、あとは混ぜるだけの簡単サラダでもある。

材料（4人分）

ニンジン：中2本（チーズおろし器でシュレッド）／リンゴ：1個（チーズおろし器でシュレッド）／レモン汁：1/2個分／砂糖：小さじ1/2／塩：適宜／イタリアンパセリ：適宜（みじん切りなど）

作り方

❶ イタリアンパセリ以外の材料をすべてボウルに入れて混ぜ、冷蔵庫で1時間ほど味を馴染ませる。❷ サラダを器に盛り、イタリアンパセリで飾る。

Salát Waldorf

チェコ共和国

サラートゥ・ヴォルドルフ

聞きなれないセロリの味がするセロリの仲間の根っこのサラダ

セロリルートはセロリの仲間だがセロリとは違い、茎や葉は苦みが強いので食用には向いてないらしい。食用となる部分は根だ。ごつごつした凸凹の塊からはおよそ食べられるものだという印象が湧いてこないが、香りはセロリ、味もセロリに甘味をプラスしたような感じでおいしい。煮込み料理やスープにすると甘さが増す。生だとセロリのような爽やかさがある。

このサラダではセロリとリンゴが加わり、さらに爽やかさが増す。根なので食感はセロリとは違い、ニンジンみたいな感じだ。少しおいて馴染ませるとシャキッとした食感は少しなくなるが、味が染みておいしくなる。

材料（4人分）

セロリルート（根セロリ）：小1個（約400g、細切り）／セロリ：2本（約200g、2〜3mm程度の斜め切り）／リンゴ：1個（1cmサイコロ切り）／サワークリーム：大さじ4／マヨネーズ：120ml／レモン汁：大さじ2または好みの量／クルミ：50g（粗めに砕く）／塩・コショウ：適宜

作り方

❶ セロリルート、セロリ、リンゴをボウルに入れ、塩とコショウを少々振ってよく混ぜる。❷ サワークリーム、マヨネーズを加えて混ぜたら、レモン汁、塩、コショウで味を調え、クルミを加えてもう一度混ぜる。❸ 30分ほどおいて、味を馴染ませる。

Šopska Salata

|| ショプスカ・サラータ

ブルガリアの国旗、白（チーズ）、緑（キュウリ）、赤（トマト）のサラダ

　ショプスカ・サラータはブルガリアを代表する料理で、チーズの白、キュウリの緑、トマトの赤が国旗を表しているということで国民食とされている。ブルガリアを起源に周辺国へと伝わり、今では東ヨーロッパ南西部の国々で食されている。

　というのがブルガリアの主張だが、周辺国にも言い分があるようだ。このサラダの発祥の地はブルガリア西部のショプルックと呼ばれる地域で、ユーゴスラビア崩壊後はブルガリア、北マケドニア、セルビアに分断された。これらの国が起源を主張しても当然といえるのだが、このことには無関係なクロアチアも起源を主張しているというからおもしろい。

材料（4人分）
トマト：大2個（1～1.5cmサイコロ切り）／キュウリ：2本（1～1.5cmサイコロ切り）／ピーマン：2個（1～1.5cm角切り）／玉ネギ：小1個（粗みじん切り）／イタリアンパセリ：大さじ3（みじん切り）

ドレッシング
オリーブ油：大さじ3／白ワイン酢：大さじ1／塩・コショウ：適宜

飾り
フェタチーズ／200g（指で砕く）／オリーブ（お好みで）：8個（スライス）／イタリアンパセリ：適宜（みじん切り）

作り方
❶ ドレッシングの材料をすべて小さな器に入れ、混ぜておく。❷ サラダの材料をすべてボウルに入れ、ドレッシングを加えてよく混ぜる。❸ 器に盛りつけ、フェタチーズ、オリーブ、イタリアンパセリを散らす。

Salata Snezhanka

サラータ・スネジャンカ

世界に名だたるブルガリアのヨーグルトで作る真っ白なサラダ

　今ではアイスランドやギリシャのヨーグルトが知られるようになったが、以前ヨーグルトといえばブルガリアだった。今でも世界的に知られるヨーグルトに君臨する。

　このサラダはキュウリやディルをブルガリアの特産ヨーグルトで和えたサラダで、サラータ・スネジャンカ、白雪姫サラダと呼ばれている。ヨーグルトのサラダといってもスプーンですくって食べるようなゆるいものではなく水切りしてあるので、写真のように型抜きしても崩れない。材料が少なくて簡単にでき、しかも真っ白で美しい。誕生日とかクリスマスなど特別な機会に作ると、食卓がパッと明るくなる。

材料（4人分）

ヨーグルト：500ml／キュウリ：1本（種を取って小サイコロ切り）／クルミ：大さじ2（砕く）／ニンニク：1片（みじん切り）／オリーブ油：小さじ2／白ワイン酢：小さじ1／ディル：大さじ2（粗みじん切り）／塩・コショウ：適宜／オリーブ、ディル、クルミなど（飾り）：適宜

作り方

❶ ヨーグルトを一晩ほど布などにあけて水を切り、余分な水分を取り除く。❷ 飾り以外の材料をすべてボウルに入れてよく混ぜ、数時間、できれば一晩冷蔵庫で寝かして、味を馴染ませる。❸ 器に盛り、飾りを上に散らす。

Salata de Cartofi

モルドバ / Moldova

サラタ・デ・カルトフ

食文化において様々な国の影響を受けるモルドバのポテトサラダ

モルドバは西はルーマニア、南北と東はウクライナと国境を接する小さな国である。ソ連時代に農耕地の開発などで膨大な自然が破壊されたとはいえ、今でも多くの野生動物が生息する大自然が残されている。

モルドバの料理は隣のルーマニアを筆頭に様々な周辺国の影響を受けている。サラタ・デ・カルトフと呼ばれるこのサラダも、オリーブ、ディル、フェタチーズといった材料から想像するにギリシャの影響が強く感じられる。このレシピではジャガイモは茹でるだけだが、硬めに茹でた後にオーブンで焼くこともあるようだ。ニンニクとディルの香りもこのサラダの特徴である。

材料(4人分)

ジャガイモ：中6個／オリーブ油：大さじ5／ニンニク：2片（みじん切り）／フェタチーズ：120g（手で細かく砕く）／青ネギ：1本（小口切り）／ブラックオリーブ：8～10個（縦2等分）

ドレッシング
赤ワイン酢：大さじ3／ディル：大さじ2（みじん切り）／塩・コショウ：適宜

作り方

❶ ジャガイモを皮ごと、火が通るまで中火で茹で、手でつかんでも大丈夫なくらいまで冷ましたら、手で皮をむいて大きめの一口大に切る。❷ ボウルにジャガイモ、オリーブ油、ニンニクを入れ、混ぜたら室温まで冷ます。❸ ②にオリーブ以外のサラダの材料を加え、ドレッシングの材料を器に入れ混ぜて注ぎ、よく混ぜる。❹ 器に盛り、オリーブを上に散らす。

Salata de Boeuf

ルーマニア

|| サラタ・デ・ボエウフ

クリスマスや大晦日に作られるデコレーションが美しいポテトサラダ

　名前を直訳するとビーフサラダとなるのだが実際はポテトサラダで、ボエウフはビーフの意味で語源はフランス語なのにサラダ自体はロシアのオリビエサラダ（ポテトサラダ）が起源という妙なサラダが、このサラタ・デ・ボエウフである。ルーマニアの伝統的なサラダで、クリスマス、大晦日など冬の休日には必ず登場するといっていいくらいポピュラーである。

　特別な休日に用意されるとあって、個人の好みによって様々なデコレーションが施される。型もケーキ型からパン型まで色々だ。写真では赤パプリカの酢漬けとイタリアンパセリで飾ってみた。

材料（4人分）

牛塊肉（できれば骨付き）:250g ／ジャガイモ:大1個／ニンジン:中1本（皮をむく）／パースニップ:1本（皮をむく）／セロリルート（根セロリ。なければセロリ）:小1/2個／玉ネギ:小1/2個／グリーンピース（缶詰、冷凍可）:40g／ローストレッドペッパー（瓶詰可）:1個（小サイコロ切り）／キュウリのピクルス:中2本（小サイコロ切り）／飾り用の具材（お好みで）:適宜

ドレッシング

マヨネーズ:80ml ／レモン汁:1/2個分／マスタード:大さじ1／塩・コショウ:適宜

作り方

❶ 2つの鍋を用意し、1つには牛肉、もう1つにはジャガイモを入れ、それぞれ十分な水、塩小さじ1/2程度（材料外）を加え、火にかける。❷ 沸騰したらアクを取って中火にし、牛肉が入った鍋にはニンジン、パースニップ、セロリルート、玉ネギを加え、肉と野菜に火が通るまで煮る。ジャガイモも火が通るまで茹でる。煮えたものからザルに上げるが、玉ネギは使わない。グリーンピースを調理する必要がある場合はここで煮る。③ 煮た肉と野菜が冷めたら、ジャガイモは皮をむき、すべてグリーンピース大の小さなサイコロ状に切って、ボウルに入れる。❹ ドレッシングの材料をすべて器に入れ、よく混ぜる。❺ ③のボウルにローストレッドペッパー、ピクルス、ドレッシングを加えてよく混ぜる。❻ 型を使うなど自分の好みの方法、好みの具材でデコレーションして、食卓へ出す。

Treska v Majoneze

トゥレスカ・ヴ・マヨネーゼ

スロバキアで最も人気のあるサラダのひとつ、塩漬けタラのサラダ

　地中海料理でよく使われる北ヨーロッパ産の塩漬けタラだが、今では他のヨーロッパの国々でも使われる。塩漬けタラはスープなどでは主役になることはあっても、サラダではどちらかといえば脇役である。

　トゥレスカ・ヴ・マヨネーゼではタラが主役だ。トゥレスカはタラ、つまりマヨネーズに入ったタラというのがこの名前の意味である。スロバキアでとても人気のあるサラダで、スーパーなどでは様々なサイズのパック入りトゥレスカが売られている。朝食やブランチに出されることが多いこのサラダにはいつも、生地をくるくると巻いて焼くクロワッサンに似たロシュキーが一緒に出される。

材料（4人分）

酢：180ml／ローリエ：3枚／粒コショウ：小さじ1／ニンジン：小2本（皮をむく）／タラ（本来は塩ダラ。塩ダラを使う場合はしっかり塩抜きする）：650g／玉ネギ：1個（粗みじん切り）／キュウリのピクルス：小4本（粗みじん切り）／マヨネーズ：250ml／マスタード：小さじ1／塩・コショウ：適宜

作り方

❶ 鍋にたっぷりの水（3リットルくらい）、酢、マスタード、粒コショウ、ローリエ、塩小さじ2を加えて火にかけ、沸騰したらニンジンを加え、中火で火が通るまで煮る。❷ ニンジンを取り出してザルに上げ、水を切る。❸ 鍋の湯をそのまま沸騰させ、タラを加えて弱火で火が通るまで煮る。煮えたら皿に移して冷ます。❹ 冷めたら、ニンジンはチーズおろし器で粗くシュレッド、タラはフォークなどで細かくする。❺ ニンジン、タラを含めすべての材料をボウルに入れてよく混ぜ、塩とコショウで味を調える。❻ サラダを器に盛り、パンと一緒にサーブする。

Hrybnaya Polyan

ウクライナ

フルブナイヤ・バリャーナ

ウクライナのキノコサラダはデコレーションが個性の出しどころ

　フルブナイヤ・バリャーナは単にマッシュルームサラダという意味だけども、日本語にするとキノコの芝生とかキノコの谷とかキノコの草地とかいった、日本のお菓子みたいな名前で呼ばれたりする。どうしてそんな風に呼ばれるのかはサラダを見れば分かると思う。

　型を使って材料で層を作りながら重ねていき、最後に酢漬けのマッシュルームを使ってデコレーションを施す。皆競うように個性的なデコレーションを考えるのである。

　層の順番に規則はないが、いちばん下の層は安定させるためほとんどの場合はジャガイモがくる。マッシュルームのサラダなので、もちろん最後はマッシュルームだ。

材料（4人分）

ピックルドマッシュルーム（マッシュルームの酢漬け）：25個程度／鶏ムネ肉：250g／ジャガイモ：中2個（皮をむく）／ニンジン：1本（皮をむく）／チーズ：100g（チーズおろし器でシュレッドチーズにする）／キュウリのピクルス：2本（粗みじん切り）／イタリアンパセリ：大さじ4（みじん切り）／ディル：大さじ8（みじん切り）／マヨネーズ：200ml／塩・コショウ：適宜／飾り用のイタリアンパセリ、ディル：適宜

作り方

❶ ピックルドマッシュルームをザルにあけ、流水で洗う。そのまま水を切る。❷ 鍋にたっぷりの湯を沸かし、鶏肉、ジャガイモ、ニンジンを入れて完全に火が通るまで中火で煮る。それぞれを別々の器に移して冷ます。❸ 鶏肉は小さく裂き、ジャガイモと人参はチーズおろし器で粗くシュレッドする。❹ イタリアンパセリと半量のディルをボウルに入れて混ぜる。シュレッドしたジャガイモと残りのディルを違うボウルに入れ、マヨネーズを大さじ2程度（材料外）、コショウを少々加えてよく混ぜる。❺ 深さ10cm程度の型（器）を用意し、全体にラップを敷く。ラップはすべて具材を重ねた後かぶせるので、器の幅ほどラップの両端がはみ出すようにする。❻ マッシュルーム、イタリアンパセリとディルのミックス（出来上がりでマッシュルームが逆さになるので注意）、マヨネーズ、チーズ、マヨネーズ、ニンジン、キュウリのピクルス、塩・コショウ、マヨネーズ、鶏肉、塩・コショウ、マヨネーズ、ジャガイモとディルのミックスの順に積み重ねていく。マヨネーズは薄く平らに伸ばし、それぞれの具材を加えるごとに平らなもので押して平らにすること。❼ 冷蔵庫で4時間ほど馴染ませ、上部のラップをはがしてサーブ用の器をのせる。❽ 型と器を両手で押さえて逆さにしてテーブルに置き、型を外してラップをはがす。イタリアンパセリやディルで飾る。

Buryakovyy Salat

ブリャコヴィ・サラートゥ

ビーツ料理では世界でも有数のウクライナで作られるビーツサラダ

　リトアニアのビーツサラダによく似ているが、リトアニアのサラダが豆であるのに対して、このサラダではグリーンピースが使われている。ニンジンはリトアニアのサラダには入っていない。でも大きな違いは何といってもドレッシングだ。リトアニアはマヨネーズだが、ウクライナのものはずっとシンプルで、オリーブ油と塩コショウだけである。ドレッシングと呼べそうなものですらない。

　ビーツはオーブンで焼く、茹でる、蒸すという3種類の方法が主に使われる。茹でると色も味も溶け出してしまう。オーブンで焼くとある程度水分が飛ぶので味が凝縮される。蒸すのも味、色が逃げにくいのでお勧め。

材料（4人分）

ビーツ：4～5個（約500g）／ジャガイモ：2個（1cmサイコロ切り）／ニンジン：1本（1cmサイコロ切り）／グリーンピース（冷凍可）：50g／キュウリのピクルス：1本（小サイコロ切り）／オリーブ油：大さじ2／塩・コショウ：適宜

作り方

❶ 2つの鍋に湯を沸かし、一方にはビーツ、もう一方にはジャガイモとニンジンを加え、中火で火が通るまで煮る。グリーンピースはジャガイモが入った鍋に加えて火を通す。煮えたら別々のザルに上げ、冷ます。
❷ ビーツの皮をむいて、1cmサイコロ程度に切る。
❸ ビーツ、ジャガイモなどを含めすべての材料をボウルに入れ、塩とコショウで味を調えながら混ぜる。

Salat z Tsybuleyu-Porey, Yablukom i Morkvoyu

ウクライナ

|| サラットゥ・ズ・ツイブルユ ポレイ，ヤブルコム・イ・モルコイユ

斬新ともいえる太ネギリーキと果物を組み合わせたサラダ

これほど型にはまらない斬新なサラダは少ない。伝統的なサラダというよりも同時代的サラダと言ったほうがしっくりくる。リーキは太い長ネギみたいな野菜で、他のネギと比べて味はマイルドとはいえ、ネギには変わりがない。このリーキにリンゴ、ブドウといった果物、さらにはレーズンまで加わり、チーズとサワークリームのドレッシングで和える。これだけで味を想像するのが難しい。

リーキは熱湯をかけて少ししんなりさせる。味もよりマイルドになる。これが果物などの甘さとマッチさせる秘密なのかもしれない。けっして奇をてらったサラダではないことが食べてみると分かる。

材料（4人分）

レーズン：50g／リーキ：白と薄緑色の部分のみ15cmほど（小口切り）／リンゴ：2個（できるだけ細切り）／ニンジン：1本（できるだけ細切り）／ブドウ：150g（皮のまま2等分）／リーフレタス：5〜6枚／クルミ：50g（粗めに砕く）

ドレッシング

カッテージチーズ：100g／サワークリームまたはヨーグルト：150g／レモン汁：小さじ1

作り方

❶ レーズンに熱湯をかけてしばらくおき、柔らかくする。❷ リーキをザルに入れ、熱湯をかけて少し柔らかくする。❸ ドレッシングの材料をすべて器に入れ、よく混ぜる。❹ ボウルに①と②、リンゴ、ニンジン、ブドウを入れ、ドレッシングを加えてよく混ぜる。サラダとドレッシングを別にサーブしてもいい。❺ 器にリーフレタスを敷き詰め、その上にサラダを盛りつけて、クルミを散らす。

Selyodka Pod Shuboy

ロシア

|| セリョドゥカ・ポッドゥ・シュボイ

ニシンに毛皮のコートを着せるとこんなサラダになるのだ

　ロシアの冬は寒い。ロシアの歴史の中で何度も他国の侵略を防いできたのが冬将軍だ。将軍といっても人ではなく厳しい冬のことである。そんな極寒の国で昔から着用されてきたのがシュボイ（シュバ）と呼ばれる毛皮のコートだ。セリョドゥカの意味はニシン。つまりこのサラダの名前は、直訳すると毛皮をまとったニシンということになる。

　このサラダは新年に欠かせない伝統的な料理で、ウクライナなど周辺の国でもたいへんポピュラーである。アメリカなどでは入手しやすいためか酢漬けのニシンが使われるが、ロシアでは塩漬けのニシンが使われる。おいしいだけでなく、とても見栄えがするサラダだ。

材料（4人分）

ビーツ：2個／ニンジン：小2本（皮をむく）／ジャガイモ：2個／紫玉ネギ：小1個（みじん切り）／茹で卵：2個／塩漬けニシン：2枚（食べやすい大きさに切る）／マヨネーズ：適宜／ディル：適宜／塩・コショウ：適宜

作り方

❶ ビーツ、ニンジン、ジャガイモをそれぞれ別々に固茹でにし、冷ます。❷ 紫玉ネギは軽く塩コショウして、熱湯をかけておく。❸ ニンジンをチーズおろし器で粗くシュレッドする。ビーツとジャガイモも皮をむいて、ニンジンと同じようにシュレッドする。それぞれ別々にしておくこと。またジャガイモ、ニンジン、ビーツの順にやるとそれぞれが他の野菜の色に染まらない。茹で卵は目の細かいものですりおろす。❹ 紫玉ネギはザルに上げ、水分をしぼっておく。❺ 型あるいは深い器を使い、ジャガイモ、ニシン、玉ネギ、ニンジン、ビーツ、卵の順で積み重ねる。野菜を置いた後には薄くマヨネーズを塗る。野菜、ニシンをそれぞれ積み重ねるごとに押し詰め、平らにする。❻ 型を使った場合は型を外し、上をディルで飾る。自由な発想で層の順番を変えたり、デコレーションしたりしてもいい。

Salat Mimoza

‖ サラートゥ・ミモーザ

卵の白身は雪、黄身はミモザの花を模したという美しいサラダ

　ロシアでは春の象徴といわれる黄色いミモザは初春に花を咲かせる。寒いロシアでは雪の上に咲くことも珍しくない。そんな真っ白な雪の上に咲いたミモザの花からこの名前が付けられたらしい。

　日本でもミモザサラダはよく知られている。でも元祖ロシアのミモザサラダとはかなり印象が違う。ロシアでは型を使って様々な材料を層になるように積み上げる。そして最後に白身と黄身を別々に細かくすりおろして上にかける。魚はニシンを使うことが多いが、サケやツナであることも珍しくない。とても華やかなフェスティバル用のサラダで、クリスマスや新年によく作られる。

材料（4人分）

ジャガイモ：中2個（皮をむく）／ニンジン：1本（皮をむく）／卵：4個／玉ネギ：小1個（粗みじん切り）／チーズ：100g（チーズおろし器でシュレッドチーズにする）／マヨネーズ：200ml／調理済の魚（サケ、イワシ、ツナ、ニシンなど。缶詰でOK）：250g（細かくフレーク状にする）／塩・コショウ：適宜／飾り用のイタリアンパセリ、ディルなど：適宜

作り方

❶ 鍋にたっぷりの湯を沸かし、ジャガイモ、ニンジンを入れて完全に火が通るまで中火で煮る。卵は別の鍋で固茹でにする。それぞれを別々の器に移して冷ます。茹で卵は殻をむいておく。❷ 茹でたジャガイモとニンジンを、チーズおろし器で粗くシュレッドする。茹で卵は白身と黄身を別々にすりおろして細かくする。玉ネギは1分ほど湯がいて、軽く塩を振っておく。❸ 材料すべてが収まる大きさの型（器）を用意し、内側にラップを張る。❹ 下からジャガイモ、マヨネーズ、塩・コショウ、魚、玉ネギ、マヨネーズ、チーズ、マヨネーズ、ニンジン、塩・コショウ、マヨネーズ、卵白身、マヨネーズ、卵黄身の順に重ねていくが、ジャガイモと卵以外は好みの順で構わない。卵白身の後のマヨネーズは平らにならす。❺ 皿などで型をカバーして冷蔵庫で冷やしてから、器の上で型を外す。❻ イタリアンパセリやディルでサラダを飾る。

Salat Olivye

サラートゥ・オリヴィエ

マヨネーズ系ポテサラの元祖、ロシアの伝統的ジャガイモサラダ

　もちろん国によって言語が違うけれども、オリヴィエサラダ、ロシアサラダという名前のサラダが世界中にある。その起源となるサラダがこのサラートゥ・オリヴィエだ。日本のポテサラも含め、マヨネーズ系のジャガイモサラダは元を辿ればこのサラダに行き着くといっていいだろう。

　このサラダを考案したのは1860年代、モスクワで最も有名だったレストランのシェフ、ルシアン・オリヴィエだ。当時のオリヴィエサラダにはキャビア、ライチョウ、仔牛の舌など今でも珍しい食材が使われていた。現代版はかなり簡略化され、どこでも誰でも簡単に手に入る食材で作られる。

材料（4人分）

茹でたジャガイモ：2個（1cmサイコロ切り）／茹で卵：2個（白身が1cm角になる程度に切る）／茹でたニンジン：1/2本（1cmサイコロ切り）／茹でた鶏肉（お好みで）：150g（小さく裂く）／茹でたグリーンピース（冷凍、缶詰可）：150g／キュウリのピクルス：小3～4本（粗みじん切り）／玉ネギ：1/2個（粗みじん切り）／セロリ（お好みで）：1本（粗みじん切り）／イタリアンパセリ：大さじ4（みじん切り）＋飾り用に適宜／塩・コショウ：適宜／マヨネーズ：適宜

作り方

❶ イタリアンパセリまでの材料をすべてボウルに入れ、塩とコショウを軽く振って、好みの味になるまでマヨネーズを加えて混ぜる。❷ 器に盛って、飾りのイタリアンパセリを散らす。

Itch

アルメニア / Armenia

イーチ

デュラム小麦を砕いたブルグルで作るザクロ入りピラフ

　このサラダはピラフサラダとも呼ばれるけど、米ではなくブルグルというデュラム小麦を砕いたものが使われている。いってみればこの本でも登場するレバノンのタブーレのアルメニア版である。大きな違いは、タブーレではブルグルが完全に脇役だが、イーチではピラフというだけあって主役であることだ。

　ブルグルは熱湯を注いでおけば30分ほどで食べられるようになるので、あとは他の材料を炒めてブルグルと混ぜるだけだ。ベースはトマト味だが、ザクロのシロップと実が加わるので全体的に少し甘酸っぱくなる。ザクロは種ごと食べる。種のプチプチ感が意外にも心地よいのである。

材料（4人分）

ブルグル（できれば粗いもの）：200g／オリーブ油：大さじ4／玉ネギ：小1個（みじん切り）／トマトペースト：大さじ1／トマトソース：大さじ4／赤パプリカ：1個（小サイコロ切り）／クミンパウダー：小さじ1/2／アレッポペッパー（なければレッドチリペッパーフレーク）：小さじ1/2／パプリカパウダー：小さじ1／ポメグラネイトモラセス：大さじ1／イタリアンパセリ：大さじ6（みじん切り）／青ネギ：3本（小口切り）／ミントの葉：大さじ1（みじん切り）／ザクロの実：60g／塩・コショウ：適宜

作り方

❶ 水洗いしたブルグルをボウルに入れ、倍くらいの量の熱湯を注ぎ、30分ほどしたらザルに上げて水気を切る。❷ 鍋にオリーブ油を熱し、玉ネギを加えて中火で透き通るまで炒めたら、トマトペースト、トマトソース、赤パプリカ、クミンパウダー、アレッポペッパー、パプリカパウダー、塩とコショウ一摘みを加え、数分炒める。❸ ポメグラネイトモラセスを加えてさらに2分ほど煮たら、①を加え、混ぜながらほぼ水分がなくなるまで煮る。❹ 塩とコショウで味を調えたら火を消して常温まで冷まし、イタリアンパセリ、青ネギ、ミントを加えて混ぜる。❺ 器に盛り、ザクロの実を散らす。

Khorovats Busakan Aghtsan

| コロヴァーツ・ブサカン・アフツァン

肉をバーベキューしている横で焼かれる野菜で作るサラダ

　コロヴァーツは直火で料理するという言葉を語源に持つアルメニアのバーベキューのことだ。調理される肉はラム、豚肉、牛肉、鶏肉など様々で、塊のまま焼くこともあれば切って串に刺して焼くこともある。味つけはシンプルで塩とコショウだけのことも多い。

　この肉の脇で調理されるのがこのサラダだ。ナス、パプリカ、トマト、玉ネギといった野菜が丸ごと置かれる。焼いた野菜は皮をむき、刻んでオリーブ油と塩コショウだけのドレッシングで味つけする。パセリなどを最後にたっぷりかけるのが流儀らしい。

　温かくても冷やしてもおいしい。トマトは焼かずに生のまま使うこともある。

材料（4人分）

ナス：5～6本／ピーマン：2個／赤または黄パプリカ：1個／トマト：2個（一口大に切る）／玉ネギ：1個（薄くスライス）／生のチリペッパー（お好みで）：1/2本（みじん切り）／オリーブ油：大さじ2／塩・コショウ：適宜／イタリアンパセリまたはバジル：大さじ3（みじん切り）

作り方

❶ 焼きナスを作る要領でナス、ピーマン、パプリカを柔らかくなるまで焼いて、皮をむいて冷ます。❷ 冷めたら一口大に切ってボウルに入れ、トマト、玉ネギ、チリペッパーを加える。❸ オリーブ油を加えて混ぜたら、塩とコショウで味を調え、もう一度軽く混ぜる。❹ 器に盛り、イタリアンパセリかバジルを散らす。

Kankar Aghtsan

カンカル・アフツァン

アーティチョークの食べ方を熟知したアルメニア人のサラダ

　アーティチョークは日本ではあまり馴染みがないけど、一度食べると癖になる野菜である。地中海地域が原産の野菜で、ギリシャ時代にはもう栽培されていたらしい。アーティチョークというと日本では高級感があるのか、フランスやイタリアの料理の素材として紹介されている場合はかなりあるが、アルメニアやギリシャといった東ヨーロッパの国々や、レバントと呼ばれる地中海の東部にもアーティチョークを使った料理がたくさんある。

　ここで紹介するのはアルメニアのサラダにアメリカに移民してきたアルメニア人のテイストを加えた豆入りのサラダだ。生は下処理が面倒だが、缶詰などを使うと断然楽になる。

材料（4人分）

アーティチョークハート（缶詰など）：200g（縦に2か4等分）／調理済バタービーンズ（らい豆または白インゲンなどの白い豆）：300g／エシャロット：小2個（薄くスライス）／紫玉ネギ：小1/4個（粗みじん切り）／セロリ：1本（薄くスライス）／ミント、バジルまたはイタリアンパセリ：大さじ3（千切り）

ドレッシング

オリーブ油：80ml／レモン汁：1個分／ニンニク：1片（みじん切り）／アレッポペッパー（なければカイエンペッパー）：小さじ1/2／フェンネルシードパウダー（お好みで）：小さじ1／塩・コショウ：適宜

作り方

❶ ドレッシングの材料をすべて器に入れて混ぜる。
❷ セロリまでのサラダの材料、ドレッシングをボウルに入れてよく混ぜる。塩とコショウで味を調える。
❸ サラダを器に盛り、ミント、バジルまたはイタリアンパセリを散らす。

アゼルバイジャン
Azerbaijan

Nar Salati

ナル・サラティ

アゼルバイジャンのシンボルでもあるザクロとジャガイモのサラダ

　ザクロはイラン、北インドが原産といわれ、周辺の国ではシンボルとして掲げている国も少なくない。アゼルバイジャンもそのひとつだ。アゼルバイジャンの中央部ギョイチャイでは毎年ザクロフェスティバルが催される。ザクロは食用としてだけでなく、糸を染める顔料としても使われてきた。

　ザクロは種の部分を食べる。赤い粒の中に入っているのが種子なのだが、赤い部分を含めて可食部なのであって、当然のように全部食べる。ザクロはそうやって食べるものなのだ。ジャガイモとザクロをマヨネーズで和えたこのサラダを食べて、硬いザクロの種だけ食べずに出すというのはそもそも無理な話である。

材料（4人分）

ジャガイモ：3個（一口大に切る）／ザクロの実：1個分／紫玉ネギ：小1個（スライス）／マヨネーズ（サワークリーム、ヨーグルトでも可）：大さじ2（好みで増減）／パクチーまたはディル：適宜（葉のみ使用）／塩・コショウ：適宜

作り方

❶ ジャガイモをたっぷりの湯で茹で、ザルに上げて水気を切る。❷ 冷めたらジャガイモをボウルに移し、ザクロ（飾り用に少し残しておく）、紫玉ネギ、マヨネーズを入れ、塩とコショウで味を調えながら混ぜる。❸ 器に盛り、残しておいたザクロとパクチーまたはディルを散らす。

Ispanakhis Pkhali

|| イスパナヒス・プハリ

ホウレン草の緑、ザクロの赤が食欲をそそる見た目も美しいサラダ

　ディップ（野菜などを浸して食べる）、スプレッド（塗って食べる）とサラダの境界線はあやふやだ。特にこのようなサラダは一体どう呼ぶべきか迷ってしまう。でもそんなことはジョージアの人にはどうでもいいことのようだ。そのままフォークやスプーンですくって食べるし、パンに塗ったり、クラッカーを浸したりして食べたりもする。

　このレシピでは主な野菜はホウレン草だけだけど、イラクサ、ビーツの葉などが加えられることもあるようだ。スパイス、ハーブやニンニクがたくさん入るが、シャープな感じはまったくない。むしろとても調和が取れた、万人好みのサラダである。

材料（4人分）

ホウレン草：1000g／クルミ：250g（包丁などで粗く砕く）／ニンニク：4片（粗みじん切り）／パクチー：40g／イタリアンパセリ：40g／マリーゴールドフラワーパウダー：大さじ1／フェヌグリークパウダー：大さじ1／カイエンペッパー：小さじ1/4または好みの量／白ワイン酢：適宜／玉ネギ：小1個（みじん切り）／ザクロの実：適宜／塩・コショウ：適宜

作り方

❶ 鍋にたっぷりの湯を沸かし、塩少々を加えてホウレン草を湯がく。直ちに冷水に入れて冷まし、手でしっかり水をしぼって粗く刻んでおく。❷ ①のホウレン草と白ワイン酢、玉ネギ、ザクロ以外の材料をフードプロセッサーに入れ、ペスト（ジェノベーゼ）のような感じになるまで細かくする。❸ ②に白ワイン酢を大さじ2程度加えて数回攪拌したら、ホウレン草をもう一度絞って加え、加える前と同じような感じになるまで攪拌する。❹ フードプロセッサーの中身をボウルにあけ、玉ネギを加えて混ぜる。白ワイン酢、塩、コショウで味を調える。❺ 器に盛りつけ、上にザクロの実を散らす。

Lobios Salata

ロビオス・サラータ

ジョージア

様々な食文化が混在するジョージアをよく表した伝統の豆料理

中国と地中海をつなぐシルクロードのメインルートは中央アジアから今のイラン、イラクを抜けて地中海に達する。しかし実際はいくつにも枝分かれしていて、コーカサスに向かうルートもあった。そのため、コーカサスに位置するジョージアは当時から様々な国の影響を受けてきた。国内の食文化も地域ごとに違い、独特のものがある。

ロビオは豆のことで、ロビオと言ってもここで紹介するサラダからシチューに至るまであり、一様ではない。おそらく様々な国から到来したであろうハーブやスパイスを駆使し、新大陸原産のキドニービーンズと和える。このサラダに複雑な食文化が見て取れる。

材料（4人分）

クルミ：80g／セイボリー：小さじ1/2／ドライフェヌグリークの葉：小さじ1/2／カイエンペッパー：適宜／サラダ油：大さじ1／玉ネギ：1個（1cm角切り）／ニンニク：1片（みじん切り）／調理済キドニービーンズ：500g／ポメグラネイトモラセスまたは赤ワイン酢：大さじ2／ミックスハーブ（バジル、イタリアンパセリ、ディル、パクチーなど）：大さじ3（みじん切り）／ザクロの実：小1/2個分／塩・コショウ：適宜

玉ネギのピクルス
紫玉ネギ：小1/4個（薄くスライス）／赤ワイン酢：大さじ3／塩・砂糖：少々

作り方

❶ 玉ネギのピクルスの材料を瓶などに入れて、漬けておく。❷ クルミをすり鉢などですりゴマ状にし、セイボリー、フェヌグリーク、カイエンペッパーを加えて混ぜる。❸ フライパンにサラダ油を熱し、玉ネギとニンニクを加えて、中火で玉ネギが透き通るまで炒める。❹ ③にキドニービーンズ、水大さじ4（材料外）、②を加えて混ぜ、塩とコショウで味を調える。❺ 火から下ろし、ポメグラネイトモラセスを加えて混ぜたらボウルに移して冷まし、ミックスハーブを大さじ1程度飾り用に取っておいて、残りを加えて混ぜる。最後に塩、コショウ、ポメグラネイトモラセス（材料外）でもう一度味を調える。❻ サラダを器に盛り、上にザクロの実、玉ネギのピクルス、取っておいたミックスハーブを散らす。

The World's Salads

Chapter 4

東&中央アフリカ

Eastern & Central Africa

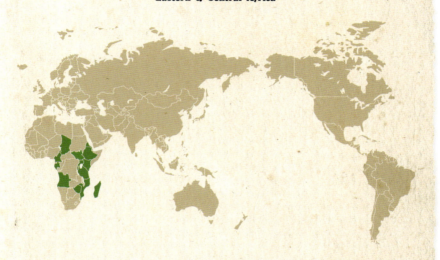

ブルンジ／コモロ／エリトリア／エチオピア／ケニア／マダガスカル
モーリシャス／モザンビーク／ルワンダ／セーシェル／南スーダン／ウガンダ
タンザニア／ジンバブエ／アンゴラ／カメルーン／チャド／ガボン

Kachumbari

カチュンバリ

ブルンジだけでなくアフリカ大湖沼の国々で最も人気のサラダ

　ブルンジはタンガニーカ湖の北東にある国である。東アフリカ、特にヴィクトリア湖、タンガニーカ湖などの湖沼が水をたたえるアフリカ大湖沼の国々で最も食されるサラダがこのカチュンバリだ。

　カチュンバリはスワヒリ語だが、もともとはインドの同じようなサラダ、カチュンバーからきているようだ。アフリカのかなり広範囲で食べられているサラダなので、地域によって少しずつ違う。アボカド、激辛のチリペッパーであるスコッチボネットが加わることもある。

　ここで紹介するカチュンバリは最もベーシックなもので、辛さも控えめだ。

材料 (4人分)

キュウリ：2本（1cmサイコロ切り）／紫玉ネギ：小1個（1cm角切り）トマト：3個（1cmサイコロ切り）／ハラペーニョ：1本（5mm角切り）／パクチー：大さじ2＋飾り用適宜（みじん切り）

ドレッシング
オリーブ油：大さじ4／ハチミツ：大さじ1／バルサミコ酢：大さじ2／ライム汁：1個分／塩・コショウ：適宜

作り方

❶ ドレッシングの材料をすべて小さな器に入れてよく混ぜる。❷ サラダの材料をすべてボウルに入れ、ドレッシングをかけてよく混ぜる。❸ サラダを器に盛り、飾り用のパクチーを散らす。

Achard aux Légumes

アシャール・ウ・レギュム

様々な食文化の影響を受けるコモロならではの千切り野菜サラダ

コモロはモザンビークの東、インド洋に浮かぶ島国で、食文化はアラブやインド、そして植民地だったためフランスの影響を強く受けている。このサラダの名前はフランス語で、アシャールはアチャール、つまりインドのピクルスのことで、言ってみれば野菜の漬物である。コモロだけでなく周辺の島国でもポピュラーなサラダだ。

漬物といっても長い時間漬け込まれることはなく、むしろドレッシングと和えてすぐに食べることが多いようだ。地元ではピーズアイチリという、ハラペーニョなどと比べるとはるかにスパイシーなチリペッパーをたっぷり入れることが多い。

材料（4人分）

サラダ油：大さじ1／玉ネギ：小1/4個（スライス）／ショウガ：大さじ1（すりおろす）／ニンニク：小さじ2（すりおろす）／ターメリック：小さじ1／ハラペーニョなど生のチリペッパー（お好みで）：1〜2本（千切り）／サヤインゲン：100g（25本程度、細長く斜め切り）／ニンジン：小1本（100g、千切り）／キャベツ：3〜4枚（千切り）／チャイヨーテ（ハヤトウリ）：1/2個（皮をむいて千切り）／白ワイン酢：大さじ3／塩・コショウ：適宜

作り方

❶ フライパンに油を熱し、玉ネギを加えて少し色づくまで中火で炒めたら、ショウガ、ニンニク、ターメリックを加えて香りが出てくるまで炒める。❷ チリペッパーとサヤインゲンを加えて、サヤインゲンに火が通るまで（シャキッとした感じは少し残す）炒めたら、火を消して冷ます。❸ ボウルに残りの野菜、②のフライパンの中身、酢を入れてよく混ぜ、塩とコショウで味を調える。

Fata

ファタ

スパイシーなトマトとパンのサラダは最後にヨーグルトをかけて食べる

　エチオピアの北に位置するエリトリアは19世紀後半までエチオピア帝国の一部だったこともあり、食文化においてエチオピアと共有する部分が多い。このサラダに使われているベルベレはエチオピア起源のスパイスミックスで、カルダモン、カイエンペッパー、オールスパイスなど10種以上のスパイスが混ざったものだ。

　ファタはトマトとパンのサラダである。イタリアのパンツァネッラにとてもよく似たサラダだ。独立以前にイタリアの植民地だったことがあるので、起源がこのイタリアのサラダにあるのかもしれない。大きな違いは前述のベルベレ、そしてチリペッパーである。

材料（4人分）

オリーブ油：大さじ4／玉ネギ：1個（粗みじん切り）／ニンニク：4片（みじん切り）／ベルベレ：小さじ3／トマト：4～5個（1個は1cmサイコロ、残りは粗みじん程度に切る）／トマトペースト：大さじ1／水：200ml／生のグリーンチリペッパー：1本または好みの量（小口切り）／バゲットなどハード系のパン：250g（一口大にちぎる）／塩・コショウ：適宜／ヨーグルト：適宜

作り方

❶ 鍋にオリーブ油、玉ネギ（飾り用に大さじ2程度残しておく）、ニンニクを入れて火にかけ、玉ネギが柔らかくなるまで中火で炒める。❷ ベルベレを加えてよく混ぜたら、粗みじん切りにしたトマトとトマトペースト、水、塩小さじ1、コショウ一摘みを加えて沸騰させ、弱火で20分ほど、トマトソースくらいの濃度になるまで煮る。塩とコショウで味を調える。❸ 器にパンを盛り、その上に❷のソースをかける。グリーンチリペッパー、残しておいた玉ネギ、サイコロ切りのトマトを散らし、ヨーグルトをかける。

Ethiopian Green Salad

 エチオピア Ethiopia

‖ イスィオピアン・グリーン・サラッドゥ

シンプルな野菜サラダがスパイシーなドレッシングで魅力倍増

　豆、肉、魚など様々な素材を使った水分の少ないシチューが、インジェラと呼ばれるフラットブレッドの上に少しずつのせられる。ちぎったインジェラでいくつも並ぶ料理をつまみ、口に運ぶ。エチオピアは他のアフリカの国とは違う食文化を持っている。

　いくつも並ぶ料理とともに頻繁に登場するのがこのサラダである。サラダには日本でいう箸休め的な意味があるのだろうか。新鮮な野菜サラダが食事に爽やかさを与える。

　このサラダはとてもシンプルだ。野菜はトマト、レタス、パプリカ、玉ネギのみで、ニンニク、チリペッパー、ショウガが効いたピリ辛のドレッシングが特徴的といえる。

材料（4人分）

レタス：200g（食べやすい大きさにちぎる）／トマト：1個（薄い半月切り）／赤パプリカ：1個（1cm角切り）／玉ネギ：中1/2個（スライス）

ドレッシング
オリーブ油：大さじ2／レモン汁：大さじ1／ニンニク：小1片（みじん切り）／ショウガ：小さじ1（みじん切り）／ハラペーニョ：1本（みじん切り）／塩・コショウ：適宜

作り方

❶ ドレッシングの材料を小さな器に入れてよく混ぜる。❷ サラダの材料をすべてボウルに入れ、ドレッシングを注いでよく混ぜる。

Timatim

ティマティム

トマトと玉ネギのサラダ。パンが加わるとティマティム・フィルフィル

　ティマティムはエリトリアのファタにとてもよく似ている。どちらもトマトとパンのサラダである。おそらく起源はエチオピアで、エリトリアでもティマティムは食べる。ということは、ファタとティマティムは別のサラダといえる。

　ティマティムは実は2種類ある。野菜とドレッシングを和えただけのものは単純にティマティム、インジェラをちぎって下に敷いたものをティマティム・フィルフィルと呼ぶ。つまりここで紹介するサラダは後者のティマティム・フィルフィルである。口をさっぱりさせる役目があるのだろうが、このサラダも結構スパイシーである。

材料（4人分）

トマト：3〜4個（1cmサイコロ切り）／紫玉ネギ：小1/2個（1cm角切り）／ハラペーニョ：1本または好みの量（種を取ってみじん切り）／インジェラ：適宜

ドレッシング
サラダ油：大さじ4／白または赤ワイン酢：大さじ1／水：大さじ4／レモン汁：1個分／ニンニク：1片（みじん切り）／ベルベレ（エチオピアのスパイスミックス。お好みで）：小さじ2／塩：適宜

作り方

❶ ドレッシングの材料をすべてボウルに入れてよく混ぜる。❷ ①にインジェラ以外のサラダの材料を加えてよく混ぜる。❸ 好みの量のインジェラをちぎって器に入れ、上にサラダをかける。インジェラはサラダと混ぜてから器に盛りつけてもいい。

エチオピア Ethiopia

Azifa

|| アジファ

栄養満点、ボリューム満点のレンティル豆（レンズ豆）サラダ

　エチオピアを代表する料理にレンティル豆を使ったミシル・ワットというシチューがある。ミシル・ワットはオレンジ、アジファは緑のレンティルという違いはあるが、見た目にはあまり違いがないような気もする。でも一方はシチューで、もう一方はサラダというから不思議だ。あえて違いを言えば、ミシル・ワットではレンティル豆をほぼ完全にマッシュ状にするが、アジファではマッシュ状にはするけどかなり豆の形が残っていることだろうか。トマトの量はアジファのほうが多い。

　アジファはサイドディッシュだが、少し多めに作っておいて、スナック代わりに食べるのにもいいだろう。

材料（4人分）

グリーンレンティル豆（緑レンズ豆）：230g／トマト：中2個／紫玉ネギ：1個（みじん切り）／生のグリーンチリペッパー：1本（種を取ってみじん切り）／オリーブ油：大さじ4／レモン汁：1個分／粉マスタード：小さじ1/2／塩・コショウ：適宜／レモン：1個（櫛切り）

作り方

❶ レンティル豆を洗って鍋に入れ、たっぷりの水を注いで火にかけ、沸騰したら弱火にして火が通るまで煮る。❷ 豆をザルにあけて水を切り、ボウルに入れたら少しつぶして、マッシュ状にする。❸ 鍋にたっぷりの湯を沸かしたら、別の鍋にお尻に十字に切れ目を入れたトマトを入れて、ひたひたにかぶるまで熱湯を注ぐ。❹ 30秒ぐらいしてトマトの皮が少しはがれてきたら冷水に浸けて、皮をむく。❺ トマトを横に2等分して種を取り、細かく刻んで②のボウルに加える。❻ 櫛切りのレモン以外の残りの材料をボウルに加えてよく混ぜたら、塩とコショウで味を調え、冷蔵庫で十分冷やす。❼ サラダを器に盛り、櫛切りレモンを添える。

Pineapple Coleslaw Salad

ケニア Kenya

|| パイナップル・コールスロー・サラッドゥ

ケニアの特産物パイナップルで甘みを加えたコールスロー

ポルトガル人によって移入されたパイナップルは、ケニアで最も重要な農作物のひとつである。そのまま食べる果物としてだけでなく、ジュースやジャムの生産、近年はパイナップルワインの生産にも力を入れている。

そんなパイナップルを千切りキャベツのコールスローに加えたのがこのサラダである。

コールスローに砂糖を入れる人は多いだろう。キャベツとパイナップルの組み合わせはちょっと変わっているかもしれない。でも砂糖の代わりにパイナップルで甘みをプラスすると思えば、何の不思議もない。材料に砂糖があるが、パイナップルの甘さで加減し、十分甘味があれば砂糖はなしでいい。

材料（4人分）

キャベツ：小1/4個（200g、千切り）／ニンジン：1本（薄く削ぎ切り）／パイナップル（缶詰、冷凍可）：150g（1cmサイコロ切り）

ドレッシング
ニンニク：3片（すりおろす）／マヨネーズ：大さじ2〜3／リンゴ酢：大さじ2〜3／砂糖：少々／塩：適宜

作り方

❶ ドレッシングの材料をすべて小さな器に入れてよく混ぜる。❷ サラダの材料をすべてボウルに入れ、ドレッシングをかけてよく混ぜる。塩で味を調える。❸ 冷蔵庫で少なくとも数時間、できれば一晩おく。

Lasary

マダガスカル

| ラサーリ

おいしいトマトが手に入ったらこんなシンプルなサラダにしたい

　ラサーリはマダガスカルで最も食べられているサラダで、ほぼトマトだけで作られる。マダガスカルの北部が起源といわれるが、今ではレストランのメニューに欠かせない全国区のサラダになっている。ほとんどの場合、サイドディッシュとして出されるようだ。どの国でもそうかもしれないが、こうしたシンプルなサラダほど実際はよく食べられているのでないだろうか。

　このサラダでは青ネギを使っているが、玉ネギであることも多い。ドレッシングはショウガとホットソースが入ったちょっとピリッとするもので、最後の仕上げにパクチーやパセリをパラパラと散らすことも珍しくない。

材料（4人分）

トマト：中4個（1cmサイコロ切り）／青ネギ：2～3本（小口切り）

ドレッシング
ライム汁：1個分／ショウガ：小さじ1/2（すりおろす）／ホットソース：好みの量／塩・コショウ：適宜

作り方

❶ ドレッシングの材料をすべて小さな器に入れて混ぜる。❷ トマトと青ネギをボウルに入れてドレッシングをかけ、ホットソース、塩、コショウで味を調える。

Salady Voankazo

サラディ・ヴォンカズ

高級スパイス、バニラビーンズをシロップに使ったフルーツサラダ

　最も高価なスパイスであるサフランに次ぎ、2番目に君臨するバニラビーンズの生産の60％以上を担うのがマダガスカルである。しかしマダガスカルはけっして裕福な国ではない。大型サイクロンの被害で貧困にさらに拍車がかかった。

　そう考えると、何種類もの果物やバニラビーンズを使うこのサラダが庶民の料理ではないことが分かる。庶民の料理はもっとシンプルで簡素なものだ。このサラダには色々な意味を込められていることをまず知ってほしい。

　このレシピに出てくる果物だけでなく、ジャックフルーツなどが使われることもあるようだ。

材料（4人分）

パイナップル：150g（1cmサイコロ切り）／カンタロープまたはメロン：120g（1cmサイコロ切り）／ライチ：6個（2か4等分）／イチゴ：6個（4等分）／オレンジ：1個（果肉を取り出して1.5cm幅に切る）／ミント：適宜（ざっくり切る）

シロップ
水：60ml／砂糖：60g／バニラ：1本（さやを縦に割って種だけ取り出す。またはバニラエッセンス小さじ1）／ライム汁：大さじ1

作り方

❶鍋にシロップ材料の水、砂糖を入れて沸騰させ、少しとろみが出るまで2分ほど弱火で煮たら火を消し、バニラの種またはエッセンスとライム汁を加えて混ぜる。常温まで冷ましたら、冷蔵庫で少し冷やす。❷ミント以外のサラダの材料をすべてボウルに入れて混ぜたら、サービング用の器に均等に盛りつけ、シロップをかけてミントを散らす。

Mauritian Palm Heart Salad

モーリシャン・パーム・ハートゥ・サラッドゥ

ハーツ・オブ・パームと呼ばれるヤシの幹（茎）の芯を使ったサラダ

　パーム・ハーツは普通ハーツ・オブ・パームと呼ばれるヤシの幹の中心の柔らかい部分のことで、何種類かのヤシが使われる。茎が枝分かれしない幹1本のヤシは収穫後枯れてしまうので、現在では栽培のものが多く、栽培に使われる種は枝分かれするので何度も収穫が可能だ。しかし産地以外では生のものが手に入りにくいので、缶詰のものが使われる。

　日本では馴染みのない野菜だが、ハーツ・オブ・パームは柔らかく、食感、味ともにアスパラガスやアーティチョークに似ていてうまい。今回は缶詰入りの細いものを使ったが、モーリシャスでは直径5cmくらいある太いものが使われる。

材料（4人分）

パーム・ハーツ（ハーツ・オブ・パーム。缶詰可）：450g（小口切り）／トマト：小1個（縦半分に切ってスライス）／青ネギ：1/2本（小口切り）／紫玉ネギ：小1/2個（スライス）／パクチー：大さじ2（粗みじん切り）

ドレッシング
レモン汁：1個分／オリーブ油：大さじ2／塩・コショウ：適宜

作り方

❶ ドレッシングの材料をすべて小さな器に入れてよく混ぜる。❷ パーム・ハーツをボウルに入れ、ヘラなどで小さな玉ネギの輪切りのようにばらけさせる。❸ その他のサラダの材料を加え、ドレッシングを注いでよく混ぜて、塩とコショウで味を調える。

Salade Lalo

| サラッドゥ・ラロ

世界でもあまり見かけないネバネバオクラとトマトのサラダ

　モーリシャスには決まった公用語はなく、公用語らしき言語として一応英語とフランス語が掲げられるけど、ほとんどの人はモーリシャン・クレオールを話す。英語でオクラはオクラ、フランス語ではゴンボである。ラロはモーリシャン・クレオールでオクラのことを意味する。つまりオクラのサラダだ。

　アフリカではオクラをよく食べる。シチューやスープにすることが多いが、サラダにすることはあまりない。オクラが好きか嫌いかはあの独特のネバネバが好きか嫌いかで決まる。でもサラダにする場合は丸ごとサッと湯がいてから切るとネバネバが少なく、苦手な人でも少しは食べやすいのではないだろうか。

材料（4人分）

オクラ：20本（さっと湯がいてヘタを切り落とし、長さ2cmに切る）／トマト：小2個（縦半分に切ってスライス）／パクチー：適宜（粗みじん切り）

ドレッシング
紫玉ネギ：小1個（薄くスライス）／オリーブ油：大さじ3／白ワイン酢：大さじ1／生のグリーンチリペッパー：小さじ1〜2または好みの量（みじん切り）／塩・コショウ：適宜

作り方

❶ ドレッシングの材料をすべてボウルに入れて混ぜ、30分ほど味を馴染ませる。❷ オクラとトマトを別のボウルに入れ、ドレッシングを注いでよく混ぜる。塩とコショウで味を調える。❸ トマトとオクラを器に盛り、パクチーを散らす。

Salada de Abocate

モザンビーク

| サラダ・ジ・アボカーチ

モザンビークの主要農作物であるアボカドのサラダはピーチ入り

　ヴァスコ・ダ・ガマが現在のモザンビークに足を踏み入れてから4世紀以上にわたり、モザンビークはポルトガルに支配されていた。独立したのは1975年のことだ。そのためアフリカでは珍しくポルトガル語が公用語である。食文化においてもポルトガルの影響が色濃く残る。

　ポルトガル人がモザンビークにアボカドを持ち込んだかどうかは分からない。でも、モザンビークが現在アフリカでも有数のアボカド輸出国であることは確かだ。

　サラダ・ジ・アボカーチはその主要農作物アボカドのサラダである。ピーチを加え、甘いドレッシングをかけるのが特徴だ。

材料 (4人分)

レタス（何でも可、数種類ミックスしてもいい）：器全体を覆う量（食べやすい大きさにちぎる）／トマト：小2個（縦半分に切ってスライス）／アボカド：1個（半分に切って種を取りスライス）／ピーチ（硬めの桃。缶詰可）：1個（半分に切って種を取りスライス）

ドレッシング
オリーブ油：大さじ4／レモン汁：大さじ4／ピーチ缶のシロップまたはハチミツ：大さじ1／塩・コショウ：適宜

作り方

❶ ドレッシングの材料をすべて小さな器に入れて混ぜる。❷ 器にレタスを敷き、その上に他のサラダの材料をアレンジする。❸ ドレッシングを大さじ1〜2ほどサラダ全体にかけ、残りはサラダと一緒に別の器で食卓へ。

Rwandan Fruit Salad

ルワンダン・フルートゥ・サラッドゥ

子どもたちの健康のために促進されたプログラムの一環のサラダ

ルワンダの5歳以下の子どもの約40％が慢性的な栄養失調であることが2010年の調査で分かった。問題は食糧不足ではなく、食物の偏りであることが分かった。その結果を踏まえて、改善するためのプログラムが作成された。そのひとつがフルーツサラダである。絵本形式のパンフレットでは、ルワンダで暮らすさまざまな国の子どもがそれぞれ好きな果物を持ち寄りフルーツサラダを作るという短いストーリーが描かれている。

どの家族もすべての果物を購入できるほど裕福ではない。でも、少なくとも毎日食べるだけの果物を買って子どもたちに与える。このサラダはそんな子どもたちのためのサラダだ。

材料（4人分）

バナナ、パイナップル、マンゴー、パパイヤ、パッションフルーツ、デーツ、アボカド、オレンジ、スイカなどのミックス：600〜1000g（大きな果物は一口大に切る）

作り方

❶ 材料をすべてボウルに入れて混ぜる。

Seychelles Octopus Salad

セーシェル

| セーシェルズ・オクトパス・サラッドゥ

魚介類豊富な島国の新鮮獲りたてタコを使った自慢のサラダ

　インド洋に浮かぶ島国セーシェルの主要産業は観光である。島国という立地を生かし、沿岸で漁獲された新鮮な魚介類がレストランのメニューに並ぶ。料理を目当てにセーシェルを訪れる観光客も多い。

　魚介類をふんだんに使ったセーシェル料理の筆頭に掲げられるのが、この獲りたてのタコを使ったサラダである。紹介しているレシピでは省いてあるが、地元セーシェルではタコをパパイヤと一緒に茹でる。伝統的なこの方法で茹でると、タコを柔らかく茹でることができるという。ドレッシングはシンプルだが、生のチリペッパーが入るのでスパイシーなのが特徴だ。

材料（4人分）

茹でダコ：300g（1.5cmサイコロ程度に切る）／ピーマンまたはパプリカ：1個（パプリカの場合は1/2個、長さ3cmほどの千切り）／トマト：1/2個（スライス）／玉ネギ：小1/2個（スライス）／青ネギ：1本（小口切り）／レタス（できれば数種をミックス）：適宜

ドレッシング
オリーブ油：大さじ2／レモン汁：1/2個分／生のチリペッパー：小1本（みじん切り）／塩・コショウ：適宜

作り方

❶ ドレッシングの材料をすべて小さな器に入れてよく混ぜる。❷ レタス以外のサラダの材料をボウルに入れ、ドレッシングを加えてよく混ぜる。❸ 器にレタスを敷き、その上にサラダを盛りつける。

Salata Aswad

南スーダン

‖ サラタ・アスワッドゥ

無糖ピーナッツバターで味つけされたナスのサラダ

　南スーダンはスーダンから分離し2011年に独立した、言ってみれば出来たてほやほやの国である。南スーダンはスーダンとともに長い間エジプトによって支配されていたため、食文化においてエジプトの影響を強く受けている。フール・ミダミス、ファラフェルなどエジプト起源の料理は、南スーダンでもとてもポピュラーだ。

　アフリカではピーナッツバターを料理によく使うが、エジプト料理では見たことがない。アフリカの伝統的な料理が南スーダンでも受け継がれているといえるのかもしれない。ピーナッツバターだけでなく、ヨーグルトも一緒に加えられることも多い。

材料(4人分)

ナス：5～6本／サラダ油：大さじ3＋適宜／ニンニク：2片（すりおろす）／紫玉ネギ：小1個（粗みじん切り）／ピーマン：1個（1cm角切り）トマト：小2個（1cmサイコロ切り）／クミンパウダー：小さじ1/2／生のチリペッパー（お好みで）：1本（みじん切り）／無糖ピーナッツバター：大さじ2～3／ライム汁：1個分／水：大さじ1／塩・コショウ：適宜／パクチー：適宜（粗みじん切り）

作り方

❶ ナスの皮をむき、1cm厚に切って塩水に浸けたら、水から上げて水分をふき取る。❷ 鍋にサラダ油を熱し、ナスを加えて焦げ目がつかない程度に両面を焼く（完全に火を通す必要はなし）。❸ ナスを別の器に移し、油が十分に残っている場合はそのまま、ない場合は少し足して、ニンニク、玉ネギを加えて、玉ネギが透き通るまで炒める。❹ ピーマンを加えて軽く炒めたら、トマトを加えて2分くらい炒める。❺ 焼いたナスを1cmサイコロ程度に切って鍋に戻し、クミン、チリペッパー、塩とコショウを少々加えて、中火でナスに完全に火が通るまでヘラで崩しながら煮る。❻ 器でピーナッツバター、ライム汁、水をよく混ぜたら、鍋に加えて混ぜる。❼ 十分冷やしてから器に盛り、パクチーを散らす。

Kuku

ウガンダ

| クク

ウガンダでオヴァと呼ばれるアボカドと鶏肉のサラダ

　ケニアの西、ヴィクトリア湖の北に位置するウガンダはイギリスの保護国であったこともあり、食文化においてイギリスの影響を受けているほか、アラブやアジア、特にインドの影響も強い。

　ククはスワヒリ語で鶏のことで、ウガンダの名物料理のひとつである。クク・パカはココナッツが入ったインド風カレーである。

　ここで紹介するのは鶏肉のサラダだ。モザンビークと同様、ウガンダでもアボカドの栽培が盛んだ。ウガンダで栽培されているアボカドはハスアボカドと呼ばれる、一般的なものよりも大きなもので、このサラダでは4人分で丸々1個使われる。

材料（4人分）

調理済鶏ムネ肉（ソテー、グリルなど。残り物でも可）：400g（小さめの一口大に切る）／トマト：中2個（1～1.5cmサイコロ切り）／キュウリ：1本（縦4等分して1～1.5cm幅に切る）／アボカド：1個（小さめの一口大に切る）／オリーブ：10個（厚めにスライス）

ドレッシング
オリーブ油：大さじ2／白ワイン酢：大さじ2／マスタード：小さじ1／ハーブミックス（好みのもの）：大さじ1／塩・コショウ：適宜

飾り
フェタチーズ：適宜（手で砕く）／カイエンペッパーパウダー：適宜

作り方

❶ ドレッシングの材料をすべて小さな器に入れて混ぜる。❷ サラダの材料をすべてボウルに入れ、ドレッシングを注いでよく混ぜる。❸ サラダを器に盛りつけて、フェタチーズとカイエンペッパーを振りかける。

Kachumbari Ya Matango

｜｜ カチュンバリ・ヤ・マタンゴ

トマトの代わりにニンジンが加わったカチュンバリのバリエーション

ブルンジのサラダとして紹介したように、カチュンバリは東アフリカ中で食されるサラダである。このサラダはそのバリエーションだ。どちらもキュウリのサラダだが、カチュンバリはキュウリと同量かそれ以上のトマトが入るキュウリとトマトのサラダであるのに対し、タンザニアのこのサラダではトマトの姿は消え、代わりにニンジンが登場してくる。ニンジンは粗くシュレッド状にされるので、トマトがごろごろしているカチュンバリとは見た目が全然違う。ドレッシングもバルサミコ酢、ハチミツが入る元祖カチュンバリとは違い、オリーブ油、レモン、塩だけのたいへんシンプルなものだ。

材料（4人分）
キュウリ：2本／ニンジン：1本（皮をむいて粗くシュレッド）／生のグリーンチリペッパー（ハラペーニョなど）：1本または好みの量（みじん切り）／パクチー：適宜（粗みじん切りあるいはちぎる）

ドレッシング
オリーブ油：大さじ2／レモン汁：大さじ1／塩：適宜

作り方
❶ キュウリの皮をむいて縦に2等分し、端を切り落として種を取ってスライスする。❷ ドレッシングの材料を器に入れて混ぜる。❸ キュウリを含めサラダの材料をすべてボウルに入れ、ドレッシングを注いでよく混ぜる。

Zimbabwean Rice Salad

ジンバブウェン・ライス・サラッドゥ

ジンバブエの国民食サドザと並ぶ主食、玄米とレンティル豆のサラダ

　ザンベジ川の中流、ジンバブエとザンビアの国境に位置する世界最大のヴィクトリアの滝、この滝を目当てに観光客が大挙してジンバブエを訪れる。ジンバブエ国民の平均年齢は20代と非常に若く、失業率95％というショッキングな数字がこの国をよく表している。

　穀物や豆を主食とするこの国で最もよく食べられているのが、サドザと呼ばれるトウモロコシの粉で作った柔らかい餅のような食べ物だ。このサドザと並び主食として頻繁に食卓に並ぶのが玄米である。レンティル豆の入ったボリュームのあるこのサラダは、サイドディッシュとしてはもちろん、スナックやランチとしても最適だ。

材料（4人分）

玄米：300g／レンズ豆：大さじ3／赤パプリカ：1/2個（1cm角切り）／ピーマン：1個（1cm角切り）紫玉ネギ：小1個（粗みじん切り）

ドレッシング
サラダ油：大さじ4／白ワイン酢：大さじ3／醤油：大さじ1／ブラウンシュガー：大さじ2／カレー粉：小さじ1／ターメリック：小さじ1/4／塩：適宜

作り方

❶ 玄米を好みの方法で炊いて冷まし、レンズ豆は洗って鍋に入れ、250mlの水（材料外）を加えて沸騰させ、弱火で柔らかくなるまで煮たらザルに上げて冷ましておく。水が少なくなったら適量加えることを忘れないように。❷ ドレッシングの材料をすべて小さな器に入れてよく混ぜる。❸ 玄米、レンズ豆を含めサラダの材料をすべてボウルに入れ、ドレッシングを注いでよく混ぜる。

Salada Limão

|| サラダ・リマゥン

シンプルだが魅力満点のフェンネルバルブとレモンのサラダ

　アンゴラはアフリカの南西に位置する比較的大きな国だ。長らくポルトガルに支配されていたので、食文化においても大きな影響を受けているが、アフリカ的な料理も多く、キャッサバ、プランテインなどを使った料理が日常的に食されている。

　サラダ・リマゥンは直訳するとレモンサラダだが、レモンがたくさん入っているわけではなく、メインの食材はフェンネルバルブ（球根）で、レモン汁で作るドレッシングで和える。フェンネルバルブは味がマイルドでアニスや甘草のような香り、味がする。薄くスライスしたフェンネルバルブはシャキッとしていて、レモンの風味と相まってとても爽やか。

材料（4人分）

フェンネルバルブ（茎、葉付き）：大1個（球根は細い千切り、葉は粗みじん切り）／パルメザンチーズ：大さじ4（細くシュレッド）

ドレッシング
オリーブ油：大さじ4／レモン汁：1個分／塩：適宜

作り方

❶ フェンネルは刻んだ葉を少し飾り用に残して、そのほかはボウルに入れる。❷ ボウルにドレッシングの材料を加えて混ぜる。❸ サラダを器に盛り、残しておいたフェンネルの葉とパルメザンチーズを散らす。

Cameroonian Fruit Salad

カメルーニアン・フルートゥ・サラッドゥ

パイナップル、バナナ、トマト、アボカドという組み合わせが珍しい

　カメルーンの食文化はポルトガル、フランス、イギリスなどヨーロッパの国々の影響を受けているものの、伝統的な料理も健在で、地域によってかなりの違いが見られる。主な食材はキャッサバ、コーン、プランテイン、ヤムイモなどだが果物も豊富で、パイナップル、パパイヤ、オレンジ、グレープフルーツなど様々な果物がマーケットに並ぶ。

　カメルーンのフルーツサラダはちょっと変わっている。全部果物といえば果物なのだが、甘い果物に交じってトマトやアボカドが登場するのだ。しかも混ぜずに個別に層にして盛りつける。不思議な感じはするが、食べてみればきっとその意外性にびっくりするはずだ。

材料（4人分）

バナナ：2本（5mm厚にスライス）／トマト：小2個（縦か横に2等分して5mm厚にスライス）／パイナップル（缶詰可）：縦に4〜8等分して5mm厚にスライス）／アボカド：縦半分に切って種を取り、さらに2等分して5mm厚にスライス）／乾煎りしたピーナッツ：適宜（砕く）／ココナッツクリーム：適宜
※ココナッツクリームがない場合はココナッツミルクを煮詰めてとろりとさせたものを冷まして使う。

作り方

❶ ピーナッツとココナッツクリーム以外の材料を、好きな順に層になるように器に盛りつける。❷ ココナッツクリームを上からかけて、ピーナッツを散らす。

Salade du Tchad

チャド Chad

| サラッドゥ・デュ・シャッドゥ

このサラダさえあれば他に何もいらない、立派な一品料理

　戦争が絶えない隣国に囲まれ、気候変動の影響をもろに受けているチャドは、砂漠化、飢餓、貧困など様々な問題を抱える。
「いつも同じ道を歩き下れば、すでに行ったことのある場所に辿り着く」
とても印象的なチャドのことわざである。

　こんな状況であっても、人々の生活の営みは同じように繰り返される。

　サラッドゥ・デュ・シャッドゥは読んで字のごとく、チャドサラダである。お米、野菜、果物、ドライフルーツ、そしてナッツ。ひとつのサラダの中にあらゆる栄養素を盛り込んでバランスが取れた、一品料理としても十分満足できるサラダである。

材料(4人分)

調理済の玄米：200g／キュウリ：1本（皮をむき、縦半分に切って半月にスライス）／バナナ：2本（3～5mm程度にスライス）／レーズン：大さじ4／アーモンド：大さじ1（乾煎りして砕く）／レモンの皮：1/2個分（千切り）

ドレッシング
オリーブ油：大さじ4／レモン汁：1/2個分／コリアンダーパウダー：小さじ1/2／クミンパウダー：小さじ1/2／カイエンペッパー：小さじ1/2／ハチミツ：小さじ1／塩：適宜

作り方

❶ ドレッシングの材料をすべて小さな器に入れてよく混ぜる。❷ レモン皮以外のサラダの材料をすべてボウルに入れ、ドレッシングを注いでよく混ぜたら、冷蔵庫で十分冷やす。❸ 器に盛りつけて、レモンの皮を散らす。

Salade de Concombre Gabonais

ガボン

|| サラッドゥ・ドゥ・コンコムブル・ギャボネ

ガボンで最もよく食べられる野菜、トマトとキュウリのサラダ

　アフリカ西海岸のほぼ中央に位置するガボンは、アフリカの中で最も裕福な国のひとつだ。といってもそれは国全体の経済から見ればであって、今でも大部分の国民は貧困だといえる。フランスの植民地だったため、文化的にフランスの影響を強く受けている。今でも公用語はフランス語である。

　とはいえ、都心を離れれば伝統的な料理が主になり、鶏肉や魚はマスタードなど様々なスパイスを加えて調理される。他のアフリカの国々同様、主食は米、キャッサバ、ヤムイモなどだ。果物や野菜も豊富で、トマト、キュウリ、マンゴー、バナナ、グアバ、アボカド、マンゴーなどバラエティに富む。

材料（4人分）
トマト：中2個（半分に切って薄くスライス）／キュウリ：1本（皮をむいて縦半分に切り、長さ4cmくらいの短冊切り）／玉ネギ：小1個（薄くスライス）／イタリアンパセリ：大さじ4（みじん切り）／ミント：大さじ2（みじん切り）

ドレッシング
オリーブ油：大さじ2／レモン汁：1/2個分／クミンパウダー：大さじ1／塩・コショウ：適宜

作り方
❶ ドレッシングの材料をすべて小さな器に入れて混ぜる。❷ サラダの材料をすべてボウルに入れ、ドレッシングを注いでよく混ぜる。

北&南&西アフリカ

Northern & Southern & Western Africa

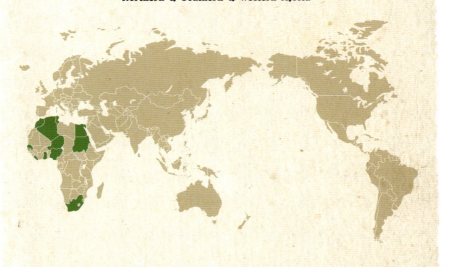

アルジェリア／エジプト／モロッコ／スーダン／チュニジア
南アフリカ／エスワティニ／ガンビア／ガーナ／リベリア
ニジェール／ナイジェリア／セネガル

Algerian Sunset Salad

アルジェリア

アルジェリアン・サンセットゥ・サラッドゥ

濃厚な天日干しオリーブが入る北アフリカらしいフェンネルサラダ

イタリアのインサラタ・ディ・フィノッキもフェンネルとブラッドオレンジのサラダである。よく似ているというか、そっくりである。イタリアのものには玉ネギが入るが、アルジェリアのものには入らない。使う材料から見ると違いはこのくらいだ。

でもいちばんの違いはオリーブである。イタリアのサラダに使われているのは、いちばんよく見かける塩水に漬けて作ったもので、表面に艶がある。アルジェリアのサラダに使われているのは、北アフリカに多いドライキュアという製法で作られたオリーブで、塩もみした後に天日干しにする。普通のオリーブよりも味が濃縮されている。

材料（4人分）

ブラッドオレンジ：2個（果実のみ、房に切り取る）／フェンネルバルブ：1個（縦半分に切って薄くスライス）／オイル漬けの黒オリーブ（なければ普通のオリーブ）：10個（スライス）

ドレッシング
ミントの葉：大さじ4（みじん切り）／オリーブ油：大さじ4／レモン汁：大さじ2／塩・コショウ：適宜

作り方

❶ドレッシングの材料を器に入れてよく混ぜる。❷サラダの材料をすべてボウルに入れ、ドレッシングを注いでよく混ぜたら、冷蔵庫で十分冷やす。

Badendjal

アルジェリア

|| バデンジェル

スパイスを効かせたラタトイユともいえる焼きナスのサラダ

　アルジェリアの人はサラダ好きである。生野菜のシンプルなものから煮たり焼いたりして作るサラダまで様々。冷たくして食べるものから温かいまま食べるものまである。

　トルコ、アラブ諸国、現地ベルベル人、スペイン、フランス、他の地中海の国々などの食文化がないまぜになったアルジェリアの食文化は、モロッコやチュニジアと同様に他の地域にはない独特なものだ。

　バデンジェルはそんなアルジェリアの食文化をよく表した料理といえる。アルジェリアのラタトイユ（ラタトゥユ）とも呼ばれるこのサラダは、ラタトイユにベルベル人、アラブなどのテイストを加えた料理といえる。

材料（4人分）

ナス：小4個／オリーブ油：大さじ4／玉ネギ：1個（スライス）／ニンニク：3片（みじん切り）／ピーマンまたは赤パプリカ（ミックス可）：ピーマンの場合2個、パプリカの場合1個（1cm角切り）／トマト：3個（すりおろすまたは細かく刻む）／パプリカパウダー：小さじ2／カイエンペッパーまたはハリサ：小さじ1+α／クミンパウダー：小さじ1/2／イタリアンパセリ：適宜（粗みじん切り）／塩・コショウ：適宜

作り方

❶ ナスを焼きナスにして皮をむき、小さなサイコロに切る。❷ フライパンにオリーブ油を熱し、タマネギとニンニクを加えて玉ネギが少し茶色く色づくまで炒める。❸ ピーマンを加えて2分ほど炒めたら、①のナス、トマト、スパイス、塩とコショウ少々を加えて、かき混ぜながらソースにとろみがつくまで15分程度中火で煮る。❹ 塩とコショウ、そしてカイエンペッパーまたはハリサで味を調えてから冷まし、冷蔵庫で一晩味を馴染ませる。❺ サラダを器に盛り、上にイタリアンパセリを散らす。

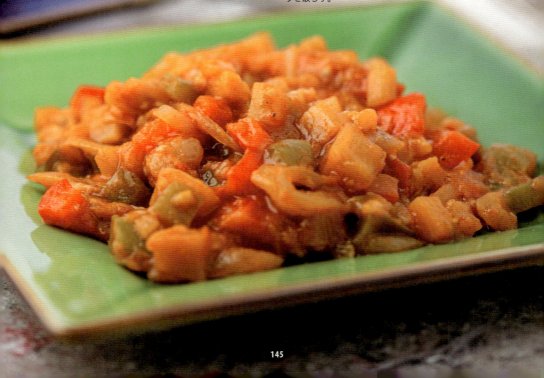

Salata Baladi

サラタ・バラディ

ラディッシュとドレッシングが決め手のエジプトいちばん人気のサラダ

　サラタ・バラディは数あるエジプトのサラダの中で最もよく食べられているサラダで、国外では単純にエジプシァンサラダと呼ばれることも多い。材料としてはトマト、キュウリ、ピーマンなどごく一般的な野菜が並ぶ。でも、このサラダではそうした野菜に交じってラディッシュがポンと登場する。この少しピリッとする野菜が加わるだけで、サラダ全体の印象がガラリと変わるからおもしろい。

　ドレッシングもまたサラダを引き立てるのに十分な役割を演じている。レモン、スーマック、クミン、カイエンペッパーが入るこのドレッシングは、爽やかさ、辛さ、酸味がバランスよく混合されている。

材料（4人分）

レッドラディッシュ：2個（小サイコロ切り）／キュウリ：小2本（小サイコロ切り）／トマト：1個（小サイコロ切り）／ピーマン：1個半（小サイコロ切り）／ニンジン：小1本（粗くシュレッドまたは小さく削ぎ切り）／イタリアンパセリ：大さじ4（みじん切り）

ドレッシング
オリーブ油：大さじ3／レモン汁と皮：1個分／クミンパウダー：小さじ1/8／カイエンペッパー：小さじ1/8／スーマック（お好みで）：小さじ1/4／塩・コショウ：適宜

作り方

❶ ドレッシングの材料をすべて器に入れて混ぜる。
❷ サラダの材料をボウルに入れ、ドレッシングを注いでよく混ぜる。

Fakhfakhina

エジプト

ファフファヒーナ

大人も子どもも、地元の人も観光客も好きなフルーツサラダ

　エジプトの料理というと、肉料理だとかスープだとかパンだとかいうものを思い浮かべてしまう。でもバクラヴァ、クナファ、カタイフィといったデザートも忘れてはいけない。

　中でも暑いエジプトで人気のある、特に子どもたちに人気のあるデザートといえばこのファフファヒーナではないだろうか。サイコロに切ったバナナ、ピーチ、イチゴなど色々な果物をカップに入れたファフファヒーナをいたるところで見かける。その上にアイスクリームがのっていたりもするのだから、子どもたちが見過ごすわけがない。材料さえあれば簡単にできるので、子どもたちが家で作ることもあるようだ。

材料（4人分）

砕いたピーナッツまたはピスタチオ：大さじ8 ／マンゴー：中2個（1.5cmサイコロ切り）／リンゴ：中1個（1.5cmサイコロ切り）／ピーチ（硬めの桃）：中1個（1.5cmサイコロ切り）／バナナ：1本（縦に4等分して厚くスライス）／イチゴ：5個（1.5cmサイコロ程度に切る）／好みのジュース：果物が浸る程度／バニラアイスクリーム（お好みで）：4スクープ

作り方

❶ 大きめのグラスを4つ用意し、それぞれに大さじ1のピーナッツまたはピスタチオを入れる。❷ その上に果物をのせるが、ボウルですべて混ぜてからのせても、別々に層になるようにのせてもいい。❸ 果物が少し顔を出すくらいまでジュースを注ぎ、その上にアイスクリームをのせる。❹ ピーナッツまたはピスタチオを上に散らす。

Egyptian Smoked Herring Salad

|| エジプシァン・スモークドゥ・ヘリング・サラッドゥ

ライムやレモンでさっぱり味つけしたニシンのサラダ

　エジプトでヘリング（ニシン）というのはどうもピンとこない。ニシンはどちらかというと北の魚だからだ。ニシンと呼んではいるが、実際はリンガというニシンに似た魚ではないか。エジプトではシャンム・ナシームという春の休日に発酵させたリンガで料理を作るのが伝統だ。しかしリンガは食中毒が問題で死者が出ることもある。

　このサラダに使われているのはこのリンガの燻製ではないかと推測した。ニシンの燻製にしても簡単には手に入らないかもしれない。でもご心配なく。生や干物のニシンを使っても、燻製のニシンに負けないサラダができる。ピタなどにのせて食べると最高だ。

材料（4人分）

スモークヘリング（ニシンの燻製）：200g／青ネギ：2本（細く斜め切り）／ピーマン：1個（1cm角切り）／ライム汁：大さじ1／サラダ油またはオリーブ油：大さじ4／ルッコラ：15g／ピタブレッド：4枚／ライムまたはレモン（飾り）：2個（櫛切り）

作り方

❶ ヘリングの皮を取り、2cmくらいの幅に切るあるいは裂く。❷ ルッコラ、ピタ、飾り用のライム以外の材料をすべてボウルに入れ、ヘリングが崩れないように注意しながら混ぜる。冷蔵庫で1日寝かす。❸ 器にルッコラを敷き詰め、その上に❷をのせる。❹ ピタをオーブンなどで軽く温め、4つの扇形に切り、サラダ、ライムとともに食卓へ。ピタのポケットにサラダを入れ、ライムを搾って食べる。

Egyptian Fattoush

|| エジプシャン・ファトゥーシュ

中近東でよく見られるピタパンサラダのエジプト版

ファトゥーシュは中近東、特にシリアやレバノンの伝統的なサラダだ。中近東にはファテ、ファタなどと呼ばれるピタブレッドをベースにした一連の料理があり、このサラダもそのひとつだ。

ファトゥーシュは地域によって材料が少しずつ違っている。ここで紹介するのはエジプト版のファトゥーシュである。

ピタと使用する野菜、ハーブは他のファトゥーシュとあまり変わらないが、ドレッシングがエジプトのファトゥーシュは変わっている。普通はオリーブ油、レモン、スーマックのシンプルなものだが、エジプトのものはザクロのシロップが入るので少し甘酸っぱい。

材料（4人分）

ピタブレッド（できればアイシュバラディ）：1枚／オリーブ油：大さじ1／スーマック：小さじ1／ロメインレタス：1/2個（食べやすい大きさにちぎる）／キュウリ：小1本（縦4等分して厚めにスライス）／トマト：小1個（1cmサイコロ切り）／紫玉ネギ：1/4個（薄くスライス）／レッドラディッシュ：4個（縦4等分して厚めにスライス）／イタリアンパセリ：大さじ3（粗みじん切り）／ミントの葉：大さじ3（粗みじん切り）

ドレッシング
オリーブ油：大さじ4／スーマック：大さじ1／ポメグラネイトモラセス：大さじ2（なければザクロジュース大さじ2＋ハチミツ小さじ1）／レモン汁：1個分／塩・コショウ：適宜

作り方

❶ ピタブレッドの両面にオリーブ油を塗って食べやすい大きさに切り、トレーの上にのせてスーマックを上にかけたら、オーブントースターなどで焦げ目がつくまでトーストする。❷ ドレッシングの材料を器に入れて混ぜる。❸ ピタブレッド以外のサラダの材料をボウルに入れ、ドレッシングをかけてよく混ぜる。❹ ピタブレッドを加えて混ぜたら、直ちに器に盛って食卓へ。

Dukkah Chicken Salad

デュカ・チキン・サラッドゥ

エジプト
Egypt

エジプト Egypt

チキン、野菜のサラダ、ドレッシングに至るまで抜かりなし

チキンサラダにも色々なバリエーションがあるもので、鶏肉だけマヨネーズで和えたものから野菜と一緒に混ぜ合わせたもの、そしてこの料理のように野菜サラダの上に鶏肉がドンとのっているものも時にはサラダと呼ぶ。

デュカ・チキンはチキンカツみたいなものだけども、パン粉ではなくデュカというエジプト独特のナッツとスパイスのミックスをまぶして揚げてある。噛むごとにナッツの味と香りが広がる、他では味わえないカツである。普通ならカツを作る時に使うはずのパン粉を、最後にサラダにかけるというのがまたおもしろい。サラダもドレッシングも凝りに凝った、かなり贅沢な味のサラダである。

材料（4人分）

鶏ムネ肉またはササミ：400g／オリーブ油：大さじ1＋3＋2／ナス：2本（皮をむいて小サイコロ切り）／マッシュルーム：5個（スライス）／チェリートマト：8個（縦4等分）／キュウリ：1/2本（小サイコロ切り）／ミントの葉：ひとつかみ（手でちぎる）／パクチー：ひとつかみ（手でちぎる）／ルッコラ：40g／調理済フリーキーまたはキヌア：180g／サンドライトマト：大さじ1（みじん切り）／レーズン（お好みで）：大さじ1／パン粉：適宜／塩・コショウ：適宜

デュカ

ゴマ：大さじ2／クミンシード：大さじ4／コリアンダーシード：大さじ4／カシューナッツ：大さじ4／殻なしのピスタチオ：大さじ4／ドライタイム：小さじ1/2／スーマック：小さじ1/2／ドライミント：小さじ1/4／塩・コショウ：適宜

● ゴマからピスタチオまでの材料をそれぞれ別に香りが出てくるまで乾煎りして、別々にすり鉢などで細かく砕いて1つの器に入れる。タイム、スーマック、ミントを加えて混ぜ、塩とコショウで味を調える。

ドレッシング

タヒニ：大さじ4／オリーブ油：大さじ4／レモン汁：大さじ2／白ワイン酢：大さじ2／塩・コショウ：適宜

作り方

❶ 鶏肉は厚い場合は1cmくらいの厚さにスライスし、大さじ1のオリーブ油を全体に塗ってデュカを全体にまぶす。❷ フライパンにオリーブ油大さじ3を熱し、①の鶏肉を加えてデュカが焦げないように弱火で鶏肉に完全に火が通るまで焼き、食べやすい大きさに切る。❸ フライパンをきれいにして、オリーブ油大さじ2を熱し、ナスを加えて火が通るまで炒めたら、器に空けて冷ます。マッシュルームに火を通したい場合はナスと一緒に炒める。❹ ③も含め鶏肉とパン粉以外のサラダの材料をすべてボウルに入れてよく混ぜる。❺ ドレッシングの材料をすべて器に入れて混ぜる。❻ サラダを器に盛り、ドレッシングを注ぎ、上からパン粉をかけ、さらにその上に鶏肉をのせる。

Shlada Batata Hilwa

シュラダ・バタタ・ハルワ

スパイスと塩漬けレモンが憎いほどよく合うスイートポテトサラダ

バタタは芋、ハルワは甘いという意味で、甘い芋、つまりスイートポテトのことである。サツマイモもスイートポテトの仲間だが、一般的なスイートポテトとサツマイモには顕著な違いがある。スイートポテトの中は鮮やかなオレンジ色でサツマイモよりも幾分水分が多いので、調理するとホクホクというよりもねっとりとした感じになる。

このサラダで使われているのはもちろんスイートポテトだ。スイートポテトはスパイスや柑橘系の果物との相性が抜群にいい。このサラダではクミンなどのスパイスと塩漬けレモンの酸味と塩辛さがほどよくブレンドされていて、スイートポテトの甘さを引き立てる。

材料（4人分）

オリーブ油：大さじ2+2+1／玉ネギ：1個（粗みじん切り）／スイートポテトなければサツマイモ：2本（皮をむいて2～3cmサイコロ切り）／ショウガ：小さじ1/2（すりおろす）／クミンパウダー：小さじ1/2／パプリカパウダー：小さじ1/2／グリーンオリーブ：6個（縦4等分）／塩漬けレモンの皮：1/2個分（千切り）／レモン汁：1/2個分／イタリアンパセリ：大さじ2（みじん切り）

作り方

❶ フライパンにオリーブ油大さじ2を熱し、玉ネギを加えて中火で黄金色になるまで炒める。❷ スイートポテト、ショウガ、クミンパウダー、パプリカパウダー、塩少々、オリーブ油大さじ2を加えて、スイートポテトがかろうじて被る程度まで水（材料外）を注いで、スイートポテトが崩れない程度に柔らかくなるまで中火で煮る。煮えた時点で水がソース状になるが、なっていない場合はスイートポテトを取り出してボウルに入れておき、残ったソースをとろみがつくまで煮詰める。❸ 煮詰めたソースをスイートポテトの入ったボウルにあけ、オリーブ油大さじ1と残りの材料（イタリアンパセリ以外）を加えて混ぜ、塩で味を調える。❹ サラダを器に盛り、イタリアンパセリを散らす。

Laymün bel-Qerfa

リムン・ベル ケルファ

世界で最もおいしいサラダと評されることもあるオレンジのサラダ

モロッコの人は柑橘系の果物を料理に使うことに長けている。タジンを使いラムや鶏肉をオレンジで煮込む。レモンを塩漬けにして様々な料理に使う。モロッコの大西洋岸にはタンジェリン、オレンジ、レモンなどを栽培する大草原が広がる。

冷やした甘いオレンジは暑い夏をしのぐのには最高のデザートだ。そのままで十分なわけだけど、少し手を加えるだけですばらしいサラダになることを知っていても損はない。必要なのはオレンジ、砂糖少々、シナモン、オリーブ油、ミントだけだ。オレンジは何でもかまわない。ミカンでもいい。これだけで世界で最もうまいとさえいわれるサラダになる。

材料（4人分）

オレンジ：4個／砂糖：大さじ2／オリーブ油：大さじ2～3／シナモンパウダー：小さじ1／ミントの葉：適宜

作り方

❶ オレンジの皮をむいて輪切りにして皿に並べ、砂糖、オリーブ油、シナモンパウダーをかけ、ミントを散らす。

Shlada Alkusa

シュラダ・アルクッサ

シェルムーラと呼ばれるモロッコ独特のドレッシングが決め手

　ズッキーニは北イタリア原産ということもあるのか、ズッキーニと聞くとイタリアとかフランスの料理を思い浮かべる。ズッキーニはサマースクワッシュと呼ばれる野菜のひとつで、サマースクワッシュというカテゴリーで考えると世界の様々な地域で栽培され、食べられてきた。モロッコのこのサラダでは緑ではなくもっと淡い緑のものが使われるようだが、普通のズッキーニでもイエローズッキーニでも同様においしいサラダができる。

　このサラダのいちばんの特徴はシェルムーラと呼ばれるドレッシングだ。スパイスが効いたレモン風味のドレッシングで、ズッキーニだけでなく色々なサラダに使われる。

材料（4人分）

ズッキーニ：2本（厚めのスライス、サイコロなど好みの形に切る）／トマト（お好みで）：中2個（皮をむき、種を取って1cmサイコロ程度に切る）／塩：適宜

シェルムーラ
オリーブ油：大さじ3／ニンニク：1片（すりおろす）／クミンパウダー：小さじ1/2／ハリサ（お好みで）：小さじ1/2または好みの量／パクチー：大さじ2（みじん切り）／イタリアンパセリ：大さじ2（みじん切り）／塩漬けレモン（皮のみ）：1/4個（みじん切り）／レモン汁：大さじ1／塩：適宜

作り方

❶ ズッキーニに軽く塩を振って、少し硬めに蒸す。塩を少し加えた湯で茹でてもいい。❷ ①のズッキーニを直ちに冷水に浸けて冷やし、ザルに上げて水を切っておく。❸ フライパンにシェルムーラの材料のオリーブ油を熱し、ニンニクを加えて香りが出てくるまで炒めたらクミン、ハリサを加えてサッとソテーする。❹ 火から下ろしパクチー、イタリアンパセリ、塩漬けレモン、レモン汁、塩を加えて軽く混ぜる。❺ ②のズッキーニ、トマトをボウルに入れ、④を加えてよく混ぜる。

Shlada Alekseks

モロッコ Morocco

シュラダ・アルクスクス

色々な野菜と一緒に作る色彩豊かなクスクスサラダ

　モロッコといえばクスクスだということには誰も異論がないはずだ。実際はモロッコというよりも北アフリカに古くから暮らすベルベル人の料理であるらしい。いずれにしてもデュラム小麦を挽いて粉にしたセモリナ粉で作った極小のパスタは、今や世界の様々な国で食されている。

　クスクスは本来キスカスという特別な蒸し器で蒸されるが、熱湯を注げば出来上がりというインスタントクスクスがスーパーなどで簡単に手に入る。このおかげでクスクスが世界に広まったともいえる。普通は主食として食べられるが、このサラダのように様々な食材と一緒に調理されることも多い。

材料（4人分）

ドライクスクス：200g／セロリ：1本（小サイコロ切り）／キュウリ：小1本（小サイコロ切り）／赤パプリカ：1/2個（小サイコロ切り）／黄パプリカ：1/2個（小サイコロ切り）／チェリートマト：8個（縦4等分）／調理済コーン：80g／ブラックオリーブ：10〜12個（縦2等分）／パクチー：大さじ2（みじん切り）／イタリアンパセリ：大さじ2（みじん切り）／ミント：大さじ1（みじん切り）／オリーブ油：大さじ2／レモン汁：1/2個分／塩・コショウ：適宜

作り方

❶ パッケージの作り方に従ってクスクスを調理して十分に冷ます。❷ ボウルにクスクスを含めすべての材料を入れて、よく混ぜる。

Shlada Matisha wal Hamed Markad

シュラダ・マティサ・ヴァル・ハメッドゥ・マルカドゥ

ただのトマトと玉ネギのサラダだが、塩漬けレモンで別物のサラダに

　モロッコの料理でキーとなる食材といえば、塩漬けレモン（プリザーブドレモン）だろう。タジン料理など、この塩漬けレモンがなければ話にならない料理がたくさんある。作り方は簡単で、レモンに深く切り込みを入れてそこにたっぷり塩を挟んで瓶にぎゅうぎゅうに詰めるだけだ。本来の深みのある味になるまで少なくとも1か月くらいかかるが、2〜3週間もすればそれなりにおいしい塩漬けレモンになる。

　このサラダはトマトと玉ネギを塩漬けレモンと和えただけのものだが、生のレモンではけっして味わえないとても深みのある味わいのサラダになる。

材料（4人分）

トマト：6個／塩漬けレモン：1個／紫玉ネギ：小1個（スライス）／イタリアンパセリ：適宜（みじん切り）／パクチー：適宜（みじん切り）

ドレッシング
オリーブ油：大さじ3／レモン汁：1/2個分／パプリカパウダー：小さじ1/2／塩：適宜

作り方

❶ 鍋にたっぷり湯を沸かす。その間にトマトのお尻に包丁で十字の切れ目を入れておく。❷ トマトのお尻を上にして鍋あるいはボウルに入れて、トマトが完全に浸るまで熱湯を注ぐ。2分くらい（切り口がめくれてくるまで）浸けたらトマトを取り出し、冷水に浸けて冷まして皮をむく。❸ トマトを縦に8〜12等分して種を取る。❹ 塩漬けレモンの皮だけを切り取って、細く千切りにする。❺ ドレッシングの材料を小さな器にすべて入れてよく混ぜる。❻ ❸と❹、紫玉ネギをボウルに入れ、ドレッシングを注いでよく混ぜる。塩で味を調える。❼ サラダを器に盛り、上にイタリアンパセリとパクチーを散らす。

Shlada Mangoob

モロッコ

|| シュラダ・マングーブ

地中海、もちろんモロッコではそら豆は皮付きのまま食べるのが常識

　春になると市場に登場し始めるさや入りのそら豆は、どこの起源なのかは不明のようだが、地中海周辺では紀元前6000年頃から食されていたらしい。焼く、茹でる、蒸すなど様々な調理法がある。日本では皮をむいて食べるが、地中海周辺では皮のまま食べる。写真では皮をむいてあるが、モロッコでも実際は皮のまま食べる。

　他の豆にはない、土臭いともいえる独特の味を損なわないことが、そら豆を調理する大切なポイントだ。このサラダにはトマト、塩漬けレモン、スパイスが加わるものの、そら豆の味を犠牲にすることはなく、存分に本来の味を堪能することができる。

材料（4人分）

そら豆：400〜500g（さやから出した重さ）／オリーブ油：大さじ3／玉ネギ：小1個（みじん切り）／ニンニク：4片（みじん切り）／トマトピュレ：小さじ1/2／トマト：2個（すりおろす）／イタリアンパセリ：大さじ2（みじん切り）／塩漬けレモン：1/4個（実と皮を切り分けて、実はみじん切り、皮は千切り）／レモン汁：1/2個分／クミンパウダー：小さじ1／パプリカパウダー：小さじ1／カイエンペッパー：小さじ1/4／塩・コショウ：適宜

作り方

❶蒸し器を用意し、皮の一部に切れ目を入れたそら豆を少し硬めに蒸し、小さく新鮮なものはそのまま、大きなものは皮をむく。❷鍋にオリーブ油を熱し、玉ネギ、ニンニクを加えて、玉ネギが透き通るまで炒める❸トマトピュレを加えて1分ほど混ぜたら、トマトを加えてよく混ぜる。❹そら豆とイタリアンパセリ半量と塩漬けレモンの皮以外の、残りの材料をすべて加えて、弱火で20分ほど煮る。水分が少なくなり濃くなりすぎたら随時、水（材料外）を少々加える。❺そら豆を加え、完全に火が通るまで煮たら、塩とコショウで味を調える。❻常温まで、あるいは十分に冷やしてから器に盛り、残しておいたイタリアンパセリ、塩漬けレモンの皮を散らす。

Salata Tomatim bel Daqua

スーダン

サラタ・トマティム・ベル・ダクア

ピーナッツバターとチリペッパーがシンプルトマトサラダを激変させる

スーダンは普通北アフリカのエリアに含まれるが、他の北アフリカの国とは地理的に離れているだけでなく、食文化的にもかなり違っている。

スーダンの料理によく使われるものにピーナッツバターがある。肉料理、野菜の煮込み料理などのほか、このサラダのようにドレッシングの材料としても欠かせない。もちろんピーナッツバターといっても砂糖やハチミツは入っていない。

このサラダのもうひとつの特徴はチリペッパーだ。好みによって辛さは増減すればいいが、地元スーダンではたっぷり入れてピリピリにすることが多いようだ。

材料（4人分）

トマト：4個（大きめの一口大に切る）／青ネギ：3本（小口切り）／イタリアンパセリ：大さじ2（みじん切り）／生のグリーンチリペッパー（タイチリペッパーなど）：1〜2本または好みの量（種を取ってみじん切り）

ドレッシング
サラダ油：大さじ4／無糖ピーナッツバター：大さじ3／ライム汁：2個分／塩・コショウ：適宜

作り方

❶ ドレッシングの材料を器に入れて、なめらかになるまでよく混ぜる。❷ チリペッパー以外のサラダの材料をボウルに入れ、ドレッシングを加えて混ぜる。❸ チリペッパー、塩、コショウで味を調える。
※サラダとドレッシングは、混ぜずに別々に出してもOK。

Salatet Zabady bil Ajur

サラタットゥ・ザバディ・ビットゥ・アヤール

スーダン / Sudan

ヨーグルトを使えばどんなにシンプルなサラダもおいしくなる

　前ページのピーナッツバターとチリペッパーが入るサラダと比べると、このサラダは同じ国のサラダとは思えないくらい違う。

　ヨーグルトはとても便利な食べ物だ。そのまま食べるだけでなく、ソース、ドレッシング、スープ、デザートなど色々な料理に使われる。ヨーグルトのサラダは世界各地にあるが、シンプルなものが多い。このスーダンのサラダも例に漏れず、主な材料はヨーグルト、キュウリだけである。他の野菜などを浸して食べるディップとして、あるいは肉料理に添えるサイドディッシュとして食卓に並ぶ。キュウリの代わりにニンジン、トマト、ホウレン草などが使われることもある。

材料（4人分）
ヨーグルト：400ml／ニンニク：1片（すりおろす）／キュウリ：小2本（小サイコロ切り）／ニジェラシード（ブラッククミン、お好みで）：小さじ1/4／塩・コショウ：適宜／ロメインレタス：1/2個

作り方
❶ ロメインレタス以外の材料をすべてボウルに入れて、よく混ぜる。❷ サラダを器に盛り、ロメインレタスを添える。

Slata Mechouia

チュニジア

|| サラタ・メシュイア

焼いて甘みが増した野菜にツナ、オリーブ、茹で卵という豪華な料理

　現代的にはオーブンで焼くということになるのだろうけど、焼きナスに限らず、パプリカもトマトも直火で焼くのがいちばんだ。野菜が焼けるにしたがって野菜の焦げる匂いがあたりに立ち込め、それだけでも食欲が増してくる。火から下ろし、冷めるのを待つのももどかしく熱い思いをして皮をむくと、甘い野菜の香りが広がる。

　地中海沿岸には同じような料理が各地にある。このサラダの特徴はブレンダーである程度ペースト状にすることだろう。北アフリカの料理らしく、オリーブや茹で卵、ツナがサラダの上にきれいに並べられる。このサラダとパンさえあれば大満足の豪華な一品である。

材料（4〜6人分）

トマト：4個／ピーマン：4個／玉ネギ：1個（2等分）／ニンニク：2片／ハラペーニョなどの生のチリペッパー：1本または好みの量／レモン汁：1個分／キャラウェイシード：小さじ1/2／茹で卵：2個（4等分）／缶詰のツナ：100〜150g（ほぐす）／オリーブ：適宜／イタリアンパセリ：適宜（みじん切り）／オリーブ油：大さじ3／塩・コショウ：適宜

作り方

❶ ハラペーニョまでの材料をすべて完全に火が通るまで焼く。焼く方法は直火、オーブン、グリルなど何でも可。オーブンで焼く場合は200度。焼き上がったものから順に取り出す。❷ ①の野菜の皮、焦げを取り、小さく切ってボウルに入れる。ブレンダーを使っていいが、ペースト状にせず、粒が残っている程度に。❸ ②をボウルに移し、レモン汁、キャラウェイシードを加え、塩とコショウで味を調える。❹ 器に盛り、茹で卵、ツナ、オリーブ、イタリアンパセリで飾って、全体にオリーブ油をかける。バゲットなどパンと一緒に食卓へ。

Ommek Houria

チュニジア 🇹🇳

|| アメック・フリア

バゲットなどの上にのせて食べるとうまいペースト状ニンジンサラダ

　ニンジンはそのままでも甘みがあるためか、生のままサラダに使われることが多い。ただ、大きく切ると食べにくいので細切りや千切り、シュレッドチーズのようにおろすのが一般的だ。輪切りなど大きめに切る場合は、調理されると思ってまず間違いない。

　このチュニジアのニンジンサラダは前述のどれにも当てはまらない。ニンジンは柔らかく煮た後、ペースト状にしてしまうのだ。マッシュポテトのニンジン版ともいえる。ペーストにはチュニジアの名物、チリペッパーペーストのハリサが混ぜられるので結構スパイシーだ。付け合わせのオリーブや茹で卵と一緒にバゲットにのせて食べるとうまい。

材料 (4人分)

ニンジン：4本（約500g、皮をむいてざっくり切る）／ニンニク：4片（みじん切り）／ハリサ：小さじ2または好みの量／クミンパウダー：一摘み／塩・コショウ：適宜

飾り

オリーブ油：大さじ2～3／茹で卵：2個（縦に櫛形に切る）／ブラックオリーブ：適宜／青ネギ：適宜（小口切り）

作り方

❶ 鍋にたっぷりの湯を沸かしてニンジンを加え、柔らかくなるまで中火で煮る。❷ 煮たニンジン、その他のサラダの材料をフードプロセッサーに入れて、多少粒が残っている程度までペーストにしたら、塩とハリサで味を調える。マッシュポテトの要領でヘラやフォークでつぶしてもOK。❸ 器に盛ってオリーブ油をかけたら、茹で卵、オリーブ、青ネギで飾る。バゲットの上にのせてもいい。

Umphokoqo

ウムポココ

ネルソン・マンデラもこよなく愛した南アフリカの自慢料理

　ウムポココ、このコミカルな名前は絶対に忘れない。このサラダを作る動画を見ると、誰もが楽しそうに、そして誇らしげにこのサラダの名前を繰り返す。ウムポココは単なる南アフリカを代表する料理というだけでなく、個人個人がこだわりを持って作る自慢料理である。世界的な英雄ともいえるネルソン・マンデラも愛してやまなかった料理なのだ。

　サラダと言うには抵抗があるかもしれない、一見おじやのような食べ物である。材料はトウモロコシの粉、コーンミールとアマシというバターミルクに似た発酵乳だ。中には砂糖を入れる人もいるが、入れる入れないは地元民でも激論となるメインテーマである。

材料（4人分）

水：500ml ／塩：一摘み／粗挽きホワイトコーンミール（メイズミール）：360g／サワーミルクまたはバターミルク（なければ牛乳、ヨーグルトでもOK）：適宜

作り方

❶ 水を鍋に入れて沸騰させ、そこに塩とコーンミールを加えたら中火にする。❷ 木ベラなどで常にかき混ぜながら煮るが、コーンミールが水分を吸うのでマッシュポテトのようになる。それを木ベラなどで崩しながら粒をできるだけ小さくする。焦げつかないように注意。❸ コーンミールが完全に水を吸ったら弱火にして蓋をし、30分ほど蒸す。焦げつかないように5分おきくらいに木ベラで混ぜ、粒を小さくする。❹ ③をボウルにあけて冷ましたら器に盛り、サワーミルクをたっぷりかける。

Copper Penny Salad

|| コッパー・ペニー・サラッドゥ

銅製の硬貨に似た甘くて酸っぱい輪切りニンジンのサラダ

コッパーペニーとはよく言ったものだ。コッパーペニーとはアメリカで使われている1セント硬貨のことで、以前は銅で作られていた。今は亜鉛が主原料だが、色だけは今でも銅色をしている。輪切りにしたニンジンをトマトベースのドレッシングでマリネしたこのサラダが古くなった1セント硬貨に似ていることからこの名が付いたといわれることがあるが、実際のところは分かっていない。アメリカのサラダが起源というのも怪しい。

このサラダには砂糖が結構入っているので甘い。トマトペーストも入っているので、ケチャップ味に近いといえなくもない。普通前日に作って冷蔵庫で冷やしてから食べる。

材料（4人分）

ニンジン：2～3本（3～4mmに輪切り）／玉ネギ：小1個（粗みじん切り）／ピーマン：2個（1cm角切り）／バジル：2枚（みじん切り）

ドレッシング
オリーブ油：大さじ3／白ワイン酢：大さじ4／トマトペースト：大さじ1／ウスターソース：大さじ1／ディジョンマスタード：小さじ1／砂糖：大さじ4／塩・コショウ：適宜

作り方

❶ 鍋に湯を沸かし、ニンジンを茹でる。煮すぎないように。まだシャリシャリ感が残っているくらいの感じ。❷ 別の鍋にドレッシングの材料をすべて入れて火にかけ、混ぜながら沸騰するまで煮る。トマトペーストは200ml程度のトマトピュレ、トマトソース、すりおろしたトマトでも可。その場合はとろりとするまで煮込む。❸ 茹でたニンジンを含めサラダの材料をすべてボウルに入れ、②の熱いドレッシングを注いでよく混ぜる。❹ 常温まで冷ましたら、冷蔵庫で一晩寝かす。

Slaai

| スラーイ

ショウガとピーナッツがキーポイントの伝統のアボカドサラダ

　南アフリカの北に位置する内陸の小さな国、それがエスワティニである。周辺の国々と同様、近年アボカドの生産が盛んだが、最近は輸出市場であまりうまくいっていないようだ。

　アボカド市場が停滞気味とはいえ、伝統的なこのサラダはエスワティニを代表する料理であることには変わりがない。アボカドとピーナッツ以外はこれといって決まった材料はなく、このレシピではレッドラディッシュが使われているもののあくまでもオプションで、正直何でもかまわない。味つけもシンプルで、メインはレモン。でもショウガ、ピーナッツが加わることで、他のアボカドサラダにはないスラーイ独特の味が生まれる。

材料（4人分）

アボカド：2個（1cmサイコロ切り）／レタス（お好みで、できればロメインレタス）：10枚（食べやすい大きさにちぎる）／レッドラディッシュ（お好みで）：4個（スライス）／ピーナッツ：100g（細かく砕く）

ドレッシング
レモン汁：大さじ3／ショウガ：小さじ1（すりおろす）／塩・コショウ：適宜

作り方

❶ドレッシングの材料をすべて器に入れてよく混ぜる。❷アボカドとドレッシングをボウルに入れて混ぜる。❸レタスを器に敷き詰め、その上に②のアボカドをのせる。❹レッドラディッシュとピーナッツで飾る。

Gambian Cabbage and Pineapple Salad

ガンビア Gambia

ガムビアン・キャベッジ・アンドゥ・パイナップル・サラッドゥ

アフリカーの小国ガンビアの野菜、ハーブ満載のキャベツサラダ

　ガンビアはアフリカで最も小さな国で人口わずか200万弱、細長い国の真ん中をガンビア川が流れる。この国でよく使われる食材は米、トマト、キャッサバ、ピーナッツ、そしてガンビア川で獲れる魚介類などで、このサラダの主食材キャベツもそのひとつだ。

　ケニアのコールスローもこのサラダと同じキャベツとパイナップルのサラダだが、内容はかなり違う。ガンビアのこのサラダにはセロリ、トマト、ピーマンといった他の野菜も入るほか、生のハーブが使われている。ドレッシングもほぼマヨネーズだけみたいなシンプルなものではない。そこがコールスローとキャベツサラダの違いでもある。

材料（4人分）

キャベツ：1/4個（250〜300g、千切り）／セロリ：小1本（小口切り）／青ネギ：1本（小口切り）／ピーマン：1個（千切り）／トマト：小1/2個（1cmサイコロ切り）／パイナップル（缶詰可）：1/8個（缶詰ならスライス2枚程度、1cmサイコロ切り）／タイム：1枝（みじん切り）／タラゴン：5〜6枚（みじん切り）／イタリアンパセリ：ひとつかみ（みじん切り）／カイエンペッパー：小さじ1/4

ドレッシング

ヨーグルト：100ml／サワークリーム：大さじ1／ココナッツミルク：小さじ4／塩・コショウ：適宜

作り方

❶ 野菜とパイナップルをボウルに入れ、その上にハーブとカイエンペッパーをかける。❷ ドレッシングの材料をすべて器に入れてよく混ぜ、①のボウルに加えてよく混ぜる。塩とコショウで味を調える。

Gambian Fonio Salad

ガンビア

|| ガムビアン・フォニオ・サラッドゥ

スーパーフードとも呼ばれる注目の雑穀フォニオのサラダ

健康志向、ヴェジタリアン／ヴィーガン志向の高まりで今は雑穀が注目されている。西アフリカ原産のフォニオはその中でも新顔といえるもので、グルテンフリーということもあって急速に人気が出始めている。フォニオはキビの仲間で、普通のキビよりも小さいのが特徴だ。米の代わりに食べられるほか、クスクスやキヌアを使う料理に使われることが多い。フォニオはサイドディッシュとしてそのまま肉料理などに添えられるだけでなく、野菜などと混ぜてサラダにしてもたいへんおいしい。ガンビアのフォニオ・サラダはトマト、マンゴー入りで、酸味や甘味がバランスよくミックスされている。

材料（4人分）

フォニオ：100g／サラダ油：大さじ1／水：200ml／塩：一摘み／紫玉ネギ：小1個（みじん切り）／チェリートマト：10個（小サイコロ切り）／キュウリ：1本（小サイコロ切り）／マンゴー：1/2個（小サイコロ切り）

ドレッシング
イタリアンパセリ：大さじ2（みじん切り）／レモン汁：1個分／塩：適宜

作り方

❶ 鍋にフォニオとサラダ油を入れてよく混ぜ、水を加えて火にかける。沸騰したら塩を加えてかき混ぜ、蓋をして弱火で1分ほど煮たら火を消す。蓋をしたまま5分ほど蒸らして、そのまま冷ます。❷ ドレッシングの材料をすべて器に入れて混ぜる。❸ 野菜とマンゴーをボウルに入れて軽く混ぜ、①のフォニオ、ドレッシングを加えてよく混ぜる。

Ghanaian Salad

|| ガネイアン・サラッドゥ

色々な食材が豪華絢爛に大皿に並べられたパーティー仕様サラダ

各種野菜は言うに及ばず、茹で卵から豆、魚に至るまでバラエティに富んだ食材が大皿に並ぶ豪華なサラダ、それが一般に呼ばれるところのガネイアン・サラッドゥ、ガーナサラダである。クリスマスなど特別な祝日やパーティーにも最適、皆に「どうだ」とばかりに見せびらかすのにもってこいだ。

数ある食材の中でおもしろいのはベイクドビーンズだろう。作り方、材料には違いがあるものの、言ってみれば甘い煮豆である。魚は省かれる場合もあるが、豪華さ、選択肢拡大のためにもサーディン（イワシ）かツナは欲しいところだ。ドレッシングはサラダクリームという市販品が使われることも多い。

材料（4人分）

茹でたジャガイモ：小1個（1cmサイコロ切り）／調理済グリーンピース（冷凍、缶詰可）：50g／茹でたニンジン：1/2本（1cmサイコロ切り）／トマト：1個（1cmサイコロ切り）／ピーマン：2個（1cm角切り）／キュウリ：1本（1cmサイコロ切り）／玉ネギ：1個（粗みじん切り）／青ネギ：1本（小口切り）／レタス：1/2個（食べやすい大きさにちぎる）／ベイクドビーンズ（煮豆）：200g／茹で卵：2個（スライス）／缶詰のサーディン（サバ缶、骨を取った調理済のイワシでもOK）：200g

ドレッシング

マヨネーズ：大さじ3／白ワイン酢：大さじ1／ディジョンマスタード：小さじ1／砂糖：少々／塩・白コショウ：適宜

作り方

❶ ドレッシングの材料をすべて器に入れてよく混ぜる。❷ ジャガイモから青ネギまでのサラダ材料をボウルに入れ、ドレッシングを加えてよく混ぜる。❸ レタスを器に敷き詰め、②をのせたら、ベイクドビーンズ、茹で卵、サーディンで飾る。

Ghanaian Avocado Salad

ガネイアン・アボカド・サラッドゥ

ガーナの特産品大集合、アボカド、マンゴー、パパイヤのサラダ

アボカドのサラダはアフリカだけでもこの本の中で何度も登場してくる。それだけアフリカでは一般的な食べ物ということだ。ガーナでも重要な産物で、19世紀にイギリスの植民地になる以前から栽培されていたらしい。パパイヤやマンゴーもアジアやラテンアメリカの果物と思われがちだが、ガーナでも栽培が盛んに行われている。

それならば全部一緒にしてしまおうと思ったわけではないだろうが、このサラダの主な材料はこの3つの果物で、さらにキュウリとアフリカの伝統的な食品ピーナッツが加わる。果物にカイエンペッパーという組み合わせもおもしろい。

材料（4人分）

アボカド：2個（1.5cmサイコロ切り）／パパイヤ：1/2個（1.5cmサイコロ切り）／マンゴー：1/2個（1.5cmサイコロ切り）／キュウリ：小1本（輪切り）／パクチー：大さじ4（みじん切り）

ピーナッツミックス
ピーナッツ：大さじ4（砕く）／パプリカパウダー：小さじ3/4／カイエンペッパー：小さじ3/4／シナモンパウダー：小さじ3/4

ドレッシング
紫玉ネギ：小1/2個（みじん切り）／レモン汁：大さじ3／オリーブ油：大さじ2／塩・コショウ：適宜

作り方

❶ ピーナッツミックスの材料をすべて器に入れて混ぜる。❷ 果物とキュウリをボウルに入れ、ピーナッツミックスを大さじ1程度飾り用に残しておいて、残りをボウルに加えて軽く混ぜる。❸ ドレッシングの材料を別の器に入れて混ぜ、②のボウルに加え、果物をできるだけ崩さないように丁寧に混ぜる。❹ 器に盛り、パクチーと残しておいたピーナッツミックスを散らす。

Liberian Potato Salad

リベリア / Liberia

ライベリアン・ポテイトゥ・サラッドゥ

豆やスパムのような調理済肉が入ったボリューム満点のポテトサラダ

リベリアの主食は米で、1日に2度は食べる。キャッサバやサトウキビと同様に自家栽培していることが多いようだ。この他によく食べられているのがジャガイモ、スイートポテト、プランテインなどで、シチューなどにして食べるのが一般的だ。リベリアの料理で最も知られるのがスイートポテトの葉を使ったカレーだろう。ここで紹介するのは葉ではなく芋、しかもジャガイモのサラダだ。シンプルなものはジャガイモにランチョンミート、スパムのような缶詰の調理済肉を足す程度のものもある。ここで紹介しているのは各種豆入りの豪華版。豆の代わりに冷凍のミックスベジタブルを使うレシピもある。

材料（4人分）

ジャガイモ：大2〜3個（茹でて一口大に切る）／缶詰の豆ミックス（なければ好みの調理済豆3〜4種類）：180g／サヤインゲン：10本（湯がいて1/2の長さに切る）／トマト：1個（縦に2か4等分してスライス）／玉ネギ：小1/2（薄くスライス）／コーン（缶詰、冷凍可）：100g／キュウリ：1本（薄く輪切りまたは半月にスライス）／スパムまたは他の缶詰の調理済肉（残り物の肉でもOK）：200g（1cmサイコロ切り）

ドレッシング
ディジョンマスタード：小さじ2／コンソメの素：小さじ1／サラダ油：小さじ1／マヨネーズ：80g／コショウ：適宜／塩（必要ならば）：適宜

作り方

❶ ドレッシングを作る。小さな器にディジョンマスタード、コンソメの素を入れ、熱したサラダ油を加えてよく混ぜる。マヨネーズ、コショウを加えてよく混ぜ、塩味が足りない場合は塩を加える。❷ サラダの材料をすべてボウルに入れ、ドレッシングを加えてよく混ぜる。

Niger's Mango Salad

ニジェール

ナイジャーズ・マンゴー・サラッドゥ

果物をジュースで和えるというちょっと珍しいマンゴーサラダ

　ニジェールの食文化は伝統的なアフリカ料理にポルトガル、イギリス、フランスといったヨーロッパの国、そしてアラブの影響がない交ぜになったものだが、そう言われてもちょっとピンとこない。はっきりしているのはサラダをよく食べるようだということだろうか。

　マンゴーはニジェールで最もよく食べられる果物のひとつで、それにパイナップルやイチゴを加えたのがニジェールのフルーツサラダである。レタスを敷いてその上に切った果物を置くのは一見珍しいが、色々な国で見られる。興味深いのはむしろドレッシングではなくジュースを使うところだ。油も酢も、塩すらも使わない。

材料（4人分）

マンゴー：1個（2cmサイコロ切り）／パイナップル：1/4個（2cmサイコロ切り）／オレンジジュース：120ml／レモン汁：大さじ4／レタス：適宜／イチゴ：4個（スライス）

作り方

❶ マンゴーとパイナップルをボウルに入れ、別の器で混ぜたオレンジジュースとレモン汁を加える。❷ 器にレタスを並べ、それぞれのレタスの葉の上にボウルの中身を盛りつけ、イチゴを飾る。

Nigerian Salad

ナイジェリア Nigeria

|| ナイジェリアン・サラッドゥ

5種類以上の野菜を使い、甘い煮豆まで入った究極のミックスサラダ

　このサラダはキャベツ、レタス、ジャガイモ、トマト、サヤインゲンなど5種類以上の野菜を千切りあるいは小さく切って混ぜたミックスサラダだが、これだけたくさんの野菜をミックスするものは意外と少ない。

　おもしろいのは、さらに煮豆がプラスされることだ。ガーナのサラダでも煮豆を使う。しかも自分で煮るのではなく、どちらも缶詰のものを使う。生野菜のサラダに甘い煮豆というのは一見ミスマッチのような気がするけれど、これが結構合うというのも驚きである。ドレッシングも自分で作ることはあまりなく、サラダクリームという既製品を使う。どちらも銘柄まで指定したりするのだ。

材料（4人分）

キャベツ：小1/4個（千切り）／レタス：葉5～6枚（千切り）／茹でたジャガイモ：1個（1cmサイコロ切り）／茹でたニンジン：小1本（1cmサイコロ切り）／茹でたサヤインゲン：10本（長さ2cmほどに切る）／グリーンピース（缶詰、冷凍可）：60g（茹でる）／トマト：小2個（1cmサイコロ切り）／キュウリ：小1本（1cmサイコロ切り）／ベイクドビーンズ（煮豆）：200g／茹で卵：2個（スライス）

サラダクリーム
マヨネーズ：大さじ4／白ワイン酢：大さじ1／マスタード：小さじ2／砂糖：小さじ1／塩・白コショウ：適宜

作り方

❶ サラダクリームの材料をすべて器に入れてよく混ぜる。❷ 器にベイクドビーンズと茹で卵以外のサラダの材料を、混ぜる、層にする、分けて置くなど好みの方法で盛りつける。❸ 最後に茹で卵を上にのせる。ベイクドビーンズとサラダクリームは別の器に入れて出す。
❹ 個人個人がサラダ、ベイクドビーンズ、茹で卵を小皿に盛り、サラダクリームをかけて食べる。

Salade Niébé

セネガル

サラッドゥ・ニエベ

白い豆に黒い目が光る美しい豆、味も他のサラダをしのぐ豆サラダ

ブラック・アイド・ピーは日本ではササゲと呼ばれているようだ。小豆によく似た赤い豆である。日本にも他の色のササゲはあるようだが、ブラック・アイド・ピーは白く、芽のあるへそとその周りが黒く目のように見えるのでこのような名前が付いたのだろう。柔らかくクリーミーな質感のこの豆は少しばかり土臭さがあり、それが他の豆にはない魅力でもある。多くの豆が新大陸原産なのに対し、この豆はアフリカのセネガルあたりが原産である。トマトなどの野菜とともにシンプルなレモン味のドレッシングで和える。このシンプルさが、豆サラダの中でもトップクラスのサラダに仕立てる。

材料（4人分）

ブラック・アイド・ピー：160g／青ネギ：1本（小口切り）／赤パプリカ：1/2個（粗みじん切り）／トマト：小1個（種を取って小サイコロ切り）／キュウリ：1/2本（種を取って小サイコロ切り）生のチリペッパー：1本または好みの量（みじん切り）／塩・コショウ：適宜

ドレッシング
サラダ油：大さじ4／ライム汁：大さじ2／イタリアンパセリ：大さじ8（粗みじん切り）

作り方

❶ ブラック・アイド・ピーを水で洗い、たっぷりの水に浸して一晩おく。❷ ブラック・アイド・ピーを鍋に入れ、たっぷりの水を加えて火にかけ、沸騰したら弱火にして火が通るまで煮る。煮えたらザルにあけて冷ます。❸ ドレッシングの材料を器に入れてよく混ぜる。❹ ②のブラック・アイド・ピーと残りのサラダの材料をボウルに入れ、ドレッシングを加えてよく混ぜたら、そのまま1時間ほどおいて味を馴染ませる。

The World's Salads

Chapter 6

カリブ海諸島
Caribbean

アンティグア・バーブーダ／バハマ／ヴァージン諸島／キューバ
ドミニカ共和国／グレナダ／ハイチ／ジャマイカ／プエルトリコ
セントルシア／トリニダード・トバゴ

Tropical Curried Chicken Salad

|| トゥロピカル・カリードゥ・チキン・サラッドゥ

鶏肉とパイナップルにカレー味のドレッシングという予想外のサラダ

　アンティグア・バーブーダはアンティグア島、バーブーダ島、レドンダ島という3つの島といくつかの小さな島からなるカリブの国だ。レドンダ島では以前リン鉱石の採掘が行われていたが今は無人島で、住民がいるのは国名の2つの島だけである。

　食文化は奴隷としてこの地を訪れた西アフリカの人々と植民地支配をしていたイギリスの影響が強いが、近年はジャマイカやトリニダード・トバゴの料理も多く見かける。

　このサラダはドレッシングにカレー粉とチャツネが入る。インドっぽい感じだが、実際はジャマイカやトリニダード・トバゴ料理の影響ではないかとも思われる。

材料（4人分）

調理済鶏ムネ肉：300g（1cmサイコロ切り）／パイナップル：250g（1cmサイコロ切り）／好みのレタス：6〜8枚／ココナッツフレーク（できれば生）：大さじ1／レーズン（できればゴールド）：大さじ1

ドレッシング
ココナッツフレーク（できれば生）：大さじ2／レーズン（できればゴールド）：大さじ4／マンゴーチャツネ：大さじ3／カレー粉：大さじ1／レモン汁：1個分／マヨネーズ：120ml／コショウ：適宜

作り方

❶ 鶏肉とパイナップルをボウルに入れて混ぜる。❷ ドレッシングの材料を別の器に入れてよく混ぜたら、①に加えてよく混ぜる。全部一度にではなく味見をしながら加えていく。❸ 器にレタスを敷き詰めてその上にサラダをのせたら、ココナッツとレーズンを散らす。

Spicy Mango and Avocado Salad

アンティグア・バーブーダ
Antigua and Barbuda

|| スパイスィー・マンゴー・アンドゥ・アボカド・サラッドゥ

奇想天外な発想が新たなおいしい料理を生み出すのだと納得のサラダ

　前ページのカレードレッシングの鶏肉パイナップルサラダにも、その組み合わせに驚いたが、このサラダも同じくらいびっくりするに違いない。クリーミーでねっとりしたアボカド、甘いトロピカルフルーツのマンゴー、どちらも個別で美味しい果物である。でも混ぜて食べようという発想は出てこない。さらにピリッとする紫玉ネギ、辛いハラペーニョ、酸っぱいライムとなるともう目を丸くするしかない。

　奇想天外とも言いたくなる、性格も味も食感も違う食材をミックスしてみようという気になったアンティグア・バーブーダの人に乾杯と言いたい。これがなかなかものなのである。

材料（4人分）

マンゴー：1個（1cmサイコロ切り）／アボカド：1個（1cmサイコロ切り）／紫玉ネギ：1/4個（スライス）／生のハラペーニョペッパー：1/2本（みじん切り、好みで種を取り除く）／ライム汁：1個分／塩・コショウ：適宜

作り方

❶ 材料をすべてボウルに入れてよく混ぜる。

Conch Salad

バハマ

コンク・サラッドゥ

カリブの大巻貝、コンクのセヴィチェともいえる生コンクサラダ

　コンクは単に巻貝と訳されるようだが、カリブ海で食用にされるコンクはクイーンコンクとかトゥルーコンクとか呼ばれる大きな巻貝のことを指す。ほら貝サイズとまではいかないけど、大きいものは30cmくらいある。

　バハマに限らずカリブの国々ではシチュー、スープ、フリッターにして食べるが、生食も可。コンクのセヴィチェともいえるこのサラダは、生で食べる料理の代表格である。味つけはライムとオレンジのジュースで、ハラペーニョなどスパイシーなチリペッパーが入るあたりはいかにもラテンアメリカっぽい。マリネすると白っぽくなるので、実際には酸味で調理するともいえる。

材料（4人分）

コンクの身：200g（1cmサイコロ切り）／ライム汁：2個分／オレンジジュース：大さじ5／トマト：1/2個（1cmサイコロ切り）／玉ネギ：1/4個（粗みじん切り）／キュウリ：1/2本（1cmサイコロ切り）／ピーマン：1個（1cm角切り）／生のハラペーニョ：2本または好みの量（みじん切り、好みで種を取り除く）／塩・コショウ：適宜

作り方

❶ 大きなボウルに材料をすべて入れてよく混ぜ、冷蔵庫で2時間ほど味を馴染ませる。本来は生だが、生が苦手あるいは生食が不可のものを使うなら、蒸すなど調理してもいい。

Lobster Salad

ロブスター・サラッドゥ

カリブ海に浮かぶ島国ならではの新鮮ロブスターの豪華サラダ

　一般にロブスターと呼ばれる大きなエビには2種類ある。ひとつはザリガニみたいな大きなハサミがあるやつで、アメリカの北東部でロブスターといえばこれだ。

　ヴァージン諸島はカリブ海とはいえ大西洋の一部といえなくもないので、獲れるのはこのロブスターだと思いきや、何と日本でお馴染みの伊勢海老なのである。ヴァージン諸島北のアネガダではロブスターフェスティバルが開かれるほど、島の人たちのロブスターに対する想いには熱いものがある。

　このサラダのロブスターは生ではなく茹でたものが使われる。空になった尾にサラダを盛りつけるとおしゃれだ。

材料（4人分）

ロブスターの尾：2尾分／ロースト赤パプリカ（生でもOK）：1/4個（1cm角切り）／ピーマン：1個（1cm角切り）／セロリ：1本（粗みじん切り）／キュウリ：小1/2本（1cmサイコロ切り）／紫玉ネギ：大さじ2（みじん切り）／レタスやルッコラなど：適宜

ドレッシング

マヨネーズ：大さじ3／レモン汁と皮：1/2個分／ドライタイム：小さじ1/4／ガーリックパウダー：小さじ1/4／塩・コショウ：適宜

作り方

❶ 鍋にたっぷりの湯を沸かし、ロブスターの尾を殻のまま入れて完全に火が通るまで茹でたら、直ちに冷水に浸けて冷やして、水をふき取る。❷ 茹でたロブスターの殻と背ワタを取り、身を小さな一口大に切る。❸ ドレッシングの材料をすべて器に入れて混ぜる。❹ レタス以外のサラダの材料（ロブスター含む）をすべてボウルに入れ、ドレッシングを加えてよく混ぜる。❺ レタスやルッコラを器に敷き、その上に❹のサラダをのせる。ロブスターの殻やレタスを切らずにそのまま器にしてもいい。

Ensalada de Aguacate, Berro, y Piña

キューバ

|| エンサラダ・デ・アグアカテ, ベロ, イ・ピニァ

アボカド、パイナップル、クレソン。性格の違う3種の食材をミックス

　この本の中だけでもアボカドのサラダはいくつも出てくる。アフリカとラテンアメリカがアボカドサラダの故郷だが、調べているうちに気がついたことがひとつある。アボカドと甘い果物との組み合わせがいくつも出てくるのである。意外な組み合わせのようだけど、実際は様々な国で実証された黄金の組み合わせであることが分かる。

　キューバを代表する農産物であるアボカドとパイナップルにベロ、日本でいえばクレソンをプラスしたのがこのサラダだ。アボカドやパイナップルとはまったく違う、カラシのようなピリッとした辛さを持つクレソンが加わることで、意外性がさらに広がる。

材料 (4人分)

クレソン（葉と柔らかい茎の部分のみ）：100g／パイナップル：300g（一口大に切る）／アボカド：1個（一口大に切る）／紫玉ネギ：1/4個（薄くスライス）／ゴートチーズ（お好みで）：30g／パクチー：適宜（粗みじん切り）

ドレッシング
白ワイン酢：大さじ2／ライム汁：大さじ2／オリーブ油：大さじ3／ニンニク：1片（みじん切り）／クミンパウダー：一摘み／砂糖：小さじ1／塩・コショウ：適宜

作り方

❶ 小さな器にドレッシングの材料を入れてよく混ぜておく。❷ パクチー以外のサラダの材料をすべてボウルに入れ、ドレッシングを加えてよく混ぜる。❸ サラダを器に盛りつけ、パクチーを散らす。

Ensalada Cubano

|| エンサラダ・クバノ

キューバで最も人気のレタス、トマト、玉ネギのシンプルサラダ

外国から見て、その国でよく食べるサラダを勝手にその国の名前を付けて呼んでいることもあるのかもしれないが、たとえそうだとしても、国の名前が付いたサラダは概してその国を代表するサラダであることには変わりがない。日常的なサラダなので、往々にして極めてシンプルである。

エンサラダ・クバノも日本語にすればキューバサラダだ。エンサラダ・ティピカ（典型的なサラダ）とか、キューバ版シーザーサラダなどと呼ぶ人もいる。ラディッシュが入るのは珍しいが、レタス、トマト、玉ネギは普遍の組み合わせだ。ドレッシングもニンニクが入る以外はいたってシンプルである。

材料（4人分）
レタス：10〜12枚（大きめにちぎる）／トマト：中1個（縦に8等分）／紫玉ネギ：1/2個（薄くスライス）／レッドラディッシュ：4〜5個（薄くスライス）

ドレッシング
ニンニク：1片（すりつぶす）／白ワイン酢または米酢：大さじ1／オリーブ油：大さじ2／ライム汁：1/2個分／塩・コショウ：適宜

作り方
❶ ドレッシングの材料を器に入れよく混ぜる。❷ 野菜をすべてボウルに入れ、ドレッシングを加えてよく混ぜる。

Ensalada de Coliflor

ドミニカ共和国

|| エンサラダ・デ・コリフロル

アボカドのドレッシングをたっぷりかけて食べるカリフラワーサラダ

ドミニカ共和国の中央部山岳地帯のコンスタンザはカリブ海に浮かぶ島国であるにもかかわらず、夏でも30度を超えることはあまりない涼しい地域だ。コンスタンザはこの国の農作物生産の中心地で、リンゴ、ケール、キャベツ、ニンジン、ビーツなど様々な野菜や果物を生産している。

カリフラワーもそのひとつだ。カリフラワーはここで紹介するサラダのほか、グラタンやパスタの材料、米のように小さく刻んだカリフラワーライスなどに使われる。

このサラダに使われるドロッとしたドレッシングはアボカドをマッシュして作ったもので、これが甘みのあるカリフラワーとよく合う。

材料（4人分）

カリフラワー：1個（小さな房ごとに切り分ける）／アボカド：1個／サラダ油：大さじ3／レモン汁：大さじ1／アーモンド粉：50g／牛乳：少々／塩・コショウ：適宜

作り方

❶ カリフラワーを好みの硬さに茹でて冷水で冷やし、ザルに上げて水を切っておく。❷ アボカドの中身を1cmサイコロ程度に切ってボウルに入れ、カリフラワー以外の材料を加えてマッシュにする。なめらかなソースになるまで牛乳を加える。❸ カリフラワーを器に盛り、②のドレッシングは別の器に入れて食卓に並べる。❹ カリフラワーを小皿に取り、上にドレッシングをかける。

Ensalada Verde

|| エンサラダ・ベルデ

国産の新鮮な野菜を色々使った最も親しまれているサラダ

　ドミニカ共和国のレストランにランチ時に入って日替わりランチみたいなのを注文すると、必ずついてくるのがこのサラダだ。エンサラダ・ベルデのベルデは緑の意味で、たとえばサルサ・ベルデといえばトマトに似た緑色のトマティーヨを使った緑のサルサである。しかしこのサラダのベルデは緑という意味ではどうもないらしい。新鮮とか、調理をしていないみたいな意味で使われているようだ。調理したビーツが入るので「あれっ」とは思うけど、堅いことは言わず、おいしければそれでよしとしたい。まっ、ビーツも国内で栽培されたものなので、新鮮という点ではまったく異論なしである。

材料（4人分）
リーフレタス：4～5枚／調理済ビーツ（缶詰などでも可）：小1個（スライス）／トマト：小1個（一口大に切る）／アボカド：1個（2cmサイコロ切り）／キュウリ：1本（縦4等分して幅2cm程度に切る）／ピーマン：1個（細切り）

ドレッシング
オリーブ油：大さじ6／リンゴ酢：大さじ3／塩・適宜

作り方
① ドレッシングの材料をすべて器に入れて混ぜる。
② 器にレタスを敷き、その上に他のサラダの材料をお好みでアレンジする。ドレッシングとともに食卓へ。

Breadfruit Salad

‖ ブレッドゥフルートゥ・サラッドゥ

ジャガイモに味が似ているといわれる果物ブレッドフルーツのサラダ

ブレッドフルーツ（パンの実）はジャックフルーツの親戚みたいな果物である。でもジャックフルーツみたいな独特な臭いも味もしない。私は未経験だが、熟したものは生で食べることもあるようだ。甘い香りはするけど甘いわけでもないという話もある。

ブレッドフルーツは熟していないものを調理して食べる。味が焼き立てのパンに似ているのでこういう名前が付いたらしい。でも、どちらかというと茹でたジャガイモに似ている。このサラダもポテサラをブレッドフルーツで作った感じだが、やはり食感などに違いがある。ブレッドフルーツはけっしてジャガイモの代用ではないのである。

材料（4人分）

ブレッドフルーツ：1個／ピーマン：2個（1cm角切り）／セロリ：1本（みじん切り）／紫玉ネギ：小1/4個（みじん切り）／グリーンピースとニンジンのミックス（缶詰または冷凍）：300g（冷凍の場合は調理必要）／茹で卵：2個（細かく刻む）

ドレッシング
白ワイン酢：大さじ1／ディジョンマスタード：小さじ1／マヨネーズ：120〜180ml／塩・コショウ：適宜

作り方

❶ ブレッドフルーツを縦に、メロンのように6か8個にスライスし、皮をむいて芯を取る。1.5〜2cmサイコロに切って鍋に入れ、たっぷりの水と塩小さじ1（材料外）を加えて火にかける。❷ 沸騰したら中火にして、中に火が通るまで煮る。煮えたらザルに上げて水を切る。❸ ドレッシングの材料をすべて器に入れて混ぜる。❹ ②のブレッドフルーツを含めサラダの材料をすべてボウルに入れ、ドレッシングを注いでよく混ぜる。

Grenada Black Bean, Heart of Palm and Corn Salad

グレナダ

グレナダ・ブラック・ビーン，ハートゥ・オブ・パーム・アンドゥ・コーン・サラッドゥ

日本では見かけないヤシの茎とラテンアメリカの黒豆のサラダ

　グレナダの名物料理としてよく掲げられるものが3つある。オレンジソースがかかったローストポーク、前ページのサラダ材料ブレッドフルーツと塩漬け肉のシチュー、そしてナツメグのアイスクリームだ。3つの共通点はスパイスだ。グレナダはスパイスの島といわれることだけのことはあり、この3つの料理にはスパイスがふんだんに使われている。

　どうしてこんな話をしたかというと、ローストポークと必ず一緒に出てくるのがこのサラダだからだ。すべてひっくるめてひとつの料理といっても過言ではない。このサラダの材料で珍しいのはヤシの茎の中心の柔らかい部分、ハーツ・オブ・パームだろう。

材料（4人分）

茹でたブラックビーンズ：200g ／コーン：200g ／ハーツ・オブ・パーム：120g（5mm厚の輪切り）／トマト：2個（2cmサイコロ切り）／紫玉ネギ：小1/2個（みじん切り）／パクチー：大さじ8（粗みじん切り）／ベビースピナッチ（生食用のホウレン草。なければルッコラ、春菊など生食可能な緑色野菜）：適宜／イタリアンパセリ：適宜（みじん切り）／アボカド：1個（スライス）／塩・コショウ：適宜

ドレッシング

オリーブ油：大さじ4 ／ライム汁：1個分／コリアンダーパウダー：小さじ1

作り方

❶ ドレッシングの材料を小さな器に入れてよく混ぜる。❷ パクチーまでのサラダの材料をボウルに入れ、ドレッシングを注いでよく混ぜたら、塩とコショウで味を調える。❸ 器にベビースピナッチを敷き詰め、その上に②のサラダをのせる。❹ イタリアンパセリを散らし、アボカドで飾る。

Pikliz

ピクリース

辛さトップクラスのスコッチボネットが入ったキャベツのピクルス

　ハイチの料理は国民の祖国であるアフリカ、地理的に属しているカリブ海の国々、そして植民地として支配していたフランスの食文化をミックスした感じだろうか。メインディッシュである肉料理やシチューは結構ヘビーなものが多い。

　そのこってりした料理とバランスを取るかのような爽やかな料理が、このピクリースである。このサラダはキャベツのピクルスで、ライム汁と酢に数日間漬け込んで作る。同じようなサラダにエルサルバドルのクルティードがある。このサラダの特徴は何といっても辛いこと。最もよく使われるのは激辛チリペッパーの代表格、スコッチボネットだ。

材料（6〜8人分）

キャベツ：1/4個（千切り）／紫玉ネギ：小1個（薄くスライス）／ニンジン：1本（シュレッド）／ピーマンまたはパプリカ：1個（パプリカの場合は1/2個）(薄くスライス)／青ネギ：1本（小口切り）／スコッチボネット（なければ好みの生のチリペッパー）：1本（種を取って薄くスライス）／ニンニク：4片（みじん切り）／粒コショウ：12粒／オリーブ油：大さじ2／ライム汁：1/2個分／リンゴ酢または白ワイン酢：250ml＋α／塩：小さじ1

作り方

❶ 粒コショウまでの材料をすべてボウルに入れて、よく混ぜる。❷ オリーブ油とライム汁を加えて混ぜたら、瓶などに入れて酢を注ぐ。野菜が全部かぶらない場合は酢を足す。❸ 最低3日間、冷蔵庫で寝かせる。

Jamaican Jerk Chicken Salad

ジャマイカ Jamaica

ジャメイカン・ジャーク・チキン・サラッドゥ

ジャマイカといえばジャークチキン、食べ残しは当然サラダに

　今やカリブ海のシンボル的な存在ともいえるジャーク・シーズニングは、オールスパイスとスコッチボネットを主な材料とするジャマイカのスパイスミックスである。ジャークとはもともとは干し肉の意味らしく、この言葉から発生してビーフジャーキーのジャーキーになったようだ。

　このスパイスミックスを使った代表的な料理が、サンドイッチの具としてもよく知られるジャークチキンだ。このサラダには普通食べ残しのジャークチキンが使われる。なので肉をスライスして上にのせるのではなく、肉を細かく裂くか切って、他の材料と混ぜることのほうが多いようだ。

材料（4〜6人分）

鶏モモ肉（皮、骨なし）：400g／ジャークシーズニング＊：小さじ2／サラダ油：適宜／ロメインレタス：8枚／アボカド：1個（スライス）／パイナップル：1/6個または缶詰1/2缶（一口大に切る）／赤パプリカ：1/2個（スライス）／キュウリ：1本（輪切り）

ドレッシング
オリーブ油：大さじ3／ライム汁と皮：1/2個分／ハチミツ：大さじ1／ディジョンマスタード：大さじ2／ジンジャーパウダー：小さじ1/2／リンゴ酢：小さじ1/2

＊ジャークシーズニング
オールスパイス、ドライタイム、塩、コショウ、砂糖：各小さじ1／ガーリックパウダー、チリペッパー（本来はスコッチボネット）：各小さじ1/2／シナモンパウダー、ナツメグ：各小さじ1/4

作り方

❶ オーブンを200度にセットする。ジャークシーズニングの材料をよく混ぜて、肉にすり込むようにしてまぶし、30分〜1時間おく。❷ 肉全体にサラダ油を塗ってオーブンで30分ほど、完全に火が通るまで焼く。❸ ドレッシングの材料をすべて小さな器に入れてよく混ぜる。❹ サーブ用の器にロメインレタスを一口大にちぎって敷き詰め、その上に野菜と果物をのせる。❺ 焼いた鶏肉をスライスして上にのせ、ドレッシングを上から適量かける。

Jamaican Fruit Salad

ジャマイカ

ジャメイカン・フルートゥ・サラッドゥ

チェリーリキュールとブランデーがこのフルーツサラダの決め手

　ジャマイカに限らず、カリブ海の国々は果物天国である。サパディヤス、オタヘイテアップル、サポディーヤ、カシューの実など見たことも聞いたこともない果物がいくつもある。手に入らないのは仕方がない。ひとつでも見つかればラッキーと思えばいい。でもバナナ、マンゴー、パイナップルといった簡単に手に入るトロピカルフルーツだけでも一向にかまわない。リンゴやイチゴ、キウイなどを加えてもいい。このサラダで果物と同様に重要なのは味つけである。ジャマイカではマラスキーノというチェリーリキュールが使われるが、他のチェリーリキュールでもオレンジリキュールでもかまわない。

材料（4～6人分）

オレンジ：1個／パイナップル：1/2個／マンゴー：小1個／バナナ：1本／サポディーヤ（なければ洋ナシ）：1個／メロン：1/4個／オタヘイテアップル（なければ普通のリンゴ）：1個／チェリーまたはオレンジリキュール（トリプルセックなど）：大さじ1／ブランデー：大さじ1／ココナッツフレーク（できれば生）：大さじ8

作り方

❶ オレンジは汁を受け止めるために器の上で果実のみを取り出して一口大に裂き、残りは絞って作業中に出てきたジュースと一緒に器に取っておく。❷ パイナップル1/4個分は絞る、あるいはブレンダーにかけてジュースにして、①の取っておいたオレンジジュースと混ぜる。❸ 残りのパイナップル1/4個と他の果物は小さめの一口大に切る。❹ ②のオレンジとパイナップルジュースに、チェリーまたはオレンジリキュールとブランデーを加えて混ぜる。リキュールとブランデーはアルコール分を飛ばしてもOK。❺ 大きなボウルに③の果物とココナッツを入れ、④のジュースを注いで混ぜたら、冷蔵庫でよく冷やす。

Ensalada de Repollo

プエルトリコ Puerto Rico

|| エンサラダ・デ・レポイヨ

アボカドやトマトもたっぷり入ったプエルトリコのコールスロー

　灼熱の太陽に青い海というカリブ海のイメージにキャベツは何となく似つかわしくない気がするが、カリブ海の国々でもキャベツは最もよく食されている野菜のひとつであることは、少しばかり驚きである。

　キャベツのサラダは大雑把には2種類ある。どちらも千切りにするか細かく切るという点では共通している。ひとつはマリネあるいは酢などにある程度の時間漬け込む漬物系で、もうひとつはマヨネーズなどで味つけするコールスロー系である。このプエルトリコのサラダはマヨネーズは使わないものの、漬物系にはないトマトとかアボカドといった野菜が入るので、コールスロー系といえる。

材料 (4人分)

キャベツ：1/4個（千切り）／紫玉ネギ：小1/2個（スライス）／ニンジン：1本（削ぎ切りまたは千切り）／アボカド：1個（1cm角切り）／トマト：1個（1cmサイコロ切り）／レッドラディッシュ：3個（半月にスライスまたは千切り）／パクチー：大さじ4（みじん切り）

ドレッシング

オリーブ油：大さじ4／リンゴ酢またはレモン汁：大さじ2／クミンパウダー：小さじ1／ハチミツ：小さじ2／マスタード：小さじ1/2／塩・コショウ：適宜

作り方

❶ ドレッシングの材料をすべて小さな器に入れてよく混ぜる。❷ サラダの材料をすべてボウルに入れて混ぜたら、それぞれの器に分け、ドレッシングをかける。

Ensalada de Coditos

プエルトリコ

| エンサラダ・デ・コディトス

ちょっと変わったオリーブが入ったプエルトリコ版のマカロニサラダ

コディトスの意味はエルボー、つまり肘のことだ。肘のサラダとはまた変わった名前だと最初は思ったけど、何てことはない、すぐにショートパスタの名前だということに気がついた。おそらくポテサラと同じくらい人気があるマカロニサラダだったのだ。

アメリカでも日本でも、オーストラリアでもハワイでも、マカロニサラダはマヨネーズ味である。そのためかポテサラと合体することもよくある。

どのマカロニサラダも同じようなものだが、少しずつ違っているのは興味深い。プエルトリコのものは、他のマカロニサラダではあまり見ないオリーブ入りである。

材料（4人分）

マカロニ：150g／ハム（できればブロック）：100g（小サイコロ切り、スライスハムなら1cm角切り）／チーズ（できればブロック）：80g（小サイコロ切り、スライスチーズなら1cm角切り）／ニンジン：小1/2本（小サイコロ切り）／紫玉ネギ：小1/4個（みじん切り）／オリーブ：4個（みじん切り）／茹で卵：2個（粗みじん切り）

ドレッシング

マヨネーズ：大さじ2〜3／水：小さじ1／マスタード：小さじ1／ガーリックパウダー：小さじ1/2／塩・コショウ：適宜

作り方

❶ マカロニを好みの硬さに茹で、ザルにあけておく。
❷ ドレッシングの材料をすべて器に入れて混ぜる。
❸ サラダの材料をすべてボウルに入れ、ドレッシングを加えてよく混ぜる。

Serenata de Bacalao

セレナタ・デ・バカラオ

プエルトリコ

サラダを食べながら愛を語る？ 名前はコッド（タラ）のセレナーデ

　食文化的にスペインの影響を強く受けているからだろうか、シチュー、フリッター、スープなど塩ダラを使った料理がいくつもある。このサラダもそのひとつだ。

　どうしてこのような名前になったのかは分からないが、セレナタ・デ・バカラオ、タラのセレナーデとはまたおしゃれな名前である。スペインにも同じ名前のサラダがあるか調べてみたが見つからなかった。どうもプエルトリコ独特のサラダらしい。ユカ／キャッサバやタロイモ、アボカドが入るあたりはいかにもラテンアメリカらしい。ドレッシングはシンプルなケッパー入りのオイルベースなので、魚のサラダだが比較的さっぱりしている。

材料（4人分）

塩ダラ（棒ダラでもOK）：450g／ジャガイモ、サツマイモ、ユカ、里芋などの根菜ミックス：450g（皮をむいて小さめの一口大に切る）／トマト：小2個（半月にスライス）／赤パプリカ：1/2個（細切り）／ピーマン：2個（細切り）／紫玉ネギ：1/4個（みじん切り）／茹で卵：3個（縦4等分）／アボカド：1個（スライス）

ドレッシング
オリーブ油：大さじ3／白ワイン酢：大さじ2／ケッパー：大さじ2／塩・コショウ：適宜

作り方

❶ 塩ダラの表面についた塩を洗い流し、たっぷりの水に浸して半日塩抜きする。途中1〜2回水を替える。❷ 鍋にたっぷりの湯を沸かし、塩ダラを入れて火が通るまで煮たらザルに上げて冷まし、手で大きめに裂く。鍋の湯は捨てない。❸ 同じ鍋に根菜を加えて、中火で火が通るまで煮たらザルにあけて冷ます。❹ ドレッシングの材料を器に入れて混ぜる。❺ 茹で卵とアボカド以外のサラダの材料（タラも含め）をボウルに入れ、ドレッシングを加えてよく混ぜたら、30分ほどそのまま味を馴染ませる。❻ サラダを器に盛り、茹で卵とアボカドをのせる。

Yuca en Escabeche

プエルトリコ

ユカ・エネスカベチェ

ニンニク入りのドレッシングでマリネした根菜キャッサバのサラダ

一般にキャッサバと呼ばれる新大陸原産の根菜はスペイン語でマンディオカというが、カリブ海諸国の多くがスペイン語を公用語とするにもかかわらず、マンディオカではなくユカと呼ぶ。日本では馴染みのないユカだがラテンアメリカ、東南アジア、アフリカでは最も重要な食材のひとつで、炭水化物の摂取源としては米、トウモロコシに続き世界第3位と上位につけている。

調理済みのユカはジャガイモに似ているが、より密で澱粉も多いためかねっとりしているものの、ホクホク感もある。エスカベッシュは本来魚や肉のマリネのことをいうが、もちろんこのサラダでマリネするのはユカである。

材料（4人分）

ユカ（キャッサバ、冷凍可）：450g／グリーンオリーブ：8個／ロースト赤パプリカ：1/2個（1cm角切り）

ドレッシング
オリーブ油：160ml／玉ネギ：小1個（スライス）／ニンニク：3片（みじん切り）／ローリエ：2枚／白ワイン酢：大さじ4／塩・コショウ：適宜

作り方

❶ 鍋に塩一摘みを加えた湯を沸かし、ユカを大きいまま加えて火が通るまで煮る。❷ ユカをザルに上げて水を切り、それぞれを縦半分に切って中央の繊維を取り除いたら、大きめの一口大に切る。❸ ドレッシングを作る。フライパンあるいは鍋にオリーブ油を加えて熱し、熱くなったら中火にして玉ネギを加えて透き通るまで炒める。ニンニク、ローリエ、酢、塩とコショウ一摘みを加えて数分煮たら、火から下ろして冷ます。❹ボウルに❷のユカ、❸のドレッシング、オリーブ、赤パプリカを入れて混ぜ、塩とコショウで味を調える。

Green Fig Salad

‖ グリーン・フィグ・サラッドゥ

フィグはイチジクのこと。でもセントルシアでは違う食べ物らしい

　夏が近づくと恋しくなってくるフィグ（イチジク）は生ハムと一緒に食べると最高にうまい。サラダも然り。フィグと聞くとついこんなことを考えてしまう。カリブ海でもイチジクは食べられるのか。カリブ海の国々にもイチジクはあるらしい。

　カリブの島国セントルシアの国民食といわれるこのサラダに使われているのがグリーンフィグだ。でも甘いイチジクを思い浮かべてはいけない。実はセントルシアや周辺の国ではグリーンバナナのことをフィグと呼んでいる。グリーンバナナは調理するとジャガイモみたいにほっくりとした食感で、ジャガイモに負けず劣らずおいしいのである。

材料（4人分）

塩ダラ（棒ダラでも可）：150g／グリーンフィグ（グリーンバナナ）：3～4本／ニンニク：2片（1片はみじん切り）／サラダ油：大さじ1／ミックスベジタブル：200g／赤パプリカ：1/2個（1cm角切り）／青ネギ：2本（小口切り）／イタリアンパセリ：適宜（みじん切り）

ドレッシング
マヨネーズ：80ml／ニンニク：1片（すりおろす）／玉ネギ：小1個（すりおろす）／塩・コショウ：適宜

作り方

❶塩ダラの表面についた塩を洗い流し、たっぷりの水に浸して半日塩抜きする。途中1～2回水を代える。❷塩抜きしたタラの水分をふき取り、手で裂く。❸鍋にたっぷりの湯を沸かす。グリーンフィグの両端を切り落とし、皮に縦に切れ目を入れて、ニンニク1片とともに鍋に加える。❹バナナの中まで火が通ったらザルに上げて冷まし、冷めたら1.5cmくらいのサイコロに切る。ニンニクは捨てる。❺フライパンにサラダ油を加えて熱し、❷のタラを加えて1分ほど炒めたらみじん切りしたニンニクを加えて、香りが出てくるまで炒める。ミックスベジタブルを加えて2分ぐらい炒めたら、火を消して冷ます。❻ドレッシングの材料をすべて器に入れてよく混ぜる。❼ボウルにイタリアンパセリ以外のサラダの材料を入れ、❺のフライパンの中身、ドレッシングを加えてよく混ぜる。❽サラダを器に盛りつけ、イタリアンパセリを散らす。

Buljol

| ブルジョル

可能ならば超激辛なチリペッパーを使ってみたい塩ダラのサラダ

ラテンアメリカではほんとうによくチリペッパーを使うし、辛くないものからとてつもなく辛いものまで種類も豊富だが、辛さではトリニダード・トバゴのチリペッパーだ。

モルガスコーピオンはスーパーホットなチリペッパーの代表だ。もうひとつはモルガスコーピオンと比べるとはるかにマイルドなスコッチボネットで、マイルドといってもハラペーニョなどよりはるかに辛い。このサラダもこうしたチリペッパーを使うべきだろうが、好みで選ぶのが得策といえる。

このサラダの主役は塩ダラだ。その昔アメリカやカナダとの貿易で砂糖などと交換したのが、カリブの塩ダラ好きの始まりらしい。

材料（4人分）

塩ダラ（棒ダラでもOK）：450g／トマト：2個（小サイコロ切り）／ピーマン：1個（小サイコロ切り）／赤パプリカ：1/2個（小サイコロ切り）／玉ネギ：小1個（みじん切り）／青ネギまたはパクチー：大さじ2（みじん切り）／生のチリペッパー（ハバネロなど、お好みで）：小さじ1/4または好みの量（みじん切り）／オリーブ油：大さじ2／塩・コショウ：適宜

作り方

❶ 塩ダラの表面についた塩を洗い流し、たっぷりの水に浸して半日塩抜きする。途中1〜2回水を替える。
❷ 鍋にたっぷりの湯を沸かし、タラを入れて火が通るまで煮たらザルに上げて冷まし、手で大きめに裂く。
❸ タラを含め、材料をすべてボウルに入れてよく混ぜ、塩とコショウで味を調える。

The World's Salads
Chapter 7

ラテンアメリカ
Latin America

ベリーズ／エルサルバドル／グアテマラ／メキシコ／ニカラグア／パナマ
アルゼンチン／ボリビア／ブラジル／チリ／エクアドル／ギアナ
パラグアイ／ペルー／スリナム／ウルグアイ

Belizean Potato Salad

|| ベリズィアン・ポテイトゥ・サラッドゥ

味つけがマヨネーズとは少し違うエバミルク入りのポテトサラダ

　日本ではポテトサラダというとマヨネーズだけども、アフリカ、アメリカ、一部ヨーロッパでは代わりにサラダクリームが使われることがよくある。マヨネーズもサラダクリームも基本的には同じ材料で作られていて、違いはその比率だ。市販のサラダクリームは油より酢が多く、マヨネーズは逆。また、マヨネーズは卵黄の割合がサラダクリームよりも大きい。このポテトサラダで使われているのはサラダクリームだ。ベリーズのポテサラはサラダクリームを別にすれば普通のポテサラと同じように見えるけど、それが違うのだ。砂糖を入れる代わりに甘いエバミルクというのは、このサラダくらいだろう。

材料（4人分）

ジャガイモ：3〜4個／セロリ：1/2本（みじん切り）／ミックスベジタブル（缶詰または冷凍）：120g／ピーマン（お好みで）：1/2個（1cm角切り）／玉ネギ（お好みで）：大さじ2（みじん切り）／茹で卵：2個（細かく刻む）

ドレッシング

サラダクリーム*：80ml／エバミルク：40ml／塩・コショウ：適宜

*サラダクリーム

茹で卵（黄身のみ）：1個／マスタード：大さじ1／レモン汁：小さじ2／白ワイン酢：大さじ1／生クリーム：80ml／砂糖：小さじ1／塩・コショウ：適宜
●材料をすべてよく混ぜる。

作り方

❶鍋にジャガイモを皮ごと入れ、たっぷりの水を注いで火にかける。中火でジャガイモが柔らかくなるまで茹でたらザルに上げ、冷めたら1cm程度のサイコロに切る。❷ドレッシングの材料を器に入れてよく混ぜる。❸ジャガイモを含めサラダの材料をすべてボウルに入れ、ドレッシングを加えてよく混ぜる。

Refresco de Ensalada de Fruta

エルサルバドル

レフレスコ・デ・エンサラダ・デ・フルタ

ラテンアメリカ版フルーツパンチともいえる飲むフルーツサラダ

　エンサラダ・デ・フルタはフルーツサラダの意味。レフレスコはリフレッシュするという意味だが、ここではソフトドリンク、日本語で言えばジュースの意味のようだ。このサラダは食べるサラダというよりも、飲むサラダといったほうがいいかもしれない。なぜ飲むサラダなのか。ジュースの中で漂うフルーツを見れば納得するだろう。

　果物の種類が豊富なラテンアメリカのフルーツサラダとあって、他では手に入りにくい果物も実際は使われる。ではそうした果物は必須なのかといえば、そんなことはない。入手可能な果物を使っても同じようにおいしいフルーツサラダジュースが味わえる。

材料（4〜6人分）

パイナップル：1/4個（小サイコロ切り）／マンゴー：1/2個（小サイコロ切り）／リンゴ：1/2個（小サイコロ切り）／メロン：1/4個（小サイコロ切り）／オレンジ：1個（果実のみ小さく裂く）／カシューフルーツ（お好みで）：1個（小サイコロ切り）／サポディーヤ（お好みで）：1個（小サイコロ切り）／砂糖：大さじ3／塩：一摘み／オレンジジュース：200ml／パッションフルーツジュース（お好みで。なければオレンジジュース）100ml／水：200ml

作り方

❶ すべての材料が余裕で入る器を用意し、まず果物を入れ、砂糖、塩を加えてよく混ぜる。❷ ジュースを加えてさらに混ぜ、冷蔵庫で十分冷やす。

Fiambre

|| フィアムブレ

材料が100種類を超えることもあるというおそらく世界最大のサラダ

　フィアムブレは11月1日の死者の日に出されるサラダだ。野菜、肉、ハムやソーセージ、魚介類、茹で卵、チーズなど何十種類もの食材が大皿に盛りつけられる。50種類、時には100種類にもなるというから驚きだ。まさにサラダの王様の風格である。

　死者の日に故人の好きだったものを皆が持ち寄り、それでサラダを作ったのが始まりである。今はそのような風習はないようだがサラダ自体は健在で、死者の日の前日に準備される家庭料理である。材料は地方、家庭によって違い、代々受け継がれてきたレシピにしたがって作られることも少なくない。普通パセリがいっぱい入ったドレッシングで食べる。

グアテマラ Guatemala

材料（4人分）

レッドリーフレタス：3〜4枚／グリーンリーフレタス：3〜4枚／茹でたジャガイモ：1個（一口大に切る）／茹でたカリフラワー：1/3個分／茹でたアスパラガス：4本（2〜4cmの長さに切る）／茹でた鶏ムネ肉：150g（一口大に切る）／茹でたエビ：80g／チョリソ（調理して斜め切り）、ロンガニッサ（リングイッサ。調理して斜め切り）、ハム（細切り）、ソフトサラミ（輪切り）、モルタデッラ（細切り）：計200g（この中から3〜4種類選ぶ）／ケソフレスコまたはフェタチーズ：40g（手で砕く）／ザカパチーズまたはパルメザンチーズ：40g（すりおろす）／調理済あるいは漬物のビーツ：小1個（スライス）／レッドラディッシュ：4個（花形に切る）／オリーブ：8個／小さなキュウリのピクルス：8本／茹で卵：1個（櫛形またはスライス）／パカヤス（ヤシ科の一種の花。お好みで）：1本（食べやすい大きさに切る）

ドレッシング

イタリアンパセリ：15g（粗みじん切り）／青ネギ：2本（小口切り）／ニンニク：小1片（みじん切り）／ショウガ：5g（みじん切り）／白ワイン酢：40ml／ケッパー：小さじ2／ディジョンマスタード：小さじ1／ハチミツ：小さじ1／オリーブ油：大さじ5／塩・コショウ：適宜

作り方

❶ ドレッシングを作る。ハチミツまでの材料をブレンダーに入れてピュレにし、オリーブ油を少しずつ加えながら乳化させる。塩とコショウで味つけする。❷ 2種類のレタスを大皿に敷き、その上にチーズまでの材料をアレンジする。❸ 残りの材料を上に飾る。❹ 小皿にサラダを取り、ドレッシングをかける。

Ensalada en Escabeche

グアテマラ

|| エンサラダ・エネスカベチェ

野菜をお酢入りマリネ液でマリネした浅漬け的なサラダ

　エスカベチェ（エスカベッシュ）は魚や肉を酢などが入ったマリネ液に漬ける料理だが、今では野菜であってもこの言葉を使うようになった。日本でいえば浅漬けに近いかもしれない。

　主に使われる野菜はカリフラワー、サヤインゲン、ニンジンなどで、硬めに茹でた後にハーブを加えた白ワイン酢または酢を水で希釈したマリネ液に1日漬け込む。好みにもよるがほとんどの場合、野菜と一緒にチリペッパーが加えられる。トーストしたトルティーヤの上にのせてグアテマラ版エンチラーダにしてもおいしい。日持ちがいいので、多めに作っておくと漬物的に使える。

材料（4人分）

カリフラワー：1/4個（小房に切り分ける）／サヤインゲン：10〜12本（2〜3cmの斜め切り）／ニンジン：1本（斜め切り、太い場合は縦半分に切ってから斜め切り）／グリーンピース（冷凍可）：120g／オリーブ油：大さじ1／玉ネギ：小1個（スライス）／生のチリペッパー：1〜2本（小口切り）／タイム：1枝（ドライなら小さじ1/2）／ローリエ：1枚／ドライオレガノ：少々／水：120ml／白ワイン酢：大さじ4／塩・コショウ：適宜

作り方

❶ 鍋にたっぷりの湯を沸かし、塩一摘みを加えてカリフラワー、サヤインゲン、ニンジンをそれぞれ少し硬めに茹でる。グリーンピースはさっと湯がいておく。
❷ 材料がすべて入る大きめのフライパンか鍋にオリーブ油を熱し、玉ネギを加えて透き通るまで炒めたら、チリペッパー、タイム、ローリエ、オレガノ、塩小さじ1程度、コショウ少々を加えて、香りが出てくるまで炒める。❸ ①の野菜を②のフライパンに加えて混ぜたら火を消し、水、白ワイン酢を加えて混ぜ、塩とコショウで味を調える。❹ 瓶などに詰めて、冷蔵庫で最低1日寝かせる。食べる時はレタス、茹で卵などと一緒にトルティーヤなどの上にのせてもいい。

Chojin

グアテマラ Guatemala

チョヒン

豚皮を揚げたスナック入りのレッドラディッシュとトマトのサラダ

チョヒンはレッドラディッシュとトマトのシンプルなサラダだ。飾りとして使われるチチャロンは大まかに2種類あって、バラ肉のものと豚皮を揚げたスナックみたいなものがある。バラ肉チチャロンはペルーのサンドイッチが知られている。このサラダで使われているのは豚皮のチチャロンである。ちょっと見た感じは日本にもあるフワフワの揚げ菓子に似ている。作るとなると皮を乾燥させたり、揚げ油の温度を気にしたりと面倒臭いけど、幸いアメリカではスナックとして大体どこのスーパーでも手に入る。ドレッシングはオレンジとレモンのジュースで作る。ミントの葉と相まって爽やかな仕上がりである。

材料（4人分）

レッドラディッシュ：20～30個（300g程度、小さく刻む）／トマト：2個（小さく刻む）／紫玉ネギ：小1個（粗みじん切り）／ミント：大さじ2（みじん切り）／ハラペーニョまたは他の生のグリーンチリペッパー：1本または好みの量（みじん切り）／チチャロン（ポークリンド。豚の皮を揚げたもの）：20g

ドレッシング
オレンジジュース：半個分／レモン汁：1個分／塩・コショウ：適宜

作り方

❶ドレッシングの材料をすべて小さな器に入れてよく混ぜる。❷ボウルにチチャロン以外のサラダの材料をすべて入れ、ドレッシングを注いでよく混ぜる。❸サラダを器に盛り、チチャロンを散らす。

Caesar Salad

メキシコ

スィーザー・サラッドゥ

大人気のロメインレタスのサラダの元祖はメキシコにあり

日本でもお馴染みのシーザーサラダだけど、ローマのジュリアス・シーザーとはまったく関係ない。アメリカで最も人気のあるサラダのひとつなので、アメリカのサラダだと思っている人も多いに違いない。でもこれも間違い。メキシコのレストランオーナーの名前なのである。つまり起源はイタリアでもアメリカでもなく、メキシコなのだ。

これはオリジナルのシーザーサラダ。見た目が全然違う。ロメインレタスはちぎらずにそのまま、ドレッシングには卵黄とアンチョビが入る。クルトンを使うことも多いが、元祖を見るとスライスしてトーストしたバゲットがそのままボンとのっているのだ。

材料（4人分）

ロメインレタス：1個／パルメザンチーズ：大さじ3（すりおろす）

ガーリックトースト
バゲットのスライス：4枚／無塩バター（室温）：大さじ1／オリーブ油：大さじ1／ニンニク：1片（すりおろす）／塩・コショウ：少々

ドレッシング
アンチョビ：3〜6枚（好みで増減、ペーストにする）／パルメザンチーズ：大さじ1（すりおろす）／ウスターソース：小さじ1／ディジョンマスタード：小さじ1/2／ライム汁：1個分／卵黄：1個分／オリーブ油：180ml／コショウ：適宜

作り方

❶ オーブンを200度にセットする。❷ バゲット以外のガーリックトーストの材料をボウルに入れてよく混ぜたら、バゲットを加えてよく混ぜる。❸ アルミ箔などを敷いたトレイにバゲットを重ならないように広げ、オーブンで20分程度、表面がこんがり黄金色になるまで焼く。オーブンから取り出して冷ましておく。❹ ロメインレタスを葉ごとに切り分け、よく洗ってザルにあけて水を切っておく。❺ ライム汁までのドレッシングの材料を大きなボウルに入れて、クリーム状になるまでよく混ぜる。❻ 卵黄を加えてさらに混ぜ、オリーブ油を少しずつ加えながら、なめらかなるまで混ぜる。❼ ロメインレタスを❻のボウルに加え、葉がちぎれないように注意しながらよく和える。❽ レタスを器に盛り、ガーリックトースト、サラダ用のパルメザンチーズを上に散らす。

Bionico

|| ビオニコ

メキシカンストリートフードの最高峰ともいわれるデザートサラダ

　ビオニコはメキシコで最も人気のあるストリートフードで、アイスクリームショップやジュースバーでも必ず置いてあるデザートサラダである。1990年代にハリスコ州のグアダラハラで、あるストリートフードの店で売り始めたのが始まりだ。今やメキシコだけでなく一部アメリカでもポピュラーだ。果物だけでなく、ソース、トッピングも魅力的だ。

　他のラテンアメリカのフルーツサラダと違い、どんな果物でもいいのがビオニコの魅力である。ソースにはメキシカンクレマと呼ばれるクリームのようなものが使われるが、これはサワークリームで代用できる。ヨーグルトはなくてもいい。

材料（4人分）

マンゴー：1/2個（1〜2cmサイコロ切り）／イチゴ：8〜10個（1〜2cmサイコロ切り）／カンテロープ：1/4個（1〜2cmサイコロ切り）／パイナップル：1/4個（1〜2cmサイコロ切り）／ピーカンナッツ：大さじ4（砕いり）／レーズン：大さじ4／ココナッツフレーク：大さじ4／グラノーラ：大さじ4
●果物は好みのもので構わない。切った果物の総量が1リットルくらいになるのが目安。

ソース
メキシカンクレマまたはサワークリーム：120ml／ヨーグルト：80ml／コンデンスミルク：80ml／バニラエッセンス：小さじ1

作り方

❶ ソースの材料をすべてボウルに入れてよく混ぜる。
❷ カップを4つ用意し、それぞれにソースを大さじ2ずつ注ぎ、その上に好みの果物をのせる。❸ 果物の上にソースを大さじ1かけ、残りの材料を大さじ1ずつかける。

Ensalada de Nopales

|| エンサラダ・デ・ノパレス

ちょっとおもしろい味と食感を持つウチワサボテンのサラダ

　月並みで偏見も見え隠れするけど、砂漠に生えたトゲトゲのサボテンというのがメキシコと聞いてイメージする風景である。でもこれを食べるとまでは、なかなか想像できない。
　食用とされるサボテンはプリックリーペアカクタスというウチワサボテンの仲間で、アメリカでも緑のわらじのようなこのサボテンをスーパーなどで見かける。もちろんトゲを取ってから焼いたり茹でたりするのだが、調理したサボテンの葉はオクラに似たネバネバ感があり、サヤインゲンのような食感で少しばかり酸味がある。焼いてステーキにしてもいいが、サラダもまたよし。トルティーヤで包んで食べるとこれまたうまい。

材料（4人分）

サボテンの葉：2枚／トマト：小2個（1.5cmサイコロ切り）／紫玉ネギ：1/2個（みじん切り）／パクチー：大さじ4（みじん切り）／ケソアニェホ、ケソコティハまたはフェタチーズ：大さじ3（砕く）

ドレッシング
サラダ油：大さじ2／ライム汁：1個分／オレガノ（できればメキシカンオレガノ）：小さじ1/4／塩・コショウ：適宜

作り方

❶ サボテンのトゲを取って、外辺に沿って5mm幅くらいを切り落としてきれいに洗う。❷ 1.5〜2cm角に切ったら水（塩と酢を小さじ1ほど加える。材料外）を張ったボウルに入れて、5分ほど浸しておく。❸ サボテンをザルに上げて水を切り、鍋に入れてたっぷりの水を加えて火にかける。❹ 柔らかくなるまで、だいたい5分くらい中火で茹でたらザルに上げて冷水に浸して、またザルにあけて水を切っておく。❺ ドレッシング材料をすべて器に入れてよく混ぜる。❻ 茹でたサボテンと野菜をボウルに入れ、ドレッシングを注いでよく混ぜる。❼ サラダを器に盛りつけて、チーズを上に散らす。

Esquites

エスキテス

コーンのおいしさが凝縮されたストリートフードの代表スナック

　ビオニコがメキシカンストリートフードを代表するデザートなら、エスキテスは文句なしにスナックの代表である。キャラメライズされたコーンの甘さ、チリペッパーの辛さがうまい具合に絡み合うだけでなく、クリーミーでなおかつライムの香りがプンとする。これがエスキテスの人気の秘密だ。

　エスキテスと人気を二分するエロテス（焼きトウモロコシ）がある。エロテスのように丸焼きにしないで、トウモロコシの粒を穂軸から切り取って炒めたのがエスキテスだともいえる。ストリートフードなので普通はカップに入れられる。最後にチーズとホットソースをかけるのを忘れないように。

材料（4人分）

サラダ油：大さじ2／コーン（できれば生）：450g（冷凍の場合は解凍、生の場合は身を芯から切り落とす）／セラーノチリペッパー（なければハラペーニョ）：1本（粗みじん切り）／パクチー：20g（ざく切り）／青ネギ：1本（小口切り）／エパゾテ（ハーブの一種。お好みで）：小さじ1／塩：適宜

ソースその他
メキシカンクレマ（なければサワークリーム）、マヨネーズ、コティハチーズ（なければフェタチーズ、手で砕く）、ホットソース
●すべて好みの量

作り方

❶ フライパンにサラダ油を熱し、十分熱くなったらコーンを平らに敷き詰めて、上から全体に塩を一摘み振りかける。混ぜずにそのまま蓋をして3分ほど、フライパンに接している部分に焦げ目がつくまで蒸し焼きにする。火から下ろしてそのまま十数秒放置したあと、フライパンを揺すってコーンをほぐす。フライパンが小さい場合は2回に分けて蒸し焼きにする。❷ コーンをボウルに移して塩で味を調えたら、セラーノペッパー、パクチー、青ネギ、エパゾテを加えてよく混ぜる。❸ サラダを器に盛り、上にソースその他をかける。

Salpicón de Res

サルピコン・デ・レス

メキシコ

トーストしたトルティーヤにのせるとおいしさが増す牛肉のサラダ

　スペイン語のサルピコンは料理の名前だが、国によって料理自体に違いがある。スペインでは肉やシーフードを細かく刻んで、同じように細かく刻んだ野菜とミックスしたサラダのこと。コロンビアではまったく違うフルーツのカクテルのことだ。メキシコのサルピコンはスペインのものに近い。サルピコン・デ・レスは細かく刻むか裂いた牛肉のサラダのことだが、実際は肉だけではなく、レタス、トマト、レッドラディッシュなどの野菜と混ぜてアボカドのスライスとともに盛りつける。トーストしたトルティーヤの上に盛りつける場合もある。これを全部ひっくるめてひとつのサラダと考えるべきだろう。

材料（4人分）

ステーキ用牛肉（脂肪の少ないもの）：500g／玉ネギ：小1個（2等分）／ニンニク：2片／ローリエ：2枚／塩：小さじ1／玉ネギ：小1個（粗みじん切り）／トマト：小2個（小サイコロ切り）／レッドラディッシュ：4個（薄くスライス）／セラーノチリペッパー、なければシシトウなど比較的マイルドな生のチリペッパー（お好みで）：1〜2本（みじん切り）／レタス：6〜8枚（食べやすい大きさにちぎる）／パクチー（お好みで）：大さじ2（みじん切り）／アボカド：1個（スライス）／トスタダス（トーストしたトルティーヤ）：4枚

ドレッシング
サラダ油：大さじ2／白ワイン酢：大さじ2／レモンまたはライム汁：1個分／オレガノ（できればメキシカンオレガノ）：小さじ1/2／塩・コショウ：適宜

作り方

❶ 牛肉、玉ネギ、ニンニク、ローリエ、塩小さじ1を鍋に入れ、ひたひたになるまで水を注いで火にかける。沸騰したら弱火にして、手で裂けるくらいまで柔らかく煮る。❷ ①の肉をボウルに移して冷まし、フォーク、指などで細く裂く。肉以外は使わない。❸ 裂いた肉、トマト、ラディッシュ、チリペッパー、レタス、パクチーをボウルに入れてよく混ぜる。❹ ドレッシングの材料をすべて器に入れてよく混ぜる。❺ 皿にサラダを盛りつけて、アボカドを飾る。❻ それぞれの皿にトスタダスを置き、その上にサラダをのせて、ドレッシングをかけて食べる。

Xec

シェック

ナシのような根菜ヒカマと甘いオレンジのユカタン半島発祥のサラダ

　ヒカマはおもしろい野菜だ。ジャガイモみたいな根菜なのだが、生でも食べる。生の食感はなんとなくナシに似ていて、味もリンゴやナシっぽい。スープの具にしても、炒めてもおいしい。

　このサラダはユカタン半島が発祥のヒカマとオレンジのサラダである。シェックはマヤの言葉で混ぜるという意味らしい。レシピではグレープフルーツを含めてオレンジを3種類使っているが、1種類だけでもいい。このレシピのようにライム汁が使われることが多いが、もとはビターオレンジ、日本でいうダイダイを使っていたらしい。今でもダイダイを使っているレシピはいくつもある。

材料 (4人分)

ヒカマ：450g（皮をむいて長さ3〜4cmの細切り）／ライム汁：1個分／ネーブルオレンジ：2個（果実だけ取り出して一口大に裂く。作業中に出てきたジュースは取っておく）／マンダリンオレンジ：3個（房に分け、上部をカットして種を取る）／グレープフルーツ：1個（果実だけ取り出して一口大に裂く。作業中に出てきたジュースは取っておく）／パクチー：大さじ3（みじん切り）／生のチリペッパー：1本（みじん切り）／塩：適宜

作り方

❶ ボウルにヒカマを入れて、ライム汁半個分を加えてよく混ぜておく。❷ 残りのライム汁、取っておいたオレンジジュースとグレープフルーツジュースを器に入れて混ぜておく。❸ ①のボウルにフルーツ、パクチー、チリペッパー、②のジュースを加えて混ぜ、塩で味を調える。

Ensalada de Navidad

メキシコ / Mexico

|| エンサラダ・デ・ナビダッド

クリスマスイブの豪華な食事の翌日は胃にやさしいフルーツのサラダ

　メキシコはキリスト教の国。国民の90%がクリスチャンで、しかも敬虔なクリスチャンが多い。メキシコのクリスマスは数日の休日ではなく、12月12日に始まり1月6日まで続く。クリスマスイブが最も盛大で、食卓には豪華な料理が並ぶ。クリスマス当日はイブの残り物で軽くすませる。重い胃にもやさしいというわけでもないだろうが、エンサラダ・デ・ナビダッド、クリスマスサラダは軽いフルーツサラダである。アメリカのウォルドーフ・サラダがメキシコ風に少しアレンジされたサラダともいわれる。メキシコにはイブに食べるサラダもある。こちらはビーツなどが入ったボリュームのあるサラダだ。

材料（4人分）

リンゴ：2個（1cmサイコロ切り）／缶詰のパイナップル：2～3枚（1cmくらいの三角に切る、シロップも使用）／ピーカンナッツまたはクルミ：10個くらい（5～6個は刻む。残りは飾り用）／レーズン：大さじ2／メキシカンクレマ（なければサワークリーム）：125ml／コンデンスミルク（加糖）：大さじ4

作り方

❶ ボウルにリンゴとパイナップルを入れて混ぜ、刻んだピーカンナッツ、レーズンを加えてさらに混ぜる。❷ メキシカンクレマとコンデンスミルク、パイナップル缶のシロップを好みの量（水っぽくならないように注意）を加えて、均一になるまで混ぜる。❸ サラダを器に盛り、上に飾り用のピーカンナッツをのせる。

Ensalada de Tres Legumbres

メキシコ

‖ エンサラダ・デ・トゥレス・レグムブレス

3色の豆を使った栄養、ボリューム満点のヴィーガンサラダ

　煮豆だけじゃなくてもっと色々な料理に豆を使ってもいいんじゃないかと思う。シチューやスープもパスタもおいしい。もちろんサラダもいい。このサラダには名前にあるように3種類の豆が使われている。赤のキドニービーンズ、白のカンネリーニビーンズ、そして緑のサヤインゲンと、単に3種類というのではなく色も全部違う。

　豆は良質なたんぱく質をたくさん含んでいる。満腹感が味わえるというだけでなく栄養も満点なのでヴェジタリアンやヴィーガン料理にもぴったりだ。このレシピには入っていないけど、コーンを入れるとさらに鮮やか。実際豆は何でもいい。缶詰の豆でかまわない。

材料（4人分）
サヤインゲン：10本／調理済カンネリーニビーンズ（白インゲン豆）：250g／調理済キドニービーンズ：250g／紫玉ネギ：小1個（みじん切り）／イタリアンパセリ：適宜（みじん切り）／ニンニク：1片（みじん切り）

ドレッシング
オリーブ油：大さじ4／赤ワイン酢：大さじ4／ハチミツ：大さじ1／塩・コショウ：適宜

作り方
❶ 鍋にたっぷりの湯を沸かして塩を一振りし、サヤインゲンを入れて好みの硬さに湯がいたら、冷水に浸けて冷ましてザルに上げて水を切り、豆と同じくらいの大きさに切る。❷ ドレッシングの材料をすべて器に入れて混ぜる。❸ 湯がいたサヤインゲンを含め、サラダの材料をすべてボウルに入れ、ドレッシングを注いでよく混ぜる。

Vigoron

|| ビゴロン

ニカラグアのソウルフード、キャッサバ入りのコールスロー

　ビゴロンは20世紀初頭にニカラグアの歴史に重要な役割を演じてきた、ニカラグア第4の都市グラナダで誕生した。今やストリートフードの定番料理であるだけでなく、ニカラグアのソウルフードともいわれる。

　このサラダはいわゆるコールスローのバリエーションだが、キャベツの千切りは見えるけど、大きなキャッサバと豚の皮を揚げたチチャロンが強烈すぎてコールスローにはどうしても見えない。ストリートフードではバナナの葉にのってくる。その雰囲気を味わうのであれば、皿の上に盛りつけるよりも、できることならバナナの葉の上にのせたい。チチャロンを省いたヴィーガン版もある。

材料（4人分）

ユカ（キャッサバ）：400g（一口大に切る）／ニンニク：2片／キャベツ：1/4個（千切り）／トマト：小1個（1cmサイコロ切り）／玉ネギ：小1/4個（粗みじん切り）

ドレッシング
ハラペーニョまたは他の生のチリペッパー：1本（みじん切り）／ライム汁：1個分／サラダ油：大さじ1／塩・コショウ：適宜

飾り
チチャロン（ポークリンド。豚の皮を揚げたもの）：適宜／バナナの葉（お好みで）：4枚

作り方

❶ 鍋にたっぷりの湯を沸かし、ユカ、ニンニク、塩一摘みを入れて、ユカが柔らかくなるまで中火で煮たら、鍋から上げて冷ます。ニンニクは捨てる。❷ ドレッシングの材料を器に入れよく混ぜる。❸ 残りのサラダの材料をボウルに入れ、ドレッシングを加えてよく混ぜる。塩とコショウで味を調える。❹ バナナの葉の上にユカを置き、その上にサラダをのせてチチャロンで飾る。

Guacamol

ワカモール

ワカモーレとよく間違えられるアボカドサラダ、ワカモール

　ディッピングソースともスプレッドともサラダともいえるワカモーレは、世界的に知られたアボカドを使ったメキシコ料理である。エンサラダ・デ・アグアカテ（アボカドサラダ）とも呼ばれるニカラグアのこのサラダも、アボカドのサラダである。どちらもアボカドなので、ワカモーレと呼ばれてしまうこともよくあるらしい。

　メキシコのワカモーレとは違い、こちらは明らかにサラダで、名前はワカモール、スペイン語の綴りでは最後のeがないだけなのだ。このサラダにはアボカドとの相性が抜群の茹で卵がたっぷり入る。卵サラダの代わりにたっぷり挟んでサンドイッチにしてもいい。

材料（4人分）

アボカド：2〜3個（1cmサイコロ切り）／紫玉ネギ：小1個（みじん切り）／茹で卵：4個（細かく切る）／ライム汁：4個分／塩・コショウ：適宜

作り方

❶ 材料をすべてボウルに入れて、アボカドが崩れないように注意しながらよく混ぜる。

Pasta Primavera

パナマ

‖ パスタ・プリマベーラ

彩りも鮮やかな野菜がたくさん入ったクリームソースのパスタサラダ

　パスタ・プリマヴェラは1970年に考案された、ニューヨークはマンハッタンの料理として知られている。でも元祖パスタ・プリマベーラはサラダというよりも普通のパスタ料理である。パスタ自体、幅の広いロングパスタ、タリアテッレ（フェトチーネ）を使うようなので、サラダにはまったく見えない。

　パナマ版のパスタ・プリマベーラはショートパスタを使ったサラダである。鮮やかな緑色のアスパラガス、ピーマン、ブロッコリーに真っ赤なチェリートマト、これをヨーグルトとクリームで作った白いソースで和える。味もさることながら、この彩り豊かな美しさもこのサラダの魅力である。

材料（4人分）

ブロッコリー：60g（房に分ける）／アスパラガス：5本／マッシュルーム：4個（スライス）／好みのショートパスタ：150〜200g／ピーマン：1個（細切り）／チェリートマト：10個（2等分）／イタリアンパセリ：大さじ1（みじん切り）

ドレッシング
ヨーグルト：大さじ4／生クリーム：大さじ5／青ネギ：1本（小口切り）／セロリ：1/2本（みじん切り）／塩・コショウ：適宜

作り方

❶ 鍋にたっぷりの湯を沸かし、塩を少々加えてブロッコリーとアスパラガスを好みの硬さに湯がいたら冷水に浸して冷まし、ザルに上げて水を切る。アスパラガスは3cmくらいの長さに切る。マッシュルームは湯がいても生のままでも可。鍋の湯はそのまま沸騰させておく。❷ ①の鍋にパスタを加えて、好みの硬さに茹でる。❸ ドレッシングの材料をすべて器に入れて混ぜる。❹ 湯がいた野菜、パスタを含め、イタリアンパセリ以外のサラダの材料をすべてボウルに入れ、ドレッシングを注いでよく混ぜる。塩とコショウで味を調える。❺ 器にサラダを盛って、イタリアンパセリを散らす。

Ensalada Criolla

エンサラダ・クリオーヤ

バーベキュー好きのアルゼンチン人のお口休めはシンプルサラダ

友人がアルゼンチン旅行から帰ってきた。アルゼンチン出身のもう一人の友人が「牛肉食べてきた？」と皮肉とも冗談とも取れるようなニュアンスを込めて聞いた。アルゼンチンの料理といえば牛肉という認識が国外にあるのは確かだし、実際アルゼンチンの人は牛肉をよく食べる。

肉を食べているとさっぱりしたものが欲しくなるのはどこの国でも同じだ。サラダはそのさっぱりものの筆頭だ。ドレッシングにドライオレガノ、チリペッパーパウダーが入ることを除けば、よくありそうなピーマンとトマトのサラダである。でもこのシンプルさも肉を焼くのに忙しいBBQでは必須の要素なのだ。

材料（4人分）

ピーマン：2個（1cm角切り）／赤パプリカ：1個（1cm角切り）／玉ネギ：小1個（粗みじん切り）／トマト：1個（1cmサイコロ切り）／イタリアンパセリ：適宜（葉だけむしり取る）

ドレッシング

オリーブ油：大さじ2／赤ワイン酢またはシェリー酢：大さじ1／レモン汁：1/2個分／ニンニク：1片（みじん切り）／ドライオレガノ：小さじ1/4／チリペッパーパウダー：一摘みまたは好みの量／塩・コショウ：適宜

作り方

❶ ドレッシングの材料をすべて小さな器に入れて混ぜる。❷ サラダの材料をすべてボウルに入れ、ドレッシングを注いでよく混ぜる。

Ensalada de Quinoa y Frijoles

エンサラダ・デ・キノア・イ・フリホレス

キヌアの原産地アンデス山脈の高地が広がるボリビアのキヌアサラダ

現在の雑穀ブームの中で特に人気のあるキヌアは南アメリカのアンデス山脈の高地が原産で、およそ5000年前から食されていたらしい。今でもアンデス山脈を仰ぐ国々が主な生産国である。ボリビアはキヌアの生産においてペルーに次ぎ第2位に位置している。キヌアはボリビアの重要な輸出品というだけでなく、食生活にも欠かせない。

このサラダはボリビア名産のキヌアと豆のサラダである。フリホレスは豆の意味だが、どうもキドニービーンズであるらしい。しかしブラックビーンズもよく使われる。栄養価が高く安価で材料が手に入ることもあり、ボリビアを代表するサラダとなっている。

材料（4人分）

サラダ油：大さじ1／キヌア：150g／クミンパウダー：小さじ1/2／カイエンペッパー：小さじ1または好みの量／野菜スープまたは水：300ml／調理済スモールレッドビーン（なければ小豆など他の豆）：200g／赤ワイン酢：大さじ3／オリーブ油：大さじ2／トマト：小1個（1〜2cmサイコロ切り）／ロコトチリペッパー（なければ他の生のチリペッパー）：好みの量（みじん切り）／ピーチまたはネクタリン（硬めの桃）：2個（1〜2cmサイコロ切り）／パクチー：大さじ8（みじん切り）／レモン汁：1/2個分／レタス：4〜5枚／塩・コショウ：適宜

作り方

❶ 鍋にサラダ油を熱し、キヌアを加えて中火で数分炒めたら、クミン、カイエンペッパー、塩とコショウ少々を加えて混ぜ、スープまたは水を加えて弱火でキヌアが柔らかくなるまで煮る。水分が残っている場合はザルに上げて水を切る。❷ キヌアが冷めたらスモールレッドビーンとともにボウルに入れ、赤ワイン酢、オリーブ油を加えてよく混ぜる。❸ 別のボウルにトマト、チリペッパー、ピーチ、パクチー、レモン汁を入れて混ぜ、塩とコショウで味を調える。❹ 食卓に出す直前に②と③を混ぜ合わせ、器にレタスを敷いてその上に盛りつける。

Silpancho

スィルパンチョ

小さく刻んだサラダが他の料理と一体化したワンプレート料理

　スィルパンチョはサラダというよりもワンプレート料理である。料理の一部を担うのがサラダということだ。この料理のおもしろいのは、それぞれが別々に盛りつけられているように見えるものの、トータルな一体感があるところだ。サラダはメンチカツのようなハンバーグにかける感じで、必然的に一緒に食べることになる。サラダというよりもサルサの感覚ともいえる。

　この料理を紹介したのは、サラダにはこんな使い方もあるんだということを伝えたかったからだ。サラダは前菜やサイドディッシュとしてだけでなく、ソースのようにメインディッシュの一部になることもあるのだ。

材料（4人分）

ジャガイモ：2個（5mmくらいの輪切り）／牛挽き肉：450g／パン粉：適宜／サラダ油：大さじ2＋4／卵：4個／ご飯：4杯分／パクチー：適宜

野菜サラダ
ピーマン：小2個（1cm角切り）／紫玉ネギ：1/4個（粗みじん切り）／トマト：1個（1cmサイコロ切り）／白ワイン酢：小さじ2／サラダ油：小さじ2／塩・コショウ：適宜

作り方

❶ 野菜サラダの材料をすべてボウルに入れてよく混ぜる。❷ 鍋に湯を沸かし、ジャガイモを加えて中火で固茹でにしたら、ザルに上げて水を切っておく。❸ 挽き肉、塩とコショウ少々を加えて粘りが出てくるまでこねたら4等分する。それぞれをハンバーグ状に薄く楕円形にする。全体にパン粉をまぶす。❹ フライパンに大さじ2のサラダ油を熱し、目玉焼きを作って皿にあけておく。フライパンはそのままで。❺ ❹のフライパンにジャガイモを重ならないように並べて、両面にこんがり焦げ目がつくまで焼いて、皿にあけておく。❻ フライパンをきれいにし、大さじ4のサラダ油を新たに加え、❸のハンバーグを焼く。❼ 4枚の皿にそれぞれご飯を1杯ずつ平らに盛り、周りに❺のジャガイモを置く。❽ ご飯の上にハンバーグ、その上に目玉焼きをのせて、❶のサラダを周りに盛りつける。

Salsa de Palmito

ブラジル
Brazil

|| サルサ・ジ・パルミート

さっぱり柑橘系ドレッシングで爽やかハーツ・オブ・パームを味わう

　パルミートはハーツ・オブ・パーム、ヤシなどの若い木の幹の柔らかい芯の部分のことで、アーティチョークやアスパラガスに味が似ているからか、珍味として人気がある。

　ブラジルではハーツ・オブ・パームは最も人気のある野菜のひとつだ。少し酸味があり、デリケートな食感を持つハーツ・オブ・パームは、そのまま食べてもおいしい。サラダにする場合はレモンやライムといった柑橘系のドレッシングとよく合う。産地以外では缶詰を使う。現地で食べられているものよりはるかに細い。私も正直缶詰のものしか知らないけれども、それでもハーツ・オブ・パームのおいしさは存分に味わえる。

材料（4人分）
ハーツ・オブ・パーム：200g（長さ2cmに切る）／トマト：小1個（1cmサイコロ切り）／玉ネギ：1/2個（薄くスライスして水に浸しておく）／青ネギ：適宜（小口切り）

ドレッシング
オリーブ油：大さじ2／ライム汁：大さじ1／塩・コショウ：適宜

作り方
❶ 小さな器でドレッシングを作る。❷ 青ネギ以外のサラダの材料をすべてボウルに入れ、ドレッシングを加えてよく混ぜる。❸ 器に盛り、青ネギを散らす。

Salada de Couve com Manga

ブラジル

| サラダ・ジ・コウヴィ・コム・マンガ

フェイジョアーダにも使われるコラードグリーンとマンゴーのサラダ

　コウヴィはポルトガル語でケールの意味らしいが、調べてみるとちりちりにカールしたケールではなく、平べったくて楕円の葉を持つコラードグリーンのようだ。おそらくポルトガル人によって持ち込まれたもので、今では最もよく食べられている野菜で一年中手に入るらしい。日本でフェイジョアーダとして知られるブラジルの国民食、フェイジョアーダ・コムプレータにも使われる。

　このサラダはコラードとマンゴーの組み合わせだが、マンゴーの代わりにオレンジが使われることもある。生のコラードはキャベツなどよりも硬いので、できるだけ細く切るようにしたい。サッと湯がいてもいい。

材料（4〜6人分）

米酢：大さじ1／コラードまたはケール：6枚／マンゴー：1個（1cmサイコロ程度に切る）／赤パプリカ：中1個（1cm角切り）／紫玉ネギ：1/4個（みじん切り）

ドレッシング
オレンジジュース：大さじ3／ハチミツ：大さじ1／ショウガ：小さじ1（みじん切り）／オリーブ油：大さじ2／米酢：大さじ1／塩・コショウ：適宜

作り方

❶ ボウルなどにたっぷりの水と酢大さじ1を入れておく。❷ コラードの芯を切り、①の水に10分ほど浸けて辛みを少し取り除いたら、水を切って千切りにする。❸ 空にした②のボウルにサラダの材料をすべて入れ、別の器でドレッシングを作って野菜の上にかけ、よく和える。

Xuxu

ブラジル Brazil

|| シュシュ

親しい人に使う「ハニー」みたいな意味。でもここではハヤトウリ

　ジャマイカではチョチョ、ハイチではメラトン、アメリカではチャイヨーテなどなど、国によって呼び方が違う。ブラジルではシュシュ、シューシューとのばすこともある。つまり、ラテンアメリカではどこでも食べられているということでもある。日本語もあり、ハヤトウリと呼ぶ。

　形はつるんとしたアボカドのようだがウリの仲間で、味とか食感はキュウリに似ているかもしれない。でもすごくマイルドで、カリッとした冬瓜ともいえる。冬瓜同様、煮ると味をいっぱい吸っておいしくなる。生でもサラダにするとドレッシングとよく馴染んでくれる。特に柑橘系との相性がいい。

材料（4人分）
チャイヨーテ（ハヤトウリ）：2個／オレンジジュース：400ml／オレンジ：1個（実のみ切り取る）／アボカド：1個（縦4等分にして厚めにスライス）／青ネギ：1本（小口切り）／イタリアンパセリ：大さじ2（みじん切り）／グリーンオリーブ：4個（粗みじん切り）／レタス：1/4個（食べやすい大きさにちぎる）

ドレッシング
ライム汁：大さじ2／オリーブ油：大さじ3／塩・コショウ：適宜

作り方
❶ チャイヨーテの皮をむいて縦4等分に切り、種を取って厚めにスライスする。❷ 鍋にオレンジジュースとチャイヨーテを入れて火にかけ、中火でチャイヨーテを固茹でにして、ザルに上げて冷ます。オレンジジュースは捨てる。❸ 茹でたチャイヨーテをボウルに移し、オリーブとレタス以外の野菜を加えたら、ドレッシングの材料を別の器に入れて混ぜ、ボウルに加えてよく混ぜる。❹ 器にレタスを敷き、その上にサラダを盛りつけて、オリーブを散らす。

Ensalada de Arroz Frío

エンサラダ・デ・アロス・フリオ

チリ特産のリンゴとご飯、野菜で作る混ぜご飯のようなサラダ

アメリカのスーパーではハニークリスプ、フジ、グラニースミス、ガラ、ピンクレディなど、多いところでは10種類近くのリンゴが並ぶ。国内はもちろん、南米から輸入したものも多い。この中でチリ産といえばピンクレディという赤いリンゴで、日本でも生産されているらしい。

このチリ特産のリンゴとご飯で作るのがこのサラダである。この他にトウモロコシ、トマト、グリーンピースなども入るので、洋風の混ぜご飯的なサラダともいえる。リンゴはピンクレディが入手できればぜひ使ってほしいが、ない場合は硬くパリッとしていて甘味と酸味を備えたリンゴを選ぶといいだろう。

材料（4～6人分）

ご飯：200g／リンゴ：1/2個（1cmサイコロ切り）ピーマン：1個（1cm角切り）／赤パプリカ：1/2個（1cm角切り）／コーン（冷凍可）：80g／グリーンピース：80g／トマト：1個（1cmサイコロ切り）／紫玉ネギまたは玉ネギ：大さじ3（みじん切り）／キュウリのピクルス：小1本（みじん切り）／マヨネーズ：大さじ3／レモン汁：1/2個分／レタスまたは葉野菜のミックス：適宜／塩・コショウ：適宜

作り方

❶ レタス以外の材料をすべてボウルに入れてよく混ぜ、冷蔵庫で1時間ほど味を馴染ませる。❷ 器にレタスと一緒にサラダを盛りつける。

Aguacate Relleno con Atun

エクアドル / Ecuador

|| アグアカテ・レイエーノ・コン・アトゥン

食べ慣れたツナサラダもアボカドに詰めれば一変豪華サラダ

　サラダに限らず、材料のひとつを器にすることはよくある。スープならカボチャ、炒め料理ならニガウリなどが使われる。サラダの場合は大方決まっているようで、ヨーロッパで多いのはトマト、ラテンアメリカで多いのはアボカドじゃないだろうか。

　マヨネーズで和えたツナサラダはサンドイッチの定番だが、それだけを食べるというのは意外と少ないのではないだろうか。ツナサラダにトマトなど細かく刻んだ野菜を加えて混ぜ、アボカドの種を取った後の穴をサラダで埋める。こうするだけで超豪華な一品になってしまう。穴を大きくして、取ったアボカドの実をサラダに混ぜてもいい。

材料 (4人分)

缶詰のツナ：40g (ほぐす) ／玉ネギ：小さじ4 (みじん切り) ／調理済グリーンピース：大さじ2 ／調理済コーン：大さじ2 ／ニンジン：大さじ2 (小サイコロ切り) ／茹で卵：1個 (細かく刻む) ／トマト：小1/4 (種を取って小サイコロ切り) ／イタリアンパセリ：大さじ2 (みじん切り) ／生のチリペッパー (お好みで)：適宜 ／アボカド：2個 ／レモン汁：1/2個分 ／レタス：適宜 (食べやすい大きさにちぎる) ／塩・コショウ：適宜

サルサロサダ
マヨネーズ：120ml ／ケチャップ：60ml ／ライム汁：小さじ1 ／塩・コショウ：適宜

作り方

❶ サルサロサダの材料をすべて器に入れて混ぜる。❷ サラダのチリペッパーまでの材料、サルサロサダの半量をボウルに入れてよく混ぜ、塩とコショウで味を調える。❸ アボカドを縦半分に切って種を取り、皮をむいたらレモン汁を全体にかけておく。❹ 皿を4枚用意し、それぞれにレタスを敷いてその上にアボカドをのせる。❺ ②のサラダをそれぞれの皿に均等に分けてアボカドのくぼみを埋め、上にサルサロサダをかける。

Ensalada Mixta

エクアドル

エンサラダ・ミクスタ

ライムのドレッシングで和えるアボカド入りガーデンサラダ

　サラダの中でいちばん食べられているのは、グリーンサラダとガーデンサラダではないだろうか。グリーンサラダはレタスやホウレン草など葉野菜で作るサラダで、普通何種類かの野菜がミックスされている。ガーデンサラダはグリーンサラダにトマトやキュウリなど葉野菜以外の野菜が加わったものだ。

　エンサラダ・ミクスタはエクアドルのガーデンサラダである。葉野菜はリーフレタスだけだが、他にトマト、アボカドなどが入る。こういうサラダに玉ネギは意外にも欠かせない材料で、辛さの少ない紫玉ネギを使うことが多い。玉ネギの辛さが苦手ならさっと湯がくか熱湯をかけると、辛さが和らぐ。

材料（4人分）

リーフレタス：小1個（一口大にちぎる）／トマト：小2個（2または4等分）／紫玉ネギ：小1/2個（薄くスライス）／アボカド：1個（スライスまたはサイコロ切り）

ドレッシング
パクチー：大さじ1（みじん切り）／ライム汁：1個分／オリーブ油：大さじ2／塩・コショウ：適宜

作り方

❶ ドレッシングの材料をすべて器に入れて混ぜる。
❷ サラダの材料をすべてボウルに入れ、ドレッシングを注いで混ぜる。

Kalawang

|| カラワン

酸味が強い、熟していないマンゴーで作るグリーンマンゴーサラダ

　果物は甘く熟してから食べるのが最高なわけだけれども、まだ熟していないうちに食べてしまう場合もある。グリーンバナナ、グリーンパパイヤなどがそうだ。マンゴーも同じで、なぜあんなに甘くておいしいマンゴーをあえて甘くならないうちに食べてしまおうと思ったのかは分からない。でも料理に使うのであれば熟していないほうがはるかに適している。

　このサラダではもちろん調理しないで生のまま使う。グリーンパパイヤサラダに似てなくもない。グリーンマンゴーは甘味が少なく酸味が強い。食感もシャキッとしている。レモンかライムでさらに酸味を効かせるのが特徴で、暑い夏のスナックとしてもいい。

材料（4人分）

グリーンマンゴー：2個（グレイターかスライサー、または包丁で細切り）／ニンニク：1片（みじん切り）／玉ネギ：小1/2個（みじん切り）／生のチリペッパー：1本または好みの量／レモンまたはライム汁：1/2個分／オリーブ油またはサラダ油：大さじ3／砂糖：小さじ1/2／塩・コショウ：適宜／イタリアンパセリ：適宜（みじん切り）

作り方

❶ イタリアンパセリ以外の材料をボウルに入れてよく混ぜる。❷ サラダを器に盛って、イタリアンパセリを散らす。

Ensalada de Mandioca

エンサラダ・デ・マンディオカ

ホクホクのキャッサバとパンプキンがゴロゴロのサラダ

キャッサバは同じスペイン語圏でも呼び方が違っていたりする。このサラダの名前、マンディオカがスペインでも使われるスペイン語のキャッサバである。材料のカラバーサはパンプキンのことで、パンプキンと同様、ラテンアメリカには色々な種類がある。もちろんカボチャやバターナッツスクワッシュを代わりに使っても一向にかまわない。

キャッサバとパンプキンは茹で上がるまでの時間が違うので、別々に茹でると一方が柔らかすぎ、硬すぎということにならない。一緒に茹でるのであれば、先に茹で上がったほう、たぶんパンプキンを鍋から上げてしまう。冷ましてから混ぜるので時間差は関係ない。

材料（4人分）

キャッサバ（ユカ）：450g（3〜4cm大に切る）／カラバーサまたはカボチャ：450g（3〜4cm大に切る）／ニンニク：2片（みじん切り）／玉ネギ：小1個（みじん切り）／マヨネーズ：大さじ4／イタリアンパセリ：適宜（みじん切り）／茹で卵（お好みで）：2個（櫛切り）／塩・コショウ：適宜

作り方

❶ 鍋にたっぷりの湯を沸かし、キャッサバとカラバーサを中火で茹で、ザルに上げて冷ます。❷ ボウルに茹でたキャッサバとカラバーサ、ニンニク、玉ネギ、マヨネーズを入れて、キャッサバとカラバーサが崩れないように注意しながら混ぜる。塩とコショウで味を調える。❸ サラダを器に盛り、イタリアンパセリを散らして、茹で卵を添える。

Ensalada de Quinua

ペルー

|| エンサラダ・デ・キヌア

キヌアの生産で1位に輝く地元ペルーの具だくさんキヌアサラダ

　ボリビアのサラダとしても紹介したキヌア。キヌアの生産で2位のボリビアの上、第1位に君臨するペルーの対抗馬がこのエンサラダ・デ・キヌアである。両者のいくつかの違いを言うと、ボリビアの豆の代わりにコーン、ピーチの代わりにアボカドということになるだろうか。ペルー版のキヌアサラダにはナッツがたくさん入るのも特徴といえる。またボリビア版にはチリペッパーが入るので、量や種類によって違いはあるが、味という面でチリペッパーが入らないペルー版とは大きな違いである。キヌアが茹で上がるまでの時間は15分程度、ご飯を炊くよりも楽で栄養価も高いとなると、キヌアは見逃せない。

材料（4人分）

キヌア：60g／トマト：小1個（1cmサイコロ切り）／赤パプリカ：1/2個（1cm角切り）／紫玉ネギ：小1/2個（薄くスライス）／調理済コーン（缶詰可）：120g／パクチー：大さじ3〜4（粗みじん切り）／ナッツ（ブラジルナッツ、アーモンド、ピーカンナッツ、クルミなど）：30g（粗く砕く）／アボカド：1個

ドレッシング
ライム：1個／オリーブ油：大さじ1／塩・コショウ：適宜

作り方

❶ キヌアを水洗いして鍋に入れ、ひたひたよりも多めに水を加えて火にかける。キヌアが好みの柔らかさになったらザルに上げて水を切り、冷ます。❷ ライムの皮をすりおろし、汁をしぼって器に入れ、他のドレッシングの材料を加えて混ぜる。❸ キヌアも含め、アボカド以外のサラダの材料をボウルに入れ、②のドレッシングを加えてよく混ぜる。❹ アボカドの種を取って皮をむき、スライスしてサラダに加えたらアボカドが崩れないようにしながら混ぜ、器に盛る。

Aguacate Relleno con Camarones

ペルー

アグアカテ・レイエーノ・コン・カマロネス

ちょっと硬めのアボカドにパクチーマヨのエビサラダを詰める

前ページでボリビアにキヌアで対抗したペルーの次の対戦相手は、エクアドルだ。アボカド詰めサラダである。エクアドルがツナならペルーはエビ。エビとツナ以外にも材料に若干の違いがある。いちばんの違いは、ペルーのものにはドレッシングにカイエンペッパーが少し入るが、生のチリペッパーが入っていないので辛さはほとんどない。ドレッシングはどちらもマヨネーズだが、エクアドルはケチャップ、ペルーはパクチーである。

ペルーではこのサラダをセヴィチェのように、マヨネーズではなく酢でマリネする場合もある。アボカドをワカモーレみたいにして、その上にエビサラダをのせてもおもしろい。

材料（4人分）

調理済エビ：200g／紫玉ネギ：大さじ3（みじん切り）／レッドラディッシュ：2個（みじん切り）／赤パプリカ：1/4個（小サイコロ切り）／セロリ：1本（みじん切り）／茹で卵：1個（細かく刻む）／ライム汁：1個分／アボカド：2個／レタス：適宜（一口大にちぎる）／チェリートマト：8個（縦2等分）／パクチー：適宜（みじん切り）／塩・コショウ：適宜

パクチーマヨネーズ
マヨネーズ：大さじ4／パクチー：大さじ2／ニンニク：小さじ1/4（すりおろす）／カイエンペッパー：一摘み／塩・コショウ：適宜

作り方

❶ パクチーマヨネーズの材料をすべて器に入れて混ぜる。❷ エビを8尾くらい残し、残りを半分に切る。❸ エビを含め、茹で卵までのサラダの材料をボウルに入れ、半量のライム汁とパクチーマヨネーズ大さじ1を加えて、塩とコショウで味を調えながらよく混ぜる。❹ アボカドを縦に2等分して種を取り、皮をむいたら残りのライム汁を全体にかける。❺ アボカドのくぼみに❸のサラダを均等に詰める。❻ ❺のアボカドとレタス、チェリートマトを器に盛り、アボカドの上にパクチーマヨネーズをかけて、パクチーを散らす。

Goedangan

スリナム Suriname

| グダニャン

南米スリナムのインドネシア語の名前を持つガド・ガド的サラダ

　スリナムはブラジルの北、カリブ海に面した小さな国だ。スリナムは他のラテンアメリカの国とはずいぶん違う。まず公用語がスペイン語でもポルトガル語でもなく、オランダ語である。食文化的にはインドネシアの影響を強く受けている。このサラダの名前もインドネシア語だ。

　このサラダはどことなくインドネシアのガド・ガド (p.268) に似ている。皿に材料を分けて置き、個人個人が好きなものを取り、ソースをかけて食べる。

　サラダの内容が多少変わることがあっても、ソースはいつも決まってピーナッツバターで作ったサタイソースである。

材料 (4人分)

キャベツ：1/2個（千切り）／サヤインゲン：20本／モヤシ：150g／キュウリ：小1本（スライス）／茹で卵：4個（縦4等分）

サタイソース
ココナッツミルク：120ml／無糖ピーナッツバター：大さじ3／醤油：小さじ1／ブラウンシュガー：小さじ1／鷹の爪：1/2本（みじん切り）
●材料をすべて鍋に入れて火にかけ、かき混ぜながら沸騰させる。器にあけて冷ます。

ココナッツサンボル
生のココナッツフレーク（ドライのものを使う場合は熱湯を注いで柔らかくする）：30g／鷹の爪：2本または好みの量（小口切り）／紫玉ネギ：小1/4個（みじん切り）／ライム汁：大さじ2／サラダ油：大さじ1／塩・コショウ：適宜
●ライム汁までの材料をモルタールまたはすり鉢に入れて、ココナッツに均一に色がつくまでつぶしながら混ぜ、塩とコショウで味を調える。フライパンにサラダ油を熱し、ココナッツミックスを加えて中火で2分ほど炒める。

作り方

❶ 鍋にたっぷりの湯を沸かし、キャベツ、サヤインゲン、モヤシをそれぞれ別々に好みの硬さに湯がき、冷水に浸けて冷ましたらザルにあけて水を切る。
❷ 器に茹でたキャベツを敷き、その上にサヤインゲンとモヤシをのせ、周りにキュウリと卵を飾る。❸ サタイソース、ココナッツサンボルと一緒にサーブする。❹ サラダを小皿に取り分け、サタイソース、ココナッツサンボルをかけて混ぜて食べる。

Ensalada de Porotos

エンサラダ・デ・ポロトス

トマトで白い豆が淡い赤に染まる見た目も美しい豆のサラダ

ポロトスは豆のことなので、単刀直入に豆のサラダである。豆はそら豆、バタービーンズなどレシピによって違うが、実際は白い豆、バタービーンズが使われているようだ。バタービーンズはライマビーンズ（らい豆）とも呼ばれる。名前からも分かるようにねっとりしている感じで、バターに似た味がする。そして結構大きい。でもどんな豆を使ってもかまわないわけで、特定の豆にこだわる必要はないと思う。でもバタービーンズが白なので、白インゲン豆などを選ぶのが得策だ。淡く赤く染まった白い豆、トマトの赤、ピーマンとパセリの緑と、彩りがとてもきれいなのもこのサラダの魅力だ。

材料（4人分）

オリーブ油：大さじ2／玉ネギ：小1/2個（みじん切り）／トマトジュース：250ml／調理済らい豆（バタービーンズ）、ピントビーンズ（うずら豆）または白インゲン豆など：250g／ピーマン：1個（1cm角切り）／トマト：1個（1cmサイコロ切り）／イタリアンパセリ：大さじ4（みじん切り）／レモン汁：大さじ3／塩：適宜

作り方

❶ フライパンにオリーブ油を熱し、玉ネギを加えて中火で透き通るまで炒める。❷ トマトジュース、塩少々を加え、水分がだいたいなくなるまで煮たら冷ます。❸ ②を含めすべての材料をボウルに入れて、塩で味を調えながらよく混ぜる。

The World's Salads

Chapter
8

北アメリカ
Northern America

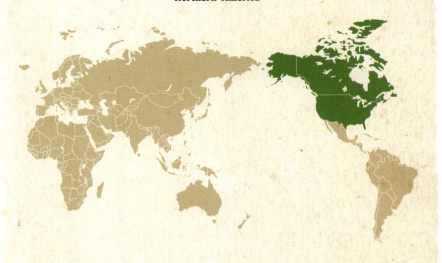

カナダ／アメリカ

Maple Dressing Salad

カナダ

▌メイプル・ドレッスィング・サラッドゥ

カナダ名物、メープルシロップを使ったドレッシングが決め手のサラダ

　アメリカでもバーモント州などニューイングランド地方ではメープルシロップが名物だけど、カナダは国旗にカエデの葉が描かれているほど誇りに思っているわけで、メープルシロップといえばカナダということにしたい。このサラダで重要なのは野菜とかではなく、メープルシロップを使ったドレッシングである。このレシピとは違い、オリーブ油2、酢2、メープルシロップ1の割合がベストだという人も多い。色々割合を変えて自分好みのドレッシングにすればいい。もうひとつメープルシロップが使われているのが、メープルシロップコーティングのクルミだ。実はこれがスナックとしても最高にうまい。

材料（4人分）

クルミ：80g（粗く砕く）／メープルシロップ：小さじ4／塩：一摘み／レタス、ホウレン草、ルッコラなどの葉野菜のミックス：80〜100g／リンゴ：1個（薄い櫛切り）／チェダーチーズ：40g（スライサーで小さめにスライス）

ドレッシング
オリーブ油：大さじ3／リンゴ酢：小さじ4／メープルシロップ：小さじ4／ディジョンマスタード：小さじ1/3／塩：適宜

作り方

❶ フライパンにクルミ、メープルシロップ、塩一摘みを入れて火にかけ、中火でメープルシロップがキャラメライズしてクルミに少し焦げ目がつくまで、かき混ぜながら煎る。❷ ドレッシングの材料をすべて器に入れて混ぜる。❸ 大きな葉野菜はちぎって食べやすい大きさにし、小さいものはそのままでボウルに入れ、リンゴ、❶ のクルミも加えて、ドレッシングで和える。❹ サラダを器に盛り、上にチェダーチーズを散らす。

Canadian Beef Taco Salad

|| カネイディアン・ビーフ・タコ・サラッドゥ

そもそもはムースの肉で作ったサラダをどこでも手に入る牛肉で作る

カナダの田舎町に行くと、家のバックヤードをムースがのんびりと歩いていたりする。そのムースを食べるというわけではけっしてないけれども、カナダのゲームミート（ハンティングで仕留めた野生動物の肉）の代表格のひとつがムースであることは言うまでもない。このサラダはもとはといえばムースで作るもので、ビーフはその代用とも考えられる。

カナダでタコスというのも興味深い。タコスはカナダから遠く離れたメキシコの料理だ。でもタコシェル（トルティーヤを焼いて器にしたもの）を使うのはアメリカ料理である。なのでこのタコサラダはアメリカンスタイル、お隣の国から入ってきたものなのだ。

材料（4〜6人分）

挽き肉炒め
サラダ油：大さじ1／脂肪の少ない牛の挽き肉（もし手に入るならムースの肉）：350g／ニンジン：1本（シュレッド）／ニンニク：2片（みじん切り）／チリパウダー：大さじ1／ドライオレガノ：小さじ1／メープルシロップ：小さじ4／タコシェル：8〜12個

トッピング
調理済キドニービーンズまたはブラックビーンズ：300g／好みのサルサ：適宜／モントレージャックチーズまたはチェダーチーズ：適宜（シュレッド）／チェリートマト：10〜15個（縦に4等分）／レタス：2枚（短い千切り）／サワークリーム：大さじ4／塩・コショウ：適宜

作り方

❶ フライパンにサラダ油を熱し、挽き肉、ニンジン、ニンニク、チリパウダー、オレガノを加えて、挽き肉に火が通るまで中火で炒めたら塩とコショウで味つけし、メープルシロップを加えてさらに数分炒めて、器にあけておく。❷ トルティーヤのボウルまたはシェルに、①の炒めた挽き肉、トッピングをのせる。

Ambrosia

アメリカ

|| アンブロシア

シンプルなフルーツサラダだったアンブロスィアの現在形は

　アメリカ南部の感謝祭、クリスマスといえばこのフルーツサラダ、アンブロスィアである。パイナップル、オレンジ、砂糖漬けのマラスキーノチェリー、ココナッツ、マシュマロ、サワークリーム、ホイップクリーム、これらを全部混ぜた料理が、特大ボウルに入ってデンとテーブルに置かれる。

　アンブロスィアは19世紀後半に出版された料理本に初めて登場する。それは現在のものよりもはるかにシンプルなものだ。オレンジ、パイナップル、ココナッツ、粉砂糖だけだった。ここで紹介するのはオリジナルのアンブロスィアにピーカンナッツ、ホイップクリームを加えた、現代版で最もシンプルなレシピだ。

材料（4人分）

オレンジ：2個（実だけを取り出して食べやすい大きさに裂く）／パイナップル（缶詰、冷凍可）：300g（小さめの一口大に切る）／ココナッツフレーク：30g／パウダーシュガー（ココナッツに砂糖が加えられている場合は省く）：大さじ2／ピーカンナッツ（お好みで）：大さじ4（砕く）／ホイップクリーム：適宜

作り方

❶ ホイップクリーム以外の材料をボウルに入れて混ぜ、冷蔵庫で一晩、最低でも1時間冷やす。❷ 器にホイップクリームを盛り、その上にサラダをのせる。

Celery Victor

アメリカ

|| セルリ・ヴィクター

20世紀初頭に誕生したアメリカ料理シーンにおける歴史的サラダ

セルリ・ヴィクターは20世紀初頭、サンフランシスコのホテルのシェフだったヴィクター・ハーツラーによって考案された。ハーツラーはアメリカ最初のセレブシェフともいわれる著名なシェフだ。

セロリは生ではなくチキンブロスの中で崩れない程度まで煮た後、冷蔵庫で冷やし、盛りつけた後にタラゴンの甘い香りがするドレッシングをかける。

セロリはこんなにおいしい野菜だったのかと、このサラダを食べると思うに違いない。セロリ8本というのは相当な量である。でも食べてみると分かる。けっしてたっぷりとはいえない。4人では少ないくらいだ。

材料（4人分）

セロリ：1株または8本程度／ニンジン：1本（薄く輪切り）／玉ネギ：小1個（粗みじん切り）／チキンブロス：適宜／ローリエ：1枚／粒コショウ：6粒／イタリアンパセリ：2枝＋みじん切り大さじ1／塩：一摘み

ドレッシング
オリーブ油：大さじ4／タラゴン白ワイン酢：大さじ3（なければ白ワイン酢大さじ3＋生のタラゴン大さじ1）／タラゴン：大さじ1（みじん切り）／塩・コショウ：適宜

作り方

❶ セロリの外側の茎を取り除き、汚れを取り除いて根元と先端を切り落として半分の長さにカット、さらに根側半分は縦半分にカット。葉の部分は飾り用に取っておく。❷ 幅の広い鍋にニンジンと玉ネギを敷き、その上にセロリを置く。❸ チキンブロスをセロリがかぶるくらい注ぎ、ローリエ、コショウ、イタリアンパセリ2枝、塩一摘みを加えて火にかける。沸騰したら弱火にしてセロリを硬めに茹で、火から下ろしてそのまま冷ましたらザルに上げて水を切る。ニンジンと玉ネギは使わない。❹ セロリの水を軽く絞り、食べやすい大きさに切って冷蔵庫で十分冷やした後、取り出して器に並べる。❺ ドレッシングの材料をすべて器に入れて混ぜたら、セロリの上へ注ぎ、イタリアンパセリのみじん切り、セロリの葉を散らす。

アメリカ United States of America

材料（4人分）

ベーコン：6枚／レタス：1/4個（3cmくらいの細切り）／ロメインレタス：6枚（3cmくらいの細切り）／クレソン：60g（太い茎を切り落としてざっくり刻む）／ブルーチーズ：50g／茹で卵：3個／トマト：2個（種は取る）／調理済鶏ムネ肉：300g／アボカド：1個／チャイブ：大さじ2（みじん切り）
● ブルーチーズからアボカドまでの材料は1〜1.5cmくらいに大きさを揃えて切る。

ドレッシング

サラダ油：大さじ3／オリーブ油：大さじ1／赤ワイン酢：大さじ1／レモン汁：小さじ1／ドライマスタード：小さじ1/4／ウスターソース：小さじ1/8／ニンニク：小1片（みじん切り）／砂糖：一摘み／塩・コショウ：適宜

作り方

❶ ドレッシングの材料をすべて器に入れてよく混ぜておく。❷ ベーコンを1cm幅くらいにスライスして、フライパンで油を敷かずにカリカリになるまで焼き、器に取っておく。❸ レタス、ロメインレタス、クレソンをボウルに入れて混ぜておく。❹ 大皿を用意して、その上に❸のレタスのミックスを敷き、チャイブ以外のサラダの材料を上にのせる。順番などは好みで。最後にチャイブを上から全体に散らし、ドレッシングとともに食卓へ。

Cobb Salad

アメリカ　United States of America

| コブ・サラッドゥ

残り物で作ったサラダが大ヒット。メインディッシュ的な大盛サラダ

　大恐慌の最中、ハリウッドにあった今はなきブラウン・ダービー・レストランで考案されたのがコブ・サラダだといわれている。名前はレストランオーナーのロバート・ハワード・コブから取った。

　夜、レストランが閉まる時間に残った食材を集めて、カリカリに焼いたベーコン、レストラン自慢のフレンチドレッシングをかけて食べた。これがコブ・サラダの始まりである。

　このサラダは前菜、サイドディッシュというよりもメインディッシュとして分類されることが多いようだ。野菜だけでなく、ベーコン、茹で卵、チーズ、肉などが大皿に盛りつけられるのが伝統である。

Chef Salad

アメリカ

▌シェフ・サラッドゥ

ニューヨークが起源であるらしい野菜、肉、茹で卵、チーズのサラダ

　シェフお勧めサラダとかシェフの気まぐれサラダとか、日本には色々なシェフサラダがある。でもそのようなシェフサラダと、ここで紹介するシェフサラダは別物で、ある程度決められた材料で作られるアメリカ伝統のサラダの名前である。
　しかしこのサラダの起源はよく分からない。古くは17世紀に人気を博したサルマガンディと呼ばれる、肉と野菜で構成された料理ではないかという者もいる。現在のシェフサラダが登場し始めるのは20世紀前半で、ニューヨークにある3つの著名ホテルのどれかが元祖シェフサラダを考案したとされるが、どのホテルかはいまだはっきりしていない。

材料 (4人分)

好みのレタス：6〜8枚（一口大にちぎる）／キュウリ：1本（輪切りまたは半月切り）／トマト：1個（縦8等分。チェリートマトなら8個（縦2等分）／ハム：2枚（細めの短冊切り）／サンドイッチ用ターキースライスまたはターキーハム：2枚（細めの短冊切り）／スイスチーズ（ブロックまたはサンドイッチ用スライス）：60g（2枚。細切りまたは短冊切り）／チェダーチーズ（ブロックまたはサンドイッチ用スライス）：60g（2枚。細切りまたは短冊切り）／茹で卵：2個（縦2等分か4等分）

ドレッシング

好みのもの：適宜

作り方

❶ レタスを器に敷き、その上に他のサラダを彩りよく並べる。❷ ドレッシングを小さな器に入れて、サラダと一緒に食卓へ。

Crab Louie

クラブ・ルイ

アメリカ
United States of America

キング・オブ・サラダともいわれるカニの身たっぷりのサラダ

　西海岸のカリフォルニアとワシントンにある2つのホテルがオリジナルのクラブ・ルイの発案者として名乗りを上げているが、どちらが事実かは今もって不明だ。ひとつだけはっきりしているのは1915年前後ということだけである。

　カニの身なら何でもいいのだけれども、本来はダンジネスクラブと呼ばれるワシントン州ダンジネスで水揚げされるカニが使われる。日本名はアメリカイチョウガニらしい。大きいものは25cmほどになり、サイズにしては甲羅が大きいので結構たくさん身が取れる。ドレッシングはケチャップ、スイートレリッシュ（甘い漬物）が入るので甘めだ。

材料（4人分）

レタス：5〜6枚（一口大にちぎる）／調理済カニの身：450g／トマト、レッドラディッシュ、アスパラガスなど好みの野菜：適宜／ホットソース：適宜

ドレッシング
マヨネーズ：120ml／ケチャップ：大さじ4／茹で卵：1個（細かく切る）／ブラックオリーブ：4個（粗みじん切り）／スイートレリッシュ（甘い野菜のピクルス）：大さじ2

作り方

❶ ドレッシングの材料をすべて器に入れてよく混ぜる。❷ 器を4人分用意し、それぞれにレタスを敷き、その上にカニの身をのせたらドレッシングをかける。❸ 好みの野菜を添える。好みでホットソースをかけて食べる。

Seven-Layer Salad

セヴン レイヤー・サラッドゥ

大きなボウルに材料を何層にも積み重ねたパーティー用サラダ

　皆がそれぞれ違った料理を持ち寄ったパーティー、ポトラックによく登場するのがこのサラダだ。名前からも分かるように7種類の材料を層に盛りつける。実際は6種類でも10種類でもいいのだが、名前では7種ということになっている。材料が多いので必然的に大きなボウルが必要になるわけで、大勢集まるポトラックなどに重宝するというわけだ。

　このサラダはバリエーションが多く、マッシュルーム、ハム、セロリ、ニンジン、パプリカ、最近ではひよこ豆、モッツァレラチーズ、ペパロニなどが加えられることもある。ドレッシングもマヨネーズ、サワークリームどちらかひとつという場合もある。

材料（4人分）

レタス：1/2個（一口大にちぎる）／調理済グリーンピース（冷凍可）：100g／茹で卵：3個（1cmサイコロ切り程度またはスライス）／玉ネギまたは青ネギ：玉ネギなら小1個（粗みじん切り）、青ネギなら2本（小口切り）／トマト：小2個（1〜2cmサイコロ切り）／カリカリベーコン：3枚分（砕く）／チェダーチーズ：30g（シュレッド）／塩・コショウ：適宜

ドレッシング
マヨネーズ：大さじ5／サワークリーム：大さじ5

作り方

❶ドレッシングの材料を器に入れて混ぜておく。❷ガラスのボウルなどにまずレタスを敷き、塩とコショウを少々振る。❸残りのサラダ材料を材料の順に層になるように重ねていき、上に塩とコショウを少々振る。ベーコンとチーズは飾り用に少し残しておく。❹ドレッシングを上に隙間なく平らに塗り、ラップをかけて冷蔵庫で一晩寝かす。❺食卓に出す前に、残しておいたベーコンとチーズを上に振る。

Watergate Salad

|| ウォーターゲイトゥ・サラッドゥ

パイナップルのサラダだが他の食材でよく分からないデザートサラダ

アメリカ United States of America

　このサラダはグリーン・グープ、グリーン・ガッデス、グリーン・フラッフ、グリーン・スタッフなど様々な異名を持つ、米中西部で人気のサラダだ。サラダといってもサラダっぽいのはパイナップルのみ。
　こういうサラダを作らせたらアメリカ人の右に出るものはいない。この他にもチョコレートバーのサラダ、ガールスカウトクッキーを使ったサモアクッキーサラダ、色違いのジェリーを層状に固めたゼラチンサラダなど、この手の怪しいものはいくらでも出てくる。
　このレシピでは明言を避けたが、インスタントプリンとホイップクリームはほぼ100%銘柄が指定されているので、確認が必要だ。

材料（4人分）
クラッシュドパイナップルの缶詰：1缶（367g）／ピスタチオフレーバーのインスタントプリン：1パック／ミニマシュマロ：60g／ピーカンナッツ：60g（砕く）／ホイップクリーム：200g（ここでは市販のホイップクリーム226g入りを使用）

作り方
❶ホイップクリーム以外の材料をすべてボウルに入れてよく混ぜ、さらにホイップクリームを加えて混ぜてから、冷蔵庫で最低1時間冷やす。

Waldorf Salad

ウォルドーフ・サラッドゥ

19世紀後半に誕生以来人気を保ち続けるリンゴとセロリのサラダ

　他のアメリカのサラダと違い、このサラダの起源ははっきりしている。19世紀末、ニューヨークの著名レストランの給仕長を務めていたオスカー・チャーキーが発案者である。1896年に出版された彼自身による料理本にレシピが記されている。

　オリジナルはシンプルで、半インチの角切りにしたリンゴとセロリをマヨネーズで和えただけだった。今ではブドウやロメインレタスが加えられるのが普通だ。ブドウもリンゴも緑のものを使って色を統一するというレシピもあるが、色にはあまりこだわる必要がないようだ。また健康志向のためかマヨネーズの代わりにヨーグルトを使うことも多くなった。

材料 (4人分)

リンゴ：2個（1.5cmサイコロ切り）／セロリ：4本（薄くスライス）／ブドウ：25個（200g程度。皮のまま2等分）／マヨネーズまたはヨーグルト：120ml／サワークリーム：大さじ4／ロメインレタスまたは好みのレタス：適宜（食べやすい大きさにちぎる）／クルミ：60g（ざっくり粗く刻む）／塩：適宜

作り方

❶ リンゴ、セロリ、ブドウをボウルに入れ、マヨネーズとサワークリームを加えて混ぜる。塩で味を調える。
❷ 器にレタスを敷き、その上に①のサラダを置く。上にクルミを散らす。

Spicy Cajun Potato Salad

アメリカ / United States of America

|| スパイスィー・ケイジャン・ポテイトゥ・サラッドゥ

スパイスが効いたアメリカ南部ケイジャン・スタイルのポテトサラダ

　アメリカでもポテトサラダは日常で最もよく食べられているサラダで、スーパーなどでも絶対に置いてある。ここで紹介するのは南部ルイジアナのケイジャン・スタイルのポテトサラダだ。もともとは貧困層の料理だったため、塩コショウで味つけする程度だったが、自家製マヨネーズが加わり、今ではマスタードやケイジャン・シーズニングのようなスパイスミックスで味つけされる。

　ケイジャン・スタイルのポテトサラダでは、茹でた柔らかいジャガイモとはまったく違う食感の材料が加わる。福神漬けのような甘い漬物ピックルレリッシュ、玉ネギ、青ネギがその役割を演じている。

材料（4人分）

ジャガイモ：3〜4個（2cmサイコロ切り）

ドレッシング
茹で卵：2個（細かく刻む）／マヨネーズ：大さじ6／イエローマスタード：大さじ1／ピックルレリッシュ（キュウリのピクルスを刻んで砂糖で甘くしたもの）：大さじ1／グリーンオリーブ（お好みで）：4個（粗みじん切り）／紫玉ネギ：小1/4個（みじん切り）／青ネギ：1本（小口切り）／セロリ：1/2本（みじん切り）／ケイジャンシーズニング*（お好みで）：小さじ1/4／カイエンペッパー：少々／塩：適宜

*ケイジャンシーズニング
パプリカパウダー：小さじ2／ガーリックパウダー：小さじ2／オニオンパウダー：小さじ2／ドライタイム：小さじ1／ドライオレガノ：小さじ1/2／クミンパウダー：小さじ1/2／塩：小さじ1/2／コショウ：小さじ1/2／カイエンペッパー：小さじ1
● 材料をすべて蓋付きの容器に入れてよく混ぜる。

作り方

❶ ジャガイモをたっぷりの湯で硬めに茹でる。❷ ドレッシングの材料をボウルに入れてよく混ぜ、ジャガイモを加えて崩さないように混ぜる。

Kale Salad

|| ケイル・サラッドゥ

2007年、ケールの一大ブームを引き起こした生のケールサラダ

　日本でもケールの認知度が高くなってきたのは、アメリカの影響であることは確かだ。アメリカでは現在、ケールは最も売れている野菜のひとつだ。そんなアメリカでもケールが注目され始めたのはごく最近のことで、2007年にニューヨークタイムズにケールサラダの記事が掲載されたのがきっかけである。これを機にケールの一大ブームとなった。サラダからスープ、スナックに至るまでケールのレシピは数えきれないくらいある。

　ケールサラダといっても、このサラダで使われているのは縮れたお馴染みのケールではなく、トスカーナケール、ブラックケールとも呼ばれる表面がツルっとしたケールである。

材料（4人分）

ブラックケール（トスカーナケール）：6枚／ハード系のパン：厚さ1cmくらいのスライス1枚／ペコリーノロマーノチーズ：適宜（すりおろす）／オリーブ油：適宜

ドレッシング
ニンニク：1片／ペコリーノロマーノチーズ：大さじ4（すりおろす）／オリーブ油：大さじ3／レモン汁：1個分／レッドペッパーフレーク：小さじ1/8／塩・コショウ：適宜

作り方

❶ ケールをきれいに水洗いしたら水分をふき取り、芯を切り落として2cm幅くらいのリボン状に切る。❷ パンをトーストして、フードプロセッサーなどで粗いパン粉状にする。❸ ドレッシングのニンニクをみじん切りにしたら、包丁の腹でつぶしてペースト状にして器に入れる。他のドレッシングの材料を加えてよく混ぜる。❹ ケールをボウルに入れて、③のドレッシングをかけてよく混ぜる。❺ サラダを器に盛りつけ、上に②のパン粉を散らしたら、ペコリーノロマーノを振り、オリーブ油を少しかける。

Shaved Brussels Sprout Salad

シェイヴドゥ・ブラッセルズ・スプラウトゥ・サラッドゥ

調理して食べる芽キャベツだが、生のままサラダにしてもまたよし

ブラッセルズ・スプラウトは芽キャベツのことだ。煮る、蒸す、炒めるなど色々な調理法があるが、最もおいしいのはローストだ。ローストするとキャラメライズされて甘みが増す。でもこのサラダでは生の芽キャベツを使う。芽キャベツというくらいなので、キャベツ同様生で食べても不思議はない。

芽キャベツはキャベツより葉がギュッと締まっていて硬い。だから生で食べる場合はできるだけ細く千切りにする。レモン汁に少し浸けるので少し柔らかくなるが、生の食感を楽しむサラダなのでしんなりさせることは必要ないともいえる。ドライクランベリーの甘さ、チーズの塩気がまたよく合う。

材料（4人分）

クルミ：80g／芽キャベツ：300g／ニンニク：1片（みじん切り）／レモン汁：大さじ2／リンゴ：1個（縦4等分して芯を取って薄くスライス）／ドライクランベリー：大さじ6（粗みじん切り）／イタリアンパセリ：大さじ4（みじん切り）／オリーブ油：大さじ3／パルメザンチーズまたはペコリーノチーズ：大さじ3＋1（すりおろす）／塩・コショウ：適宜

作り方

❶ クルミを5～6分、香りが出てくるまで乾煎りし、包丁で粗く刻む。❷ 芽キャベツの外側の葉を取り除き、半分に切って芯を切り落としたらスライサーあるいは包丁で細い千切りにする。❸ 芽キャベツをボウルに入れ、ニンニク、レモン汁、塩とコショウを一摘みずつ加えて揉むように混ぜたら、5分ほど放置する。❹ チーズ大さじ3と残りの材料をすべて入れて混ぜたら器に盛り、残しておいた大さじ1のチーズを上に振りかける。

Raw Butternut Squash Salad

アメリカ

ロー・バターナットゥ・スクアッシュ・サラッドゥ

調理して食べていた野菜を生で食べることで新しい世界が開かれる

　21世紀を迎えて、サラダの世界が変わり始めた。その先頭を切るのがたぶんアメリカだ。健康志向の高まりがそうさせるのかもしれない。前2ページでは生のケール、生の芽キャベツサラダ、そして最後は生のバターナッツスクワッシュだ。生で食べることでおいしさを再発見する。野菜が持つ栄養を最大限吸収する。生で食べることの意味は大きい。

　生のバターナッツスクワッシュは味も食感も生のニンジンに似ている。甘みはバターナッツスクワッシュのほうがある。柑橘系のドレッシングと相性がいい。サラダにレーズンというのは給食の嫌な思い出があり好みではなかったが、このサラダは別だ。

材料（4人分）

バターナッツスクワッシュ：小1個（約500g）／ドライフルーツ（クランベリー、レーズン、スグリ、デーツなど）：大さじ4（粗く刻む）／好みのナッツ：適宜（乾煎りして粗く砕く）

ドレッシング
サラダ油：大さじ1／白ワイン酢または米酢：大さじ2／オレンジジュース：大さじ3／オレンジの皮：小さじ2（すりおろす）／ショウガ：大さじ1（みじん切り）／塩・コショウ：適宜

作り方

❶ バターナッツスクワッシュの外側の皮をむき、スライサーなどで細長く切る、あるいは帯状に薄く切る。
❷ ドレッシングの材料をすべて器に入れてよく混ぜる。❸ ボウルにバターナッツスクワッシュとドライフルーツを入れ、ドレッシングを注いでよく混ぜる。
❹ サラダを器に盛りつけ、ナッツを散らす。

The World's Salads

Chapter 9

東アジア

Eastern Asia

中国／日本／韓国／台湾

凉拌木耳

リャンバンムーアル

中国

中国の黒酢とオイスターソースで食べるピリ辛キクラゲサラダ

　木耳（ムーアル）は見ての通り木の耳、つまり木に生えた耳みたいなキノコ、日本でいえばキクラゲのことだ。耳がクラゲになったわけで、木に生えた海のクラゲのようとか、食感がクラゲに似ているとか、乾燥したやつがクラゲに似ているとか色々言われるけど、どれもなるほどと納得できる。

　キクラゲには黒と白があり、このサラダに使われるのは黒だ。日本で売っている乾燥キクラゲのほとんどは中国産らしいが、中国産のものには戻すと5cmくらいになる大きなものもある。キクラゲのプリッとした食感は他のキノコにはないもので、そこがこのサラダのおいしさの魅力でもある。

材料（4人分）

乾燥キクラゲ：30g ／赤パプリカ（お好みで）：1/2個（細切り）／エシャロット：小1個（スライス）／パクチー：大さじ4（みじん切り）／青ネギ：1本（小口切り）

ドレッシング
ニンニク：3片（みじん切り）／生の唐辛子：2本または好みの量（小口切り）／鎮江香醋（中国の黒酢。なければ黒酢）：大さじ2／醤油：大さじ2／オイスターソース：小さじ1／砂糖：小さじ1／ゴマ油：小さじ1

作り方

❶ キクラゲを水に浸して戻し、よく洗ったらザルに上げておく。❷ 鍋にたっぷりの湯を沸かし、キクラゲを加えて3分ほど茹でたら冷水に浸けて冷まし、ザルにあけておく。❸ ドレッシングの材料をすべてボウルに入れて混ぜる。❹ キクラゲを食べやすい大きさに切って③のボウルに加え、他のサラダの材料も加えてよく混ぜる。❺ サラダを器に盛り、青ネギを散らす。

凉拌土豆丝

 中国

‖ リャンバントゥードウスー

湯がいた千切りジャガイモで作るシャキシャキポテトサラダ

　ジャガイモを柔らかくなるまで調理して作るポテトサラダは世界いたるところにあるけど、ジャガイモの生っぽいシャリシャリ感を楽しむのはアジアの国くらいだろうか。この中国のポテトサラダは、日本でもお馴染みのシャキシャキポテトサラダである。このレシピではピーマンを使っているが、代わりに唐辛子を使うことも多い。花椒を加えることもある。作り方にもいくつか方法がある。ひとつはドレッシングを使わない方法で、湯がいた野菜をボウルに入れて塩で味つけしたら、花椒を加えて熱した油を上にザッとかけて混ぜる。もうひとつは湯がかずに軽く炒め、さらにドレッシングを加えて炒める方法だ。

材料（4人分）

ジャガイモ：2個（細い千切り）／ニンジン：1/2本（細い千切り）／ピーマン：1個（細い千切り）／生の唐辛子（お好みで）：適宜（小口切り）／黒ゴマ：適宜

ドレッシング
リンゴ酢：大さじ2／醤油：大さじ1／砂糖：小さじ1/2／花椒：小さじ1/2／ゴマ油：大さじ1／塩：適宜

作り方

❶ ジャガイモとニンジンを湯がいて冷水に浸けて冷まし、ザルに上げて水を切る。❷ ドレッシングの材料をすべて小さな器に入れて混ぜる。❸ ボウルにジャガイモ、ニンジン、ピーマンを入れてよく混ぜたら、器に盛る。❹ 上からドレッシングをかけて、唐辛子と黒ゴマを散らす。

凉拌秋葵

リャンバンチウクイ

オクラ好きに一押しのオクラのうまさが最大限に生かされたサラダ

オクラの原産地はエチオピア、西アフリカ、南アジアなど色々な説があり、今でも論議が絶えない。ひとつ言えるのは、原産地と目される地域はもちろん、アジアでもアメリカでもオクラはよく食べるということだ。

このサラダは湯がいたオクラに醤油と中国の黒酢にニンニク、ショウガ、唐辛子がたっぷり入ったドレッシングをかけて食べるスパイシーなサラダだ。

オクラを湯がく時のポイントは、後で切るにしても茎の先端だけ切って丸ごと湯がくことだ。オクラ独特のぬめりなどが逃げないので、いっそうおいしい。オクラの色が鮮やかになったら直ちに冷水に浸けて冷ます。

材料(4人分)
オクラ:20本/青ネギ:適宜(小口切り)

ドレッシング
ニンニク:4～6片(みじん切り)/ショウガ:5g(みじん切り)/唐辛子(できれば生):1本(好みで増減、小口切り)/醤油:大さじ2/鎮江香醋(中国の黒酢。なければ国産黒酢または酢):大さじ2/ゴマ油:大さじ2/砂糖:小さじ1/2/塩:一摘み

作り方
❶ オクラのヘタを切り落として、塩少々(材料外)を入れた湯で湯がき、直ちに氷を張った冷水に浸けて冷ます。❷ オクラを冷水から取り出して縦に2等分して器に盛りつける。❸ ドレッシングの材料をすべて小さな器に入れて混ぜて、オクラの上に注ぐ。❹ 青ネギを上に散らす。

涼拌皮蛋

リャンバンピーダン

透明感があるゼリーのような中国の珍味、ピータンのサラダ

皮蛋、日本語でピータンは塩を加えたアルカリ性の泥で卵を覆い、数か月寝かして作る。白身は透明感のある茶色いゼリー状になる。最もよく知られるのは花のような結晶がある松花皮蛋だ。中には色が薄く黄色いゼリー状のものもある。こちらのほうがずっとマイルドだ。といっても特有の臭い、味、食感があるので、好き嫌いがはっきり分かれる。苦手そうだと思う人はまず黄色のピータンで作ってみることを勧める。

ピータンはそのままで食べるものなので調理の必要がない。だから基本的な作業は材料を刻んで盛りつけるだけだ。ゴマ油の辛いドレッシングがまた食欲をそそる。

材料（2人分）

ピータン：2個／酢：小さじ2／ゴマ油：小さじ2／醤油：小さじ2／生の唐辛子：1本（小口切り）／ニンニク：1片（みじん切り）／ショウガ：8g（みじん切り）／砂糖：小さじ1/2／塩：一摘み／鶏ガラスープの素（お好みで）：一摘み／チャイブ、万能ネギ、または青ネギ：適宜（小口切り）

作り方

❶ ピータンを縦に4等分して、器に盛りつける。
❷ ピータンとチャイブ以外の材料を小さな器に入れてよく混ぜ、ピータンの上に均等にかけて、チャイブを上に散らす。

中国 China

凉拌蓮藕

|| リャンバンリェンオウ

シャキッとした歯ごたえが魅力のピリ辛レンコンサラダ

　レンコンの食感は独特なもので、他の野菜では絶対に味わえない。きんぴら、汁物、煮物など何でもおいしい。長く煮てもシャキッとした食感が完全に失われることはなく、生のジャガイモにも似た歯ごたえが味わえる。

　レンコンを下処理するのに酢水に浸ける必要はないが、中国ではこのようにすることが多いようだ。シャキッとした食感をできるだけ残すには、なるべく薄く切って茹でる時間を短くすることだ。中華のサラダではこのレシピのように熱した油を最後に注ぐことがよくある。こうすることでネギ、ニンニク、ショウガが焼ける香ばしい匂いがプーンとしてきて、おいしさが増す。

材料（4人分）

レンコン：2節（約350g）／米酢：小さじ1/2／生の唐辛子：1本あるは好みの量（みじん切り）／ニンニク：2片（みじん切り）／ショウガ：20g（千切り）／青ネギ：1本（小口切り）

ドレッシング

醤油：大さじ2／鎮江香醋（中国の黒酢。なければ国産黒酢または酢）：大さじ1/2／砂糖：小さじ1/2／サラダ油：大さじ2

作り方

❶ レンコンの皮をむき、薄く輪切りにしたら水でよく洗う。ボウルにたっぷりの水を用意し、米酢を加えて混ぜたらレンコンを加えて、10分ほど浸しておく。
❷ 鍋にたっぷりの湯を沸かし、レンコンをザルにあけて水を切ってから鍋に加えて、好みの硬さになるまで湯がく。❸ レンコンをザルに上げて水を切り、完全に冷めるまでおいておく。❹ サラダ油以外のドレッシングの材料を器に入れて混ぜておく。❺ レンコンをボウルに入れ、唐辛子、ニンニク、ショウガ、青ネギを中央にまとめてのせる。❻ サラダ油を鍋あるいは小さなフライパンに入れて熱くなるまで熱し、直ちに青ネギなどの上に注ぎ、ドレッシングを加えてよく混ぜる。

凉拌海带丝

リャンバンハイダイスー

今や世界的に注目を集める海藻、昆布の中華風サラダ

中国 China

海藻は2000年以上も前から日本では食されていたらしい。中国では紀元前2700からという話もある。海藻は東アジア、東南アジアの専売特許のように思われがちだが、スコットランドやアイルランドでも昔から食べられていることはあまり知られていない。今では海藻がヨーロッパやアメリカでスーパーフードとして注目されている。

このサラダは日本のワカメサラダととてもよく似ている。日本では和風ドレッシング、ゴマだれ、中にはマヨネーズというのもある。この中華昆布サラダは、中国サラダの定番ともいえる黒酢、醤油、唐辛子、ニンニク入りのドレッシングだ。

材料（4人分）

乾燥昆布：50g／ニンジン：1/2本（細切り）／サラダ油：大さじ1／パクチー：適宜（粗みじん切り）

ドレッシング

ニンニク：3片（みじん切り）／生の唐辛子：1～2本（小口切り）／醤油：大さじ1～2／鎮江香醋（なければ黒酢）：大さじ1／ゴマ油：小さじ1／砂糖：小さじ1／塩：小さじ1/4

作り方

❶ 昆布を水に浸して戻し、水気を絞ったら筒状に丸めて細切りにする。水で洗ってザルに上げておく。❷ 鍋にたっぷりの湯を沸かし、昆布を加えて好みの硬さになったらザルにあける。❸ ドレッシングの材料をすべて器に入れて混ぜる。❹ ボウルに昆布とニンジンを入れ、中央にニンニクと唐辛子が散らばらないように注ぎ、かき混ぜないでそのままにしておく。❺ フライパンにサラダ油を入れて熱し、熱くなったら直ちにボウル中央のニンニクと唐辛子の上に注ぐ。❻ サラダをよく混ぜてからパクチーを加えてさらに混ぜ、器に盛る。

和え物

あえもの

材料も味も見た目も違う様々な和え衣が和え物の和え物たる所以

広い意味でいうとお浸し、酢の物なども和え物だけども、そこまで話を広げてしまうととりとめがなくなってしまう。やはり違ったものとしてそれぞれの料理を考えたほうがすっきりする。

和え物に用いられる食材も、酢の物同様に様々だ。酢の物に用いられる食材は全部和え物にも使えるといえる。和え物が酢の物と違うのはドレッシングあるいはソースともいえる和え衣である。ゴマ和え、白和え、辛子和え、味噌和え、木の芽和えなど多くの種類がある。ここではホウレン草という同じ食材を使い、一般的な3種類の和え衣で和えて、その違いを示してみた。

材料(2人分)

ホウレン草：1束（3種とも共通）

ゴマ和え
白ゴマ：大さじ3／醤油：小さじ2／砂糖：小さじ1／煮切りみりん：大さじ1／顆粒鰹出汁（お好みで）：小さじ1/2／塩：適宜（必要であれば）
●煎りゴマでない場合は、白ゴマを乾煎りしてすり鉢などですりつぶす。

白和え
木綿豆腐：1/2丁／白ゴマ：大さじ1／薄口醤油：大さじ1/2／白味噌：大さじ1/2／砂糖：大さじ1/2／塩：適宜
●豆腐はペーパータオルなどで包み、重しをのせて30分ほどおいて水を切り裏漉しする。
●煎りゴマでない場合は、白ゴマを乾煎りしてすり鉢などですりつぶす。

日本 Japan

おろし和え
ダイコンおろし：180ml ／醤油：大さじ1 ／酢（お好みで）：大さじ1 ／顆粒鰹出汁：少々 ／鰹節（お好みで）：適宜
●ダイコンおろしは絞って水気を切る。

作り方
❶ 3種の和え衣の中から好みのものを選び、材料をすべて器に入れて混ぜておく。❷ 鍋にたっぷりの湯を沸かし、ホウレン草を好みの硬さに湯がいたら直ちに冷水に浸けて冷まし、水気をよく絞る。❸ ホウレン草を食べやすい大きさに切り、ほぐしてボウルに入れる。❹ 和え衣をボウルに加えて混ぜる。

酢の物

すのもの

野菜や魚介類などを合わせ酢で和える日本を代表するサラダ

　酢の物がサラダであることには多くの人が納得するだろう。材料を合わせ酢（ドレッシング）で和える。ドレッシングにも油を使わないものはあるわけで、酢の物は日本が誇るサラダといっていいだろう。

　酢の物に使われる材料は無限にある。生野菜、湯がいた野菜、海藻、肉、イカ、魚、貝、ナマコといった魚介類など、あらゆるものが使われる。合わせ酢も二杯酢、三杯酢、甘酢、土佐酢、ポン酢、ゴマ酢など様々で、材料や好みに合わせて使い分けられる。ここで紹介するのは最も人気があるキュウリとワカメ、そしてキノコの酢の物だ。合わせ酢もごく一般的なものだ。

材料（2人分）
キノコの酢の物
キノコ：200g／酢：大さじ2／みりんまたは砂糖：大さじ2／醤油：大さじ2

作り方
❶ キノコをたっぷりの湯で湯がき、ザルにあけて水を切る。❷ キノコを軽く絞ってボウルに入れ、他の材料（みりんは煮切る）を加えて混ぜる。

材料（2人分）
キュウリとワカメの酢の物
キュウリ：2本（薄くスライス）／戻したワカメ：40g／酢：大さじ2／みりんまたは砂糖：大さじ2／醤油：大さじ2

作り方
❶ キュウリは塩少々（材料外）でしんなりさせておく。❷ キュウリを軽く絞って、戻したワカメとともにボウルに入れ、他の材料（みりんは煮切る）を加えて混ぜる。

お浸し

おひたし

ホウレン草、小松菜といった定番もいいけど、意外なものもうまい

　お浸しは食材そのもののおいしさを味わうのに最適だ。料理名からも分かるように、本来は出汁と醤油を合わせたものに浸すのがお浸しだが、湯がいた季節の野菜に醤油をかけるだけでもよし、鰹節や刻みショウガ、梅干しなんかをのせてもおいしい。

　ホウレン草や小松菜など定番のお浸しもいいけど、これまで使われなかった新しい素材で作ってみるのも楽しい。たとえば葉も茎も食べられるビーツ。それをすべて無駄なくお浸しにする。仕上げに合わせ調味料を上からかけると、ビーツで赤く染まり器を満たす。それぞれの食感の違いが楽しめるだけでなく、この鮮やかさも魅力だ。

材料（4人分）

春菊のお浸し
春菊：350g ／鰹節：適宜／白ゴマ：適宜

合わせ調味料
だし汁：150ml ／醤油：大さじ1＋1/2

作り方

❶ 鍋にたっぷりの湯を沸かし、春菊を好みの硬さに湯がいたら冷水に浸けて冷まして、水気をよく絞る。❷ 春菊を食べやすい大きさに切り、ほぐしてボウルに入れる。❸ 合わせ調味料を作って、ボウルに加えてよく和える。❹ 春菊を器に盛り、好みで鰹節をのせる、あるいは白ゴマをかける。

材料（4人分）

ビーツのお浸し
葉付きのビーツ：2個

合わせ調味料
だし汁：150ml ／醤油：大さじ1＋1/2

作り方

❶ ビーツを根、赤い茎、緑の葉に切り分けたら、それぞれをきれいに洗う。❷ 蒸し器に水を張って沸騰させ、まずは根を、大きい場合は半分に切って入れて、30分程度火が通るまで蒸す。❸ 茎、葉も別々に同じように蒸すが、時間は短め。茎は10分、葉は4分程度。❹ 葉は冷水に浸けて冷まし、水を絞る。根と茎はそのまま常温まで冷ます。❺ 根は皮をむき、それぞれを食べやすい大きさに切り、器に盛りつけ、春菊と同じ合わせ調味料を作ってかける。あるいは別々の蓋付き容器に入れ、合わせ調味料をそれぞれに加えて混ぜ、1時間ほどおいて味を馴染ませる。

海藻サラダ

かいそうサラダ

どんなドレッシングにもよく合うが和風がいちばん。海の畑サラダ

　海藻サラダを初めて食べたのは何十年も前のことだ。それまでワカメの酢の物やサラダくらいしか知らなかったわけだけど、色々な海藻が入った袋を見つけて初めて食べた時の感動は忘れられない。そんな大ファンであるにもかかわらず、海藻サラダの日があるなどとはまったく知らなかった。それもそのはず、できたのは2020年だ。さらに驚いたのは1930年にはもう海藻サラダが存在していたことだ。

　海藻サラダにはワカメを主に寒天、もずくなど馴染みのある海藻のほか、赤マフノリ、赤トサカノリなど名前を知らなかった赤い海藻も入っている。

材料（4人分）

乾燥海藻ミックス：8g／ルッコラ、水菜、または春菊などの葉物野菜（お好みで）：20g／チェリートマト（お好みで）：8個（縦2等分）／レタス（お好みで）：適宜

ドレッシング

サラダ油：大さじ2／米酢：大さじ2／醤油：大さじ1／ゴマ油：小さじ1／白ゴマ：大さじ1／砂糖：小さじ1

作り方

❶ 海藻ミックスをたっぷりの水に浸けて戻し、ザルに上げて水を切る。❷ ドレッシングの材料をすべて器に入れて混ぜる。❸ 海藻ミックスを手で握るようにしてさらに水を絞ったらボウルに入れ、ルッコラ、ドレッシングを加えてよく混ぜる。❹ 器にレタスを敷き、その上に③とトマトをのせる。

ぶっかけそば

日本 Japan

‖ ぶっかけそば

麺つゆは熱くても冷たくてもよし。好きな具をのせて食べたい

ぶっかけそばを初めて食べたのは30年くらい前のことだ。友人に連れられて行った山梨県忍野近くの高台にあるそば屋だった。メニューは確か2つ。自家栽培の辛いダイコンおろしと焼き味噌だった。うどんよりもそばが好きな私は最高に幸せなひと時を過ごした。その後、近くに行くと必ず寄った。

今はどこでも、アメリカですらぶっかけうどんが食べられる。ぶっかけといえばうどんである。どちらもうまいが、私はやはりそば。上にのせる具は何でもかまわない。天ぷら、焼き魚、山かけもいい。湯がいたホウレン草だけでも十分、梅干しをのせてさっぱりいただくというのもまたよし。

材料（4人分）
ダイコン：小1/2本／オクラ：4〜6本／ナメコ（パック）：100g／そば（乾めん）：320〜400g／梅干し：4個（種を取る）／ネギ：適宜
※ここに掲げたものは一例。好みの具を代わりに使用してかまわない。

そばダレ
麺つゆ：800ml（既成の濃縮タイプの場合は水を加えた後の総量）

作り方
❶ ダイコンをおろして、ザルで水分を切っておく。❷ オクラは丸ごと湯がいてから冷水に浸けて冷まし、厚めに小口切り。❸ ナメコは熱湯で茹でて冷水に浸けて冷まし、ザルにあけて水を切る。❹ 大鍋に湯を沸かし、そばを好みの硬さに茹でて水洗いし、ザルに上げて水を切る。❺ 器にそばを盛り、そばダレをかけ、他の材料を上に散らす。

골뱅이무침

コルベンイムッチム

辛くて甘酸っぱいソースで絡めたツブ貝のサラダ

韓国

コルベンイは日本でもよく食べられるツブ貝のことだ。単純にツブと呼ぶこともある。アメリカでは韓国系のスーパーに行くとすでに調理済のツブ貝の缶詰が山積みにされている。これを見ると、韓国でかなり人気があることが分かる。ちなみに韓国でツブ貝の缶詰が生産され始めたのは1960年代、これを使ったサラダが1970年のソウルで大ヒットしたのが始まりだ。

食べやすい大きさに切ったツブ貝をキュウリ、ニンジン、キャベツなどと一緒に、コチュジャン、コチュカル入りのスパイシーで甘酸っぱいソースで混ぜる。麺がこのサラダといつも一緒に出される。

材料（4人分）

コルベンイ（ツブ貝）：1缶／キュウリ：1本（細切り）／ニンジン：小1/2本（細切り）／キャベツ：3～4枚（千切り）／玉ネギ：小1/2個（薄くスライス）／青ネギ：2～3本（千切り）／生の赤唐辛子：1本（種を取って縦に千切り）／生の青唐辛子：1本（種を取って縦に千切り）／ゴマ：適宜／そうめん：300～400g

ソース
コチュジャン：大さじ3／米酢：大さじ2／コチュカル：大さじ1／ゴマ油：大さじ1／ニンニク：2片（みじん切り）／砂糖：大さじ2／ゴマ：大さじ1/2／塩：適宜

作り方

❶コルベンイをザルにあけてよく水洗いしたら、そのまま水を切る。❷ソースの材料をすべて器に入れてよく混ぜる。❸ボウルにコルベンイとゴマとそうめん以外のサラダ材料を入れ、ソースをかけてよく混ぜる。❹鍋にたっぷりと湯を沸かし、そうめんを加えて茹でたらザルに上げ、冷水で揉むようにしてよく洗う。❺そうめんを皿に盛り、サラダを上に盛りつける。そうめんとサラダを同じ皿の上で分けて盛りつけてもいい。

도라지무침

トラジムッチム

韓国 South Korea

中国では漢方にも使われる高麗ニンジンに似たキキョウの根のサラダ

トラジはキキョウ属の植物で、中国では根が漢方の生薬として使われる。韓国では食材として人気があり、ナムルなどにする。韓国では生のものが手に入るようだが、一般に使われるのは乾燥させたもので、水で戻してから使う。トラジは高麗ニンジンに香り、味が似ているといわれる。

トラジは苦みが強いため長時間水に浸して苦みを取らなければならないが、苦みはトラジの魅力でもあるので少し残っているくらいがいい。ドレッシングはコチュカルがたっぷり入ったスパイシーなものだ。酢がベースで砂糖がかなり入るので甘酸っぱく、少し苦みのあるトラジととてもよく合う。

材料(4人分)

トラジ(乾燥ベルフラワーの根):150g／塩:大さじ1+大さじ1/2／キュウリ:小1本(薄くスライス)／青ネギ:1本(小口切り)

ドレッシング
酢:大さじ3／醤油:大さじ1/2／ゴマ油:小さじ1/2／砂糖:大さじ3／コチュカル:大さじ2／ニンニク:1片(みじん切り)／煎りゴマ:小さじ1/2／塩:適宜

作り方

❶ トラジをたっぷりの水に浸して一晩おく。水を切ってボウルに入れ、塩大さじ1を加えて数分間よくもんで、苦みを取る。水洗いして水を切る。長いものは半分に切り、太いものは切るか裂くかして太さを少し揃える。❷ キュウリをボウルに入れて塩大さじ1/2を加えて混ぜ、5分ほどおいて水が出てきたら水洗いして、水気を絞る。❸ ドレッシングの材料をすべて器に入れてよく混ぜる。❹ ボウルにトラジとキュウリ、ドレッシングを加えてよく混ぜる。❺ サラダを器に盛り、上に青ネギを散らす。

해파리냉채

ヘパリネンチェ

クラゲを中央に様々な食材が盛りつけられる韓国風クラゲサラダ

日本でもクラゲをキュウリやワカメと一緒に酢の物にして食べる。ほとんど味がないクラゲだが、コリコリとした食感が他の食材にはない魅力である。中国では2000年近く前からクラゲが食されていたらしい。クラゲは東アジアの国々だけでなく東南アジアでも人気だ。漁獲量が多いのは中国、東南アジアである。アメリカでも漁獲され、ほとんどは中国や日本に輸出されている。

クラゲは味がないに等しいのでドレッシングが決め手だ。どの国でも酢をベースにしたものが多く、韓国ではニンニクやカラシを加える。様々な野菜やカニ(カニかま)などとともに鮮やかに盛りつけられるのが韓国流だ。

材料(4人分)

塩クラゲ:100g/カニかまぼこ:100g(適当な太さに裂く)/キュウリ:1本(細切り)/ニンジン:小1/2本(細切り)/ナシ:1個(皮をむいて薄くスライス)/赤パプリカ(お好みで):1個(細切り)

ドレッシング
レモン汁:大さじ1/酢:大さじ3/砂糖:大さじ3/粉ガラシ:大さじ1/ニンニク:3片(みじん切り)/ゴマ(白でも黒でも可):大さじ1/塩:適宜

作り方

❶ 塩クラゲを2～3回水洗いして余分な塩を洗い流し、たっぷりの水に30分～1時間(塩加減で異なる)浸して塩抜きしたら、ザルに上げておく。❷ 鍋に湯を沸かしてニンジンを湯がいたら、取り出して冷水に浸し、ザルに上げておく。鍋を火から下ろし、①のクラゲを鍋の湯で湯通ししたら冷水に浸して冷まし、水気を切って細切りにする。❸ ドレッシングの材料をすべて器に入れてよく混ぜる。❹ クラゲを皿の中央に置き、他のサラダ材料を周りに置いたら、ドレッシングを全体にかける。

나물

ナムル

素材は無限大、シンプルであっさりしていることがナムルの魅力

ナムルは日本でもお馴染みで、完全に市民権を得た感じだ。ナムルは日本でいう和え物で、家庭でもレストランでも1品だけが出されることはなく、何種類ものナムルが並ぶ。正直どんな野菜でもナムルになるわけで、ナムルに使用される素材は大げさな話、無限大に存在する。キノコや海藻はもちろんのことズッキーニ、ミント、洋野菜のチャードなども使われる。

野菜をさっと湯がいてゴマ油と醤油、塩などで味をつけただけのものが多く、このシンプルさが人気の秘密ともいえる。ナスのように蒸して、ゴマ油と醤油だけでなくコチュジャンを加えてスパイシーにしたものもある。

材料（4人分）

ホウレン草のナムル
ホウレン草：1束／ニンニク：1片（みじん切り）／ゴマ油：大さじ1／醤油：小さじ1／煎り白ゴマ：大さじ1／青ネギ：1本（小口切り）／塩・コショウ：適宜

作り方

❶ 鍋にたっぷりの湯を沸かし、塩一摘みを入れたらよく洗ったホウレン草を加えて、好みの硬さに湯がく。
❷ ホウレン草をザルにあけたら冷水に浸けて冷まし、水分をよく絞って食べやすい大きさに切ってボウルにあける。❸ 塩とコショウ以外の材料を加えてよく混ぜ、塩とコショウで味を調える。

材料（4人分）

ナスのナムル
ナス：2本／青ネギ：1本（小口切り）／ニンニク：1片（みじん切り）／醤油：適宜／ゴマ油：小さじ2／砂糖：小さじ1/4／コチュジャン：小さじ1/2／煎り白ゴマ：小さじ1

作り方

❶ 蒸し器に水を加えて火にかけておく。❷ ナスを5cmくらいの長さに切り、それぞれ縦に4〜6等分に切って、水にさらしておく。❸ 蒸し器の湯が沸いたらナスを加えて5分ほど蒸し、取り出して冷ます。❹ ゴマ以外の材料をボウルに入れてよく混ぜ、冷めたナスを加えてよく混ぜる。
❺ 醤油で味を調えたらナスを器に盛り、上からゴマを散らす。

材料（4人分）

モヤシのナムル
モヤシ：500g／ニンニク：1片（みじん切り）／ゴマ油：大さじ1／煎り白ゴマ：大さじ1／青ネギ：1本（小口切り）／塩・コショウ：適宜

作り方

❶ 鍋にたっぷりの湯を沸かし、塩一摘みを入れたらよく洗ったもやしを加えて、好みの硬さに湯がく。❷ もやしをザルにあけたら冷水に浸けて冷まし、水分をよく絞ってボウルにあける。❸ 他の材料を加えてよく混ぜ、塩とコショウで味を調える。

무생채

ムセンチェ

魚醬が効いた味つけが食欲をそそるダイコンに似たムの千切りサラダ

　日本のダイコンと韓国のムと呼ばれる野菜は互いに代替品として使われるが、同じものではない。ムはダイコンよりも太くて丸々している。頭が緑なので、見た感じ太い青首ダイコンのように見える。ダイコンより締まっていてパリッとした食感を持っている。甘みもダイコンより強いような気がする。煮物はもちろん生でもとてもおいしい野菜である。

　ムセンチェはこのムの千切りサラダで、味つけはコチュカルとエッチョッと呼ばれる韓国の魚醬だ。エッチョッが手に入りにくい場合はニョクマムやナンプラーといった東南アジアの魚醬でも、日本のしょっつるやいしるでもいい。

材料（4人分）

ダイコン：450g（皮をむいて3〜5mmの細切り）／塩：小さじ1＋適宜／コチュカル：大さじ2または好みの量／ニンニク：2〜4片（みじん切り）／ショウガ：10g（すりおろす）／砂糖：小さじ1／エッチョッ（韓国の魚醬。なければニョクマム、ナンプラー、日本の魚醬など）：適宜／青ネギ：2本（小口切り）／白ゴマ：適宜

作り方

❶ ダイコンに塩小さじ1を振ってよく混ぜ、20分ほど水分が出てくるまでおいておく。❷ ①のダイコンの水を手で絞ったらボウルに入れ、青ネギと白ゴマ以外の材料をすべて加え、手でよく混ぜる。塩とエッチョッで味を調える。❸ 器に盛り、青ネギと白ゴマを上に散らす。

涼拌黄瓜

リャンバンホアングァー

台湾

夏バテ防止に最適というのは台湾も同じ。暑い日はキュウリのサラダ

このサラダは夏野菜の代表格キュウリのサラダで、台湾の暑い夏には欠かせない。中国にもそっくりのサラダがあるが、拍黄瓜（パイホアングァー）という違う名前で呼ばれている。

キュウリの処理は台湾も中国も同じで、中国のものはいわゆる叩きキュウリである。他の部分には違いがある。台湾は普通の米酢だが、中国では鎮江香醋と呼ばれる中国の黒酢が使われることが多い。また辣椒油を使うのも中国である。使用する酢で味がずいぶん違ってくる。台湾と中国別々に作ってもいいし、両者から好みの材料をピックアップして作ってみるのもおもしろい。いずれにしてもニンニクと唐辛子は効かせたい。

材料（4人分）

キュウリ：3本

ドレッシング
ニンニク：2片（みじん切り）／青ネギ：1本（小口切り）／鷹の爪：1〜2本（小口切り）／塩：小さじ1/2／MSG（うま味調味料。お好みで）：一摘み／鎮江香醋（中国の黒酢）または米酢：大さじ1／醤油：大さじ1／砂糖：小さじ1／ゴマ油：小さじ1/2／辣椒油（中華チリオイル）：大さじ1

作り方

❶ ドレッシングの材料をすべてボウルに入れてよく混ぜる。❷ キュウリの皮をむくが、全体ではなくある程度残しておく。❸ キュウリの両端を切り落とし、包丁の肌で全体を叩いたら縦に4〜6等分して、種が多い場合は縦を取り除いて4〜5cmに切る。❹ キュウリをドレッシングが入ったボウルに加えてよく混ぜる。

涼拌茄子

|| リャンバンチエツー

 台湾

室温でも冷やしてもよし。いくらでも食べられそうなナスのサラダ

　ここで紹介するのは台湾のナスサラダだが、もちろん中国にも同じサラダがあり、両者にはあまり違いがない。ナスは前ページのキュウリとシーズンが重なる夏から秋にかけての野菜である。
　日本と中国のナスは見た目が違う。中国のナスは細長く、淡い紫色をしている。ナスは調理する時、できるだけこの色を残すよう台湾の人は気を使う。茹でる、電子レンジにかける、蒸す、揚げるの4方法がこのサラダでも使われる。揚げるのがいちばん色が鮮やかに残るようだが、油っこくなりがちだ。茹でるとかなり色が落ちるが簡単。お勧めは蒸すかレンジである。茹でるよりも色が落ちない。

材料（4人分）

中国ナス：3本（日本のナスの場合は大4本）／塩：小さじ1

ドレッシング
青ネギ：1本：小口切り／ニンニク：2片（みじん切り）／ショウガ：5g（みじん切り）／生の唐辛子：1本または好みの量（小口切り）／醤油：大さじ2／鎮江香醋（中国の黒酢。なければ黒酢または米酢）：大さじ1／砂糖：大さじ1／ゴマ油：小さじ1

作り方

❶ 鍋にたっぷりの湯を沸かし、ボウルにたっぷりの冷水を用意する。❷ ドレッシングの材料をすべて器に入れて混ぜておく。❸ ナスを半分の長さに切り、①の鍋の湯に塩を加えたらナスを入れ、ナスが完全に熱湯に浸かるように落とし蓋をして、5分ほど火が通るまで茹でる。蒸しても揚げてもOK。❹ 茹でたナスを直ちに冷水に浸けて冷まし、水を切って適当な大きさに切る。❺ ナスを器に盛り、上にドレッシングをかける。

The World's Salads

Chapter

10

東南アジア

Southeastern Asia

ブルネイ／カンボジア／インドネシア／ラオス／マレーシア
シンガポール／ミャンマー／フィリピン／タイ／ベトナム

Rujak

ブルネイ

|| ルジャック

ピーナッツとタマリンドの甘辛ドレッシングで食べるフルーツサラダ

インドネシアとマレーシアの一部を構成するアジア最大の島ボルネオ島は、世界で最も古い熱帯雨林のひとつで、オランウータンの故郷として知られる。この島の北部にあるのがブルネイである。地理的な理由もあり、食文化ではマレーシアやインドネシアなどの影響を強く受けている。このルジャックもインドネシア起源のサラダで、ブルネイでも非常に人気がある。

このサラダにはヒカマという味や食感がナシやリンゴに似ている根菜が入るが、素材にはあまりこだわる必要はない。ルジャックの魅力は素材よりも、ピーナッツバターとタマリンドベースの甘辛なドレッシングにある。

材料（4人分）

キュウリ：小1本（薄くスライス）／ヒカマ：小1個（長さ3〜4cm幅2〜3cmくらい、薄くスライス）／パパイヤ：小1/4個（一口大に切る）／スターフルーツ：1個（スライス）／パイナップル（缶詰可）：1/4個（缶詰なら4枚程度、一口大に切る）／緑の洋ナシ（硬いもの）：小1個（一口大に切る）／甘味の少ない硬めのリンゴ：小1個（一口大に切る）

ピーナッツソース
タマリンドペースト：大さじ1／水：120ml／ピーナッツバター：大さじ3／生のチリペッパー：1〜2本（種を取って小口切り）／ブラウンシュガー（なければ黒砂糖）：大さじ4

作り方

❶ピーナッツソース材料のタマリンドペーストと水をボウルに入れてよく混ぜ、ザルなどで漉したら、他の材料を加えてよく混ぜる。❷1つの皿にサラダの材料を別々に盛りつけ、ソースとともに食卓へ。❸好みのサラダを取り、ソースにつけて食べる。サラダを器にとってソースを混ぜて食べてもいい。

Neorm Sach Moan

カンボジア Cambodia

|| ニオルム・サック・モアン

カンボジアでは結婚式など特別な日に出されるチキンサラダ

"We Are La Cocina"という料理本が出版されたのは2019年。この中ではアメリカンドリームを求めてアメリカにやってきた移民シェフが自分たちの国の料理を紹介している。その中に出てくるカンボジアのサラダが、このチキンサラダである。

特別な機会によく作られるサラダで、カンボジアの結婚式ではとても重要な料理となっている。前述の本に出てくるレシピでは少しアレンジが加わり、紫キャベツでより華やかさを持たせてある。しかし実際はバナナの花が使われる。ここでもキャベツではなくバナナの花を使った。もちろん紫キャベツでも普通のキャベツでもかまわない。

材料（4人分）

ライムまたはレモン：1個／バナナの花：小1個／調理済鶏ムネ肉：350g（食べやすい大きさに裂く）／トマト：1個（種を取ってスライス）／ニンジン：小1本（細切り）／キュウリ：1本（半月にスライス）／ミントの葉：適宜／タイバジル：適宜／ピーナッツ：大さじ2／生のチリペッパー：1～2本（縦に千切り）／カフィルライムの葉：3枚（千切り）

ドレッシング

ライム汁：1個分／砂糖：大さじ1／フィッシュソース：大さじ2／米酢：大さじ2／ニンニク：1片（みじん切り）

作り方

❶ ボウルに水を張り、ライムを半分に切って絞って加える。絞った後の実も水に入れる。❷ バナナの外側の苞葉と根元の小花を、苞葉の色が薄くなるまではがし、淡い色の苞葉を塊のまま輪切りにして、変色しないように直ちにボウルに浸けてそのまま次の作業に入る。❸ ドレッシングの材料を器に入れて混ぜておく。❹ バナナの花の水を切ってボウルにあけ、サラダのタイバジルまでの材料、ドレッシングを加えてよく混ぜる。❺ サラダを器に盛りつけ、上にピーナッツ、チリペッパー、カフィルライムの葉を散らす。

Lap Khmer

ラプ・クメル

セヴィチェ、カルパッチョとも比較されるマリネした牛肉のサラダ

牛肉を使ったカンボジア版セヴィチェともいわれるサラダで、イタリアのカルパッチョにも似ている。マリネ液にもドレッシングにもライム汁が入るので、とても爽やかで心地よい香りが食欲をそそる。

このレシピでは軽くソテーするが、セヴィチェともいわれるように本来は生のままマリネする。またマリネに使ったマリネ液を、肉を取り出した後に煮詰めてかけることもあるようだ。またレシピではサーロインだが、ヒレ肉でもおいしい。

このサラダは家庭料理というよりも、レストランで出される結婚式などの特別な料理で、観光客にもたいへん人気がある。

材料（4人分）

サラダ油：大さじ1／サーロインステーキ用牛肉：400g／キュウリ：小1本（縦半分に切って薄くスライス）／サヤインゲン：10本（好みの硬さに湯がいて2〜3cmに切る）／パクチー：適宜／ミントの葉：適宜／カフィルライムの葉：5枚（千切り）／ピーナッツ：大さじ3（乾煎りして粗く砕く）

マリネ液
ライム汁：2個分／砂糖：小さじ2／レモングラス：1本（中央1/3のみ。小口切り）／ニンニク：1片（みじん切り）／ショウガ：5g（みじん切り）

ドレッシング
ライム汁：2個分／砂糖：大さじ2／ニンニク：1片（みじん切り）／ショウガ：5g（みじん切り）／エシャロット：小1/2個（みじん切り）／パラホック（ドロッとしたフィッシュソース）：大さじ2〜3

作り方

❶ マリネ液の材料をすべてボウルに入れてよく混ぜる。❷ ドレッシング材料のライム汁と砂糖を器に入れて砂糖が溶けるまで混ぜたら、残りの材料を加えてよく混ぜる。❸ フライパンにサラダ油を熱し、ステーキ肉を全体に焼き目がつく程度（レア）に焼いたら取り出して、余分な油をふき取って10分ほどおいておく。❹ 肉を薄切りにして①のボウルに加えてよく混ぜ、10分ほど味を馴染ませる。❺ 肉を取り出して余分な水分を取ったら、きれいにしたボウルに入れ、他のサラダの材料も加えて、②のドレッシングを味見しながら少量ずつ加えてよく混ぜる。

Lalab

ララブ

生でも湯がいても色々な野菜をたっぷり食べるならこのララブ

ララブは、生野菜や湯がいた野菜をサンバルというソースともペーストともいえるドレッシングで食べるサラダである。野菜なら何でもかまわないが、よく使われる野菜は生ならトマト、キュウリ、キャベツ、タイナスなど。湯がくのはホウレン草、パパイヤの葉、スイートポテトやキャッサバの葉、サヤインゲンなどである。

サンバルはインドネシアだけでなく周辺の国々にもあり、インドネシア内だけでも様々なサンバルがある。サンバルテラシはインドネシアの典型的なサンバルだ。270ページのサラダに出てくるサンバルはサンバルテラシとは少し違う、ひとつのバリエーションである。

材料 (4人分)

サヤインゲン：20本／キャベツ：8枚（ざく切り）／キュウリ：1本（輪切り）／トマト：中1個（スライス）／タイナス（お好みで）：4個（縦に4等分）

サンバルテラシ
サラダ油：大さじ3／テラシ（インドネシアのエビペースト）：大さじ1/2／エシャロット：中1個（薄くスライス）／ニンニク：2片（みじん切り）／マイルドな生のチリペッパー：6本／ホットな生のチリペッパー：2本または好みの量／トマト：大1個（4等分）／パームシュガー（なければ普通の砂糖）：大さじ2／塩：小さじ1／ライム汁：1個分

作り方

❶ サンバルテラシ用のサラダ油をフライパンで熱し、テラシを加えてサッと和えたらエシャロット、ニンニク、チリペッパーを加えて香りが出てくるまで炒め、トマトを加えて少し柔らかくなるまで炒める。❷ ①をすり鉢あるいはブレンダーに入れ、パームシュガー、塩、ライム汁を加えてペースト状にする。完全にペーストにせず、まだ少し形が残っている程度。❸ 鍋に湯を沸かし、サヤインゲンとキャベツを別々に好みの柔らかさになるまで煮る。❹ 野菜を器に並べ、サンバルテラシとともに食卓へ。サンバルテラシを皿の中央に置いてもいい。

Gado Gado

|| ガド・ガド

世界で最も知られるインドネシアの豪華、具だくさんサラダ

　ガド・ガドはインドネシアで最も人気のある料理というだけでなく、世界でも最も知られるインドネシア料理のひとつともいえる。最近ではインドネシアでもレストランでこのサラダを食べることができるが、ストリートフードこそがこのサラダの本来の姿だ。国外ではサラダという認識だが、国内ではそのような認識はないらしい。

　地方によってかなりバリエーションがあり、確定的な材料、ソースはない。このレシピに入っていない食材としてよく使われるものには、大豆の発酵食品であるテンペ、ご飯をバナナの葉でギュッと包んで茹でた、ちまきにも似たロントンなどがある。

インドネシア Indonesia

材料（4人分）

木綿豆腐：1丁／サラダ油：大さじ3～4／モヤシ：50g／ホウレン草：1束（200g、食べやすい長さに切る）／サヤインゲン：15本／キャベツ：小1/4個（千切り）／ニンジン：1本（細切り）／茹で卵：2個（縦に4等分）／フライドエシャロット：適宜／クルプック（エビクラッカー）：適宜

ドレッシング

無塩ピーナッツ：150g／ニンニク：2片／生のチリペッパー：2～3本／ガランガル：10g（薄くスライス）／カフィルライムの葉：1枚／ケチャップマニス（インドネシアの甘い醤油）：大さじ3／水：500ml／ライムまたはレモン汁：小さじ1／フライドエシャロット：大さじ1／塩：適宜

作り方

❶ ドレッシング材料のピーナッツ、ニンニク、チリペッパー、ガランガル、カフィルライムの葉をすり鉢またはブレンダーに入れて、粗めにすりつぶす。すりつぶしにくい場合は少量の水を加える。❷ ①とケチャップマニス、水を鍋に入れて沸騰させ、弱火にして1時間ほど煮る。焦げつかないようにこまめにかき混ぜること。❸ 塩で味を調えたら鍋を火から下ろし、ライムまたはレモン汁を加えて混ぜたらサービング用の器にあけておく。❹ 豆腐をペーパータオルなどで包んで重しをのせて余分な水分を取り、食べやすい大きさに薄く切っておく。❺ フライパンにサラダ油を熱し、豆腐を入れて崩れないように注意しながら焦げ目がつくまで焼く。ペーパータオルの上に並べて油を切っておく。❻ 鍋に湯を沸かし、モヤシ、ホウレン草、サヤインゲン、キャベツ、ニンジンを別々に好みの柔らかさに湯がいて冷水に浸け、水を切ってそれぞれ別に器に取っておく。❼ 野菜を皿に並べ、その上に茹で卵、ソテーした豆腐を置いてフライドエシャロットを散らす。ドレッシングにもフライドエシャロットを散らして、サラダの上にかける。❽ クルプックを別の器に入れて、残りのドレッシングとともにテーブルに並べる。

Plecing Kangkung

| プレチン・カンクン

ホウレン草やクレソンに味が似たウォータースピナッチのサラダ

インドネシア

　このサラダはウォータースピナッチと呼ばれる野菜とモヤシのサラダで、スピナッチといってもホウレン草とはまったく関係ない。味はホウレン草に似ていてクレソンのような辛みが少しある。日本ではヨウサイと呼ばれ、沖縄などで以前から食べられていたが、最近は日本各地、特に南日本で栽培されているようだ。東、南、東南アジアでよく食される野菜で、このサラダはインドネシアのバリ島の東にあるロンボク島の料理である。

　このサラダに使われているサンバルはトマトがたくさん入ったスパイシーで甘酸っぱいドロッとしたドレッシングで、市販のものもある。魚介類、肉にもよく合う。

材料（4人分）

ウォータースピナッチ（なければホウレン草）：300g／モヤシ（お好みで）：200g／ココナッツフレーク：大さじ4（乾煎りする）／ピーナッツ（無塩）：大さじ2（乾煎りする）／ライム：1個（縦4等分）

サンバル
生のチリペッパー：3本または好みの量（小口切り）／カフィルライムの葉（お好みで）：1枚（ちぎる）／ニンニク：1片／トマト：中1/2個（1cmサイコロ切り）／玉ネギ：1/4（粗みじん切り）／パームシュガー（なければ普通の砂糖）：小さじ1／テラシ（インドネシアのエビペースト）：小さじ1/2／ライム汁：1/2個分／塩：適宜

作り方

❶ ウォータースピナッチは茎の太い部分を切り落として、好みの硬さに湯がいたら冷水に浸して冷まし、水を切って縦に細く裂く。❷ モヤシも好みの硬さに湯がいて冷水に浸し、水を切っておく。❸ サンバルの材料をすべてすり鉢あるいはブレンダーに入れてペースト状にしたら器にあけ、塩で味を調える。❹ ウォータースピナッチ、モヤシの順（混ぜても分けても可）で器に盛り、サンバルをかけ、さらにココナッツ、ピーナッツを振りかけ、ライムを脇に置く。

Larb

ラープ

乾煎りした米の香りがたまらないラオスの国民食、挽き肉のサラダ

ラープは世界で最も知られるラオス料理で、ラオスの国民食ともいわれる。タイ、ミャンマー、中国南部でもとてもポピュラーだ。ラープは挽き肉のサラダで鶏肉、鴨肉、牛肉、豚肉などが使われ、それぞれラープ・ガイ、ラープ・ペッド、ラープ・シーン、ラープ・ムーと呼ぶ。もちろんラープの後に続く言葉は使用する肉を示す。牛肉の場合は生のまま使うこともある。カンボジアのラブはおそらくラープのバリエーションである。

このサラダではもち米が使われる。もち米は炊いたり蒸したりするのではなく、薄茶色になるまで乾煎りした後、粉にする。この炒った米の香りがこのサラダの魅力でもある。

材料（4人分）

もち米：大さじ2／挽き肉（鶏、豚または牛肉）：450g／パデック（ラオスのどろっとした濁ったフィッシュソース。なければ普通のフィッシュソース）：大さじ2／ライム汁：1個分／ニンニク：2片（みじん切り）／青ネギ：2本（小口切り）／パクチー：大さじ4（粗みじん切り）／ミントの葉：大さじ4（粗みじん切り）／生のチリペッパー：2本（小口切り）

作り方

❶ フライパンにもち米を入れて火を点け、中火で常にかき混ぜながら薄茶色になるまで炒る。❷ ①をすり鉢などで粉にする。❸ フライパンを中火で熱し、挽き肉を加えて火が通るまで炒める。焦げつきそうな場合は水（材料外）を少量加える。❹ 火から下ろしてボウルに入れ、他の材料を加えてよく混ぜる。味はフィッシュソースで調整する。

Thum Mak Hoong

ラオス

|| タム・マク・フーン

シーザーサラダ、タブーレと並び称される世界で最もうまいサラダ

　グリーンパパイヤ・サラダといえばタイのソムタムが世界的に知られているが、元祖はラオスのこのタム・マク・フーンである。今は熟していないパパイヤを使うが、トマトやチリペッパーと同様、東南アジアにパパイヤが持ち込まれる以前は、熟していないマンゴー、キュウリなどを使っていた。今では名前こそ違うが、タイのほかベトナムやカンボジアにもグリーンパパイヤのサラダがある。

　このサラダのラオスとタイの違いは、使用される調味料。タイではナンプラーだが、ラオスのものには他にナンプーというカニペースト（このレシピではエビペーストを使用）と、濁った魚醬のようなパダエックが入る。

材料（4人分）

未熟なグリーンパパイヤ：1個／パームシュガー（なければ砂糖）：大さじ1／生のチリペッパー：3本または好みの量／ニンニク：2片／エビペースト：大さじ1／パダエック（濁った濃いフィッシュソース）：小さじ1／タイナス：2個（4～8等分）／チェリートマト：10個（2等分）／ライム汁：1/2個分／フィッシュソース：適宜／サヤインゲン（お好みで）：10～20本（湯がいておく）

作り方

❶ グリーンパパイヤの皮をむき、スライサーなどで細長く切ってボウルなどに取っておく。❷ すり鉢にパームシュガー、チリペッパー、ニンニク、切ったパパイヤを数本加えて、すりこ木で叩くようにつぶしていく。チリペッパーが目に入らないように注意。細かくなるまでする必要はなし。❸ エビペースト、パダエック、タイナスを加えて、さらに混ぜながらつぶしていく。タイナスがしっかり形が残っている程度で十分。❹ トマトを加えて、タイナスと同じようにつぶしながら混ぜていく。❺ パパイヤを加えてさらに同じようにつぶしながら混ぜていく。すり鉢が小さい場合は大きなボウルなどに移すか、少量ずつ混ぜる。❻ ライム汁、フィッシュソースを加えて少しパパイヤを握りつぶすような感じでよく混ぜる。味の調整はフィッシュソースで。❼ サラダを器に盛り、サヤインゲンを用意した場合は一緒に添える。

※混ぜる時は手袋をすること。チリペッパーが目に入らないように眼鏡をかけるのも得策。

Pasembur

マレーシア
Malaysia

|| パセムブール

サラダかスナックかよく分からないフリッター、クラッカー入り料理

　パセムブールはマレーシアの北西にあるペナン州の料理で、他の地域ではロジャック・ママックとかインディアン・ロジャックと呼ぶ。ペナンにもロジャックという料理があるが、ロジャック・ママックとは違うらしい。

　フードコートに行けば必ずあるこのサラダにはキュウリ、ヒカマ、モヤシといった野菜が入るけれども、その上にエビのフリッターや揚げクラッカーなんかがごっそりのり、さらにスイートポテトでできたドロッとしたソース状のドレッシングがかかるので、野菜が見えず、何がメインなのかよく分からなくなってしまう。具はこの他に豆腐、茹で卵、茹でジャガイモなどがある。

材料（4人分）

エビフリッター：*参照／揚げクラッカー：20枚／茹で卵：4個（4等分）／キュウリ：1本（細切り）／ヒカマ（なければ甘味の少ないリンゴまたはナシ）：1個（細切り）／モヤシ：200g（軽く茹でる）

ドレッシング
鷹の爪：10本／お湯：500ml／スイートポテト（なければサツマイモ）：1本（約300g）／乾煎りしたピーナッツ：100g（砕く）／白ゴマ：大さじ4／砂糖：大さじ4／タマリンドペーストまたはジュース：大さじ1（ジュースなら大さじ6）／塩：適宜

***エビフリッター**
エシャロット：2個（薄くスライス）／小麦粉：120g／生エビ：100g（殻を取って粗く刻む）／ベーキングパウダー：小さじ1／ターメリックパウダー：小さじ1/2／塩：小さじ1／水：250ml
●材料をすべてボウルに入れ、なめらかになるまでよく混ぜる。鍋にたっぷりの油（材料外）を熱し（180〜190度）、生地を大さじ1程度ずつすくって揚げて、油を切る。

作り方

❶ ドレッシングを作る。鷹の爪をお湯に2時間ほど浸しておく。❷ スイートポテトは蒸して皮をむき、木べらなどで軽くつぶしておく。❸ 鷹の爪を浸しておいたお湯、スイートポテトをフードプロセッサーなどに入れてペーストにする。❹ ③と残りのドレッシング材料を鍋に入れて火にかけ、沸騰したら弱火にしてかき混ぜながらとろみがつくまで煮る。火から下ろして冷ましておく。❺ ドレッシングを深めの器に入れる。サラダは大きめの皿に別々に並べる。ドレッシングの器を皿においてもOK。❻ サラダを小皿に取ってドレッシングをかけ、混ぜて食べる。

Yusheng

Singapore

| ユサン

シンガポール

シンガポール、マレーシアの旧正月に欠かせない新年を祝うサラダ

　シンガポールやマレーシアでは中国の文化が生活に密着している。特に旧正月は盛大で、食卓には新年を祝う料理が並ぶ。ユサンはその中で最も重要な料理といえる。ユサンはユシャン、イーサンと言うこともある。漢字は魚生、つまり刺身のことだ。魚生は発音が同じ余升（余剰が増すという意味）と結びつき、余剰、繁栄、幸運の象徴となる。料理の名前だけでなく、器に並ぶ食材にもそれぞれ特別な意味が含まれている。ユサンがテーブルの中央に置かれると皆が集まり、撈起（広東語でロヘイ）と言いながら箸で食材をつかんでできるだけ高く掲げる。そして皆で食材も混ぜながら新年の願いを告げる。

シンガポール Singapore

材料（4人分）

タロイモ（なければサトイモや京芋など）：80g（皮をむいて細切り）／赤と緑の食用顔料：適宜／クラッカー＊：50g／刺身用サケ切り身：200g／キュウリ：小1本（シュレッダーで細くシュレッド、あるいは千切り）／ニンジン：小1/2本（シュレッダーで細くシュレッド、あるいは千切り）／ダイコン：太いもの2cm程度（約100g。皮をむいてシュレッダーで細くシュレッド、あるいは千切り）／ポメロ：1/4個（皮をむき、袋を取って実を取り出す）／ショウガ甘酢漬け（ガリ）：50g／ライム：1/4個／オリーブ油：大さじ1／ピーナッツ：大さじ1（砕く）／ゴマ：小さじ1／五香粉：小さじ1／コショウ：小さじ1/2

ドレッシング
水：大さじ3／プラムソース：大さじ2／ゴマ油：小さじ1

＊クラッカー
中力粉：50g+α／塩：小さじ2／無塩バター：30g／水：適宜

作り方

❶ 切ったタロイモを2等分してそれぞれ別の器に入れ、それぞれに赤と緑の顔料を適量加えてタロイモを染める。人工顔料を使う場合は数滴で十分。❷ クラッカー材料の中力粉と塩をボウルに入れてよく混ぜたらバターを加え、小麦粉がパラパラになるまでよく混ぜる。❸ 生地に水を少しずつ加えてよく練る。でき上がりの生地は手にべたつかない程度。❹ 作業スペースに小麦粉を軽く振って、めん棒で生地を20cm四方くらいまで伸ばし、2×3cmくらいに切る。❺ 鍋にサラダ油（材料外）を熱し、切った生地を入れ、浮いてこんがり焼き色がつくまで揚げる。❻ ①のタロイモの余分な水分を取り、赤と緑を別々にフライドポテトの要領でこんがり揚げる。クラッカーもタロイモもペーパータオルなどの上に置いて油を切る。❼ ドレッシングの材料を器に入れて混ぜる。❽ 大きな皿を用意して中央にサケの刺身を置き、周りにクラッカー、揚げたタロイモ、キュウリ、ニンジン、ダイコン、ポメロ、ショウガの甘酢漬けをのせる。❾ 他のサラダの材料、ドレッシングを別々の小さな器に入れて、サラダと一緒に食卓へ。❿ ライムを絞ってサラダ全体にかけ、❾の小さな器に入ったものを適量サラダの上にかけたら、よく混ぜる。

Gin Thoke

ジン・ソー

千切りにしたショウガの漬物が主役のミャンマーの食を感じるサラダ

　同じ東南アジアにありながらタイやベトナムから離れ、最も西側に位置するミャンマーまで来ると、食文化の様相がかなり変化する。インドの食文化と隣接することがひとつの理由だろうが、ミャンマーにはこの国にしかない独特の食文化が存在する。

　このショウガのサラダも周辺の国にはない独特なものだ。豆、ナッツ、野菜、エビを使ったとてもバランスが取れたサラダで、名前はショウガサラダだが、ショウガが圧倒的に多いというわけではない。ショウガは千切りにした後に塩とライム汁に漬ける。ミャンマーでは瓶詰を使うことが多いようだ。紅ショウガはミャンマーの人も勧める代替品である。

材料（4人分）

チャナダル：大さじ2／そら豆（乾燥のものでもOK）：大さじ2／ピーナッツ（できれば皮付き）：大さじ2／ニンニク：4片（スライス）／乾燥エビ：大さじ2／ひよこ豆粉：小さじ2／ショウガの漬物（紅ショウガ可）：80g（3cmくらいの細切り）／黒煎りゴマ：小さじ2／生のチリペッパー：1本または好みの量（小口切り）／グリーントマト（なければ硬い赤いものでOK）：1個（厚めにスライス）／ライム汁：1/2個分／サラダ油：大さじ1／フィッシュソース：適宜

作り方

❶ チャナダルを水に一晩浸して戻す。乾燥そら豆を使う場合はチャナダルと一緒に戻す。❷ チャナダルとそら豆（乾燥の場合）をザルに上げて水を切り、さらにペーパータオルに重ならないように並べて水分をできるだけ取り除く。❸ 鍋にたっぷりのサラダ油（材料外）を熱し、チャナダル、そら豆を中まで火が通り色が少し濃くなるまで揚げる。続けてピーナッツを揚げ、ニンニクもこんがりと揚げる。❹ 乾燥エビをすり鉢などで粉状にする。ひよこ豆粉は乾煎りする。❺ ボウルにトマトまでの材料を加えてその上にひよこ豆粉を振り、ライム汁、サラダ油、フィッシュソースを加えて混ぜる。味はフィッシュソースで調整する。

Lahpet Thoke

‖ ラペットゥ・ソー

ミャンマーの象徴ともいえる発酵茶葉を使った伝統的サラダ

　茶葉を発酵させたラペットはミャンマーの象徴ともいえる食品で、先史時代にすでに先住民が竹の筒に茶葉を入れて発酵させたものを食していたといわれている。今でも若葉だけを摘み、壺などに入れたのち3〜4か月発酵させて作る。この過程で緑の茶葉は黄金色を帯びてくる。

　「あらゆる果物の中でマンゴーがいちばん、あらゆる肉の中で豚肉がいちばん、あらゆる葉の中でラペットがいちばんだ」と、ミャンマーの人はいう。
　この発酵茶葉のサラダがラペットゥ・ソーだ。ラペットを中央に置き、ナッツ、豆、野菜を周りに並べるのが伝統的な盛りつけ方だ。

材料(4人分)

チャナダル：大さじ4／そら豆：大さじ4／ニンニク：6片（薄くスライス）／干しエビ（アジア産の肉厚のもの）：大さじ4／ピーナッツ：大さじ4／発酵茶葉：40g／キャベツ：4枚（厚めに千切り）／トマト：2個（スライス）／生のチリペッパー（お好みで）:1本（小口切り）

ドレッシング
ライム汁：大さじ2／フィッシュソース：大さじ2／ピーナッツ油（なければサラダ油）：大さじ2

作り方

❶ チャナダル、乾燥そら豆を使う場合はそら豆もたっぷりの水に3時間ほど浸したら、ザルに上げて水を切り、ペーパータオルなどの上に重ならないように広げてさらに水気を取る。❷ 鍋に揚げるのに十分な油（材料外）を熱して、チャナダルとそら豆を別々に、色が少し濃くなり完全に中まで火が通るまで揚げて、油を切る。❸ 同じ鍋にニンニクを入れて、薄茶になるまで揚げたら油を切る。干しエビは30分ほど水に浸して戻す。ピーナッツは乾煎りしておく。❹ ドレッシングの材料をすべてボウルに入れて混ぜ、発酵茶葉を加えて混ぜる。❺ ドレッシングで和えた発酵茶葉を小さな器に入れて大皿の中央に置き、サラダの他の材料をその周りに並べる。チリペッパーは別の器に用意する。❻ 個人個人が器にサラダを取り、好みでチリペッパーを加えてよく混ぜる。

Tofu Thoke

トーフ・ソー

豆腐といってもミャンマーの専売特許ひよこ豆粉でできた豆腐

　ソーはサラダの意味なので、豆腐サラダということになる。でも真っ白でプルンとした大豆の豆腐を思い浮かべてはいけない。黄色く染めたわけでもない、豆腐といっても大豆ではなくひよこ豆の豆腐なのだ。作り方は普通の豆腐とはまったく違い、ひよこ豆粉とターメリックがあれば簡単にできる。大豆の豆腐のようにプルンとした感じはなく、むしろむっちりしている。シャン豆腐ともいわれるようにミャンマーのシャン州が起源だが、今やヤンゴンなどでストリートフードとして大人気だ。この豆腐をスライスして中華風のドレッシングをかけて食べるのがトーフ・ソーである。シャン豆腐はソテー、カレーでもおいしい。

材料（4人分）

ひよこ豆豆腐＊：250g／ピーナッツ（乾煎りして粗く砕く）：適宜／フライドオニオン：適宜／パクチー：適宜（みじん切り）

ドレッシング
鎮江香醋（中国の黒酢。なければ黒酢）：大さじ2／醬油：小さじ1／老抽（ダークソイソース）：小さじ1/2／黄豆醬（中国の発酵大豆ペースト。なければ白味噌）：小さじ1/2／ラー油：小さじ1/2／ニンニク：6片（みじん切り）

＊ひよこ豆豆腐
ひよこ豆粉：180g／塩：小さじ1/2／ターメリックパウダー：小さじ1/2／ベーキングパウダー：小さじ1/4／水：500＋250ml／サラダ油：大さじ3

作り方

❶ ひよこ豆豆腐を作る。ボウルにベーキングパウダーまでの材料を入れてよく混ぜ、水500mlとサラダ油を加えて、粉っぽさが完全になくなるまで泡立て器で混ぜる。蓋あるいはラップをして2時間ほどおいておくが、30分おきにかき混ぜることを忘れないように。❷ 鍋に水250mlを入れて沸騰させ、①を木べらなどでかき混ぜながら加えたら中火にする。❸ 常にかき混ぜながら約10分、ペーストが鍋肌から離れるくらいまで硬くなったら、サラダ油（材料外）を塗った型（四角いケーキ型など）に注ぎ入れて、型を揺らす、テーブルの上に落とすなどして表面を平らにする。常温まで冷めて、固まるまでおいておく。❹ 豆腐が冷める間にドレッシングの材料をすべて器に入れてよく混ぜておく。❺ 豆腐をフライドポテトのように細く切ってボウルに入れ、ドレッシングを加えてできるだけ豆腐を崩さないように混ぜる。❻ 豆腐を器に盛り、ピーナッツ、フライドオニオン、パクチーを上に散らす。

Ensaladang Ampalaya

エンサラダン・アムパラヤ

塩水に浸した後、そのまま生で食べるニガウリのサラダ

アムパラヤはフィリピン（タガログ）語でニガウリのことだ。同じニガウリでも地域によって違いがある。中国のものは先端が丸く全体にツルっとしている。インドのものは先端が尖っていてかなりごつごつしている。日本のニガウリ（ゴーヤー）はちょうどその中間、フィリピンのものは日本と中国の中間といった感じだ。

フィリピンでは中央の柔らかい部分を取ってスライスし、塩で揉んでそのまま30分ほど浸けて苦みを取る。すごくシンプルなサラダで、あとは他の野菜を切り、油なしのドレッシングで和えるだけ。このシンプルさがニガウリの苦みにはぴったりなような気がする。

材料（4人分）

ニガウリ：1本／塩：大さじ1／赤パプリカ：中1/2個（薄くスライス）／エシャロット：1個（薄くスライス）／トマト：中1個（種を取って薄くスライス）

ドレッシング
リンゴ酢：80ml／砂糖：小さじ2／コショウ：適宜

作り方

❶ ニガウリの両端を切り落として縦半分に切り、中央の白い部分をスプーンなどですくい取ったら薄くスライスする。❷ スライスしたニガウリをボウルに入れて塩を振り、よく揉んだらそのまま30分ほどおいておく。❸ ニガウリをザルに入れ、流水で余分な塩分を洗い流し、水分を絞っておく。❹ ドレッシングの材料を器に入れてよく混ぜる。❺ ボウルにニガウリと残りの材料を入れてドレッシングを注ぎ、混ぜたらラップなどをして冷蔵庫に入れて2時間ほど味を馴染ませる。

Ensaladang Itlog na Maalat

エンサラダン・イトゥログ・ナ・マーラットゥ

個性豊かなアヒルの塩漬け卵を存分に味わうためのサラダ

　マーラットは塩辛い、イトゥログは卵、つまり塩漬けの卵、このサラダの場合はアヒルの卵である。中国起源の食材で咸鴨蛋（シエンヤーダン）という。似たものに皮蛋（ピーダン）があるが、咸鴨蛋は塩漬けした後に茹でるが、皮蛋はより長い時間漬けて生のまま食べる。色がまったく違うので見分けはすぐつく。どちらも癖があり、好き嫌いがはっきり分かれるが、咸鴨蛋のほうが食べやすいかもしれない。

　この塩漬け卵を粗く刻み、トマト、紫玉ネギと和えたのがこのサラダだ。塩漬け卵自体にすごく個性があるので、ドレッシングは魚醤ベースのシンプルなものだ。

材料（4人分）

咸鴨蛋（シエンヤーダン。塩漬けダックエッグ）：2個（粗く切る）／トマト：大2個または中3個（スライス）／紫玉ネギ：1/2個（薄くスライス）／フィッシュソース：適宜／コショウ：適宜

作り方

❶ 材料をすべてボールに入れ、フィッシュソースとコショウで味を調える。

Tam Khanun

タイ / Thailand

|| タム・カヌーン

熟すと甘いジャックフルーツを熟す前にサラダにして食べてしまう

ジャックフルーツは南アジア、東南アジアでよく食べられている果物で、熟したものは独特の臭い、人によってはどうしても受け入れられない臭いがある。熟せば熟すほど臭いがきつくなる。しかしとても甘く、マンゴー、バナナなど色々なトロピカルフルーツをミックスしたような味がする。ここで紹介するのは甘いジャックフルーツではなく、熟していないものを使う。生産地以外では缶詰を使うのが普通だ。そのままだと苦みが少しあるが、調理すると甘みが出てくる。カレーの具として、肉の代わりに使われる。サラダの場合は結構細かくなるまでつぶす。確かにちょっと肉っぽいところがある。

材料（4人分）

熟していないジャックフルーツの缶詰：1缶（厚くスライス）／サラダ油：大さじ2／豚挽き肉：100g／ニンニク：2〜3片（みじん切り）／カフィルライムの葉：5枚（千切り）／パクチー：大さじ1（粗みじん切り）／青ネギ：1/2本（小口切り）

カレーペースト

生のチリペッパー：10本または好みの量（小口切り）／ニンニク：10片（スライス）／エシャロット：大1個（みじん切り）／ガランガル：10g（スライス）／レモングラス：1本（中央1/3のみ。小口切り）／フィッシュソース：大さじ3／エビペースト：小さじ1／塩：適宜

作り方

❶ カレーペーストの材料をすべてすり鉢で粗めのペースト状にしたら、別の器に移しておく。❷ 同じすり鉢にジャックフルーツを入れて、叩いて細かくつぶす。❸ 大きめのフライパンまたは鍋にサラダ油を熱し、挽き肉を加えてパラパラになるまで炒めたら、ニンニクを加えて香りが出てくるまで炒める。❹ ①のカレーペーストを加えて香りが出てくるまで炒めたら、②のジャックフルーツを加えてよく混ざるまで炒める。❺ カフィルライムの葉を加えて混ぜたら火から下ろして器に盛り、パクチーと青ネギを散らす。

Miang Kham

ミアン・カム

海苔の代わりに葉っぱで色々と包んで食べる手巻きサラダ

　ミアン・カムは他のサラダとはかなり違う異色のサラダである。ミアン・カムはひと口で食べるラップ（包んで食べるもの）という意味らしく、日本でいえば手巻き寿司みたいなもので、手巻きサラダと言ってもいいかもしれない。

　手巻き寿司の海苔の役割をするのがチャプルーという葉で、ワイルドビーテルと呼ばれることもある。似ていることから噛みたばこのような嗜好品と知られるビーテル（キンマ）と混同されることがよくあるが、チャプルーは食用である。このチャプルーの葉に干しエビ、ピーナッツなどをのせてソースをかけ、くるっと巻いて食べるのがこのサラダだ。

材料（4人分）

干しエビ（身が厚いもの）：30g／チャプルー（ワイルドビーテル）の葉：大きなもの20～30枚／ライム：1個（皮付きのまま小サイコロ切り）／ショウガ：50g（小サイコロ切り）／エシャロット：1個（小角切り）／乾煎りした無糖のココナッツフレーク：大さじ4／乾煎りしたピーナッツ：大さじ4／生のチリペッパー：5～6本（小口切り）

ソース
干しエビ（身が厚いもの）：大さじ1（粉状にする）／レモングラス：1本（中央1/3のみ。小口切り）／ガランガル：5g（みじん切り）／ショウガ：5g（みじん切り）／お湯：120ml／パームシュガー（なければブラウンシュガー）：120g（ブラウンシュガーなら100g）／フィッシュソース：大さじ1／エビペースト：大さじ1／乾煎りしたピーナッツ：大さじ2（粉状にする）／茶色になるまで乾煎りした無糖のココナッツフレーク：大さじ2

作り方

❶ サラダ用の干しエビを湯に30分ほど浸して戻しておく。❷ ソースのお湯までの材料をブレンダーなどに入れて、ゆるいジュース状にする。❸ ❷とエビペーストまでの材料をフライパンに入れて火にかけ、沸騰したら弱火にしてかき混ぜながら5分ほど煮る。ピーナッツとココナッツを加えて、常温まで冷ましたら器に入れる。❹ 皿にサラダの材料を並べ、ソースとともに食卓へ。❺ チャプルーの葉を一枚取って器にし、そこに他のサラダ材料を置いてソースをかける。中身がこぼれないようにチャプルーの葉を折っていただく。

Khanom Chin Sao Nam

タイ

|| カノム・ジーン・サオ・ナム

ココナッツミルクとパイナップルで食べる米麺ビーフンのサラダ

　中国語では小麦の麺を面（ミエン）、米を使った麺を米紛（ミーフン）という。日本でいうビーフンのことで、これは台湾の閩南語が語源のようだ。このサラダに使われるカノム・ジーンも米の麺だがビーフンとはちょっと違う。カノム・ジーンは米粉を水に浸して発酵させてから麺にされる。中国雲南省にも米线（ミーシエン）と呼ばれる発酵米麺がある。しかし今では普通のビーフンを使うことも多い。麺はビーフンのように細いものや平たいものなどが使われるようだが、カノム・ジーンは細いのでビーフンを使うのがいいのではと思う。ココナッツミルク味というのがいかにも東南アジアの国らしい。

材料（4人分）

肉厚の干しエビ：大さじ8／ライスヌードル：200g／フィッシュソース：大さじ3／砂糖：大さじ3／ニンニク：3〜4片（スライス）／ココナッツミルク：120ml／塩：一摘み／パイナップル：1/4個（スライサーなどで薄く小さめにスライス）／ショウガ：40g（千切り）／青ネギ：1本（小口切り）／パクチー：適宜（ざく切り）／茹で卵（お好みで）：2個（縦4等分）

作り方

❶ 干しエビを30分ほど水に浸けて戻し、余分な水分を絞っておく。❷ ライスヌードルをパッケージの作り方に従って戻す。❸ 小さな鍋またはフライパンにフィッシュソースと砂糖を入れて火にかけ、弱火で砂糖が溶けるまでかき混ぜる。❹ ニンニクを加えて、沸騰したら火から下ろす。❺ 別の鍋にココナッツミルクと塩一摘みを入れて火にかけ、沸騰したら弱火にして数分経ったら火から下ろし、冷ましておく。❻ 器にライスヌードルを広げて❸のソースをかけ、その上に❶の干しエビ、パイナップル、ショウガ、青ネギ、パクチーを散らし、最後に❺のココナッツミルクを好みの量かける。❼ 最後に茹で卵を添える。

Sup Nor Mai

タイ

|| スップ・ノル・マイ

甘辛のナンプラーベースのドレッシングで食べるタケノコのサラダ

　タケノコは自然と人間との関係を考えた時、最も身近な食べ物ではないかと思う。竹という素材が身近だというだけでなく、竹藪、笹藪は最も身近な自然でもある。自分で収穫しないにしても、タケノコがどんな場所に生えているかは多くの人が知っている。

　それが理由であるかは分からないが、日本でも春の味覚の代表として様々な料理に使われる。タイのタケノコシーズンは5月〜10月と長い。タイではトムヤムクンがタケノコ料理として知られている。スップ・ノル・マイはスープと間違えられることもあるようだがもちろんサラダで、有名なグリーンパパイヤのサラダよりも地元では人気がある。

材料（4人分）

もち米：大さじ3／茹でたタケノコ：300g（細切り）／紫玉ネギ：中1個（少し厚めにスライス）／ミントの葉：適宜／パクチー（葉のみ）：適宜

ドレッシング
ライム汁：大さじ2／ナンプラー：大さじ2＋α／ブラウンシュガー（なければ普通の砂糖）：大さじ1＋α／チリペッパーパウダー：小さじ1

作り方

❶ もち米をフライパンなどできれいに色づくまで乾煎りし、器にあけて冷ます。冷めたらグラインダー、すり鉢などで粗いパウダー状にする。❷ ドレッシングの材料を別の器に入れて混ぜる。❸ パウダーにしたもち米も含め、サラダの材料をすべてボウルに入れ、ドレッシングを注いでよく混ぜる。ミント、パクチーは好みの量でOK。❹ ナンプラーとブラウンシュガーで味を調えて、器に盛る。

Nom Hoa Chuoi

ベトナム Vietnam

ノム・フア・チュオイ

バナナができる前の花を薄く輪切りにして生のまま食べるサラダ

　バナナの花は日本ではあまり馴染みがないが、南、東南アジアでは頻繁に食される素材である。食べるのはまだ花が開いていない硬く締まったもので、紫色の苞葉で包まれている。この外側の苞葉をはがすと、根元に小さな小花が並んでいる。さらに苞葉をはがしていくと苞葉の色が次第に薄く柔らかくなる。ここからが食用になる部分だ。普通は小花ごと薄く輪切りにされるが、小花が小さくなるまで苞葉をはがして、はがした苞葉をスライスすることもある。リンゴやアーティチョークのように空気に触れるとすぐに変色するので、切ったものはすぐにレモンやライムを絞った水に浸ける。サラダでは生のまま食べる。

材料（4人分）

豚の耳：1枚／ショウガ：2枚（厚くスライス）＋10g（みじん切り）／レモンまたはライム：1個（2等分）／バナナの花：1個／ラウラム（ベトナムコリアンダー）：15～20枚（千切り）／ニンジン：小1本（千切り）／ピーナッツ：大さじ1（乾煎りする）／フライドエシャロット：大さじ1

ニョクマムチャム

水：120ml／米酢：大さじ1／ライム汁：大さじ2／砂糖：大さじ2／生のチリペッパー：1本（小口切り）／ニンニク：2片（みじん切り）／フィッシュソース：適宜

作り方

❶ 塩水でよく洗った豚の耳と厚切りのショウガを鍋に入れ、かぶるくらいまで水を加えて火にかける。❷ 沸騰したら豚の耳を取り出し、冷水に10分ほど浸したら細切りにする。❸ 大きめのボウルにたっぷりの水を用意して、そこにレモンかライムを絞ってかき混ぜる。❹ バナナの花の根元を切って苞葉の先の色が淡くなるまで苞葉を数枚むく。苞葉には小花がついていて小花も食べられるが、このサラダでは使わない。スープ、フライなどにするといい。むいた紫の苞葉は器にするので、きれいに洗って水を切っておく。❺ 花の硬い先端を切り落として捨て、残りを根元近くまで薄く輪切りにする。切ると変色するので直ちに③の水に浸ける。❻ ニョクマムチャムの材料をすべて器に入れて混ぜる。❼ バナナの花をザルに上げて水を切り、あいたボウルを洗ってバナナの花をボウルに戻す。❽ フライドエシャロット以外のサラダ材料を加え、ニョクマムチャムを加えてよく混ぜる。❾ サラダを取っておいたバナナの苞葉の上にのせ、フライドエシャロットをかける。

Gỏi Ngó Sen

|| ゴン・ンゴ・セン

材料（4人分）
玉ネギ：小1/4個（千切り）／水：150ml／米酢：小さじ1／塩：小さじ1/2＋大さじ1/2／豚肩ロース肉：150g／生エビ：8尾（殻をむいて背ワタを取る）／ミントの葉：適宜／ハスの茎のピクルス（なければ調理済のレンコン）：450g（中央で縦に斜め切りして2等分、レンコンの場合は細切り）／パクチー：適宜／ラウラム（ベトナムコリアンダー。なければパクチーの量を増やす）：適宜／ダイコンとニンジンのピクルス*：100g／ピーナッツ：大さじ2／フライドオニオン：大さじ2

ニョクマムチャム
水：120ml／米酢：大さじ1／ライム汁：大さじ2／砂糖：大さじ2／生のチリペッパー：1本（小口切り）／ニンニク：2片（みじん切り）／フィッシュソース：適宜

*ダイコンとニンジンのピクルス
ダイコンとニンジン：各50g（皮をむいて細切り）／水：120ml／米酢：大さじ4／砂糖：大さじ2／塩：小さじ1/2
●野菜以外の材料を鍋に入れてよく混ぜ沸騰させたら、ボウルに野菜を入れて上からかける。常温まで冷めたら瓶などに入れて冷蔵庫で保存する。

作り方
❶玉ネギ、水150ml、米酢小さじ1、塩小さじ1/2をボウルに入れて、サラダ材料を混ぜるまでそのままおいておく。❷鍋に湯を沸かして、塩大さじ1/2を加えたら豚肉を入れて、中火で肉に火が通るまで煮る。肉を皿に移して、冷ましたら細切りにする。❸豚肉を煮た湯をそのまま使い、エビをきれいに色づくまで煮て皿に取り出して冷ましたら、縦に切って2等分する。❹ニョクマムチャムの材料をすべて器に入れてよく混ぜる。❺①の玉ネギの水を絞り、ピーナッツ、フライドオニオン以外のサラダ材料とともにボウルに入れ、ニョクマムチャムを注いでよく混ぜる。❻サラダを器に盛り、ピーナッツとフライドオニオンを上に散らす。

レンコンではなくハスの細い茎のピクルスのサラダ

　花は茶に若芽は漬物に実は餡に、ハスはすべての部分が食用、飲用として利用される。アジアで最もよく食べられているのはレンコン、ハスの地下茎である。ゴン・ンゴ・センはレンコンを材料としてあげているレシピが多くあるが、ベトナムでは茎の部分を使う。茎もレンコンのように小さな空洞がいくつもあり、レンコンを細くしたような感じで、柔らかく感じるが、食感もレンコンに似ている。
　使用される茎は瓶詰のピクルスで、調理の必要がない。ドレッシングはベトナム調味料の定番、ニョクマムチャムで、ベトナムサンドイッチ、バインミーにも使われるダイコンとニンジンのピクルスも入る。

ベトナム Vietnam

Goi Ga Bap Cai

ゴイ・ギャ・バップ・ガイ

ドレッシング、ニョクマムチャムが食欲をそそる鶏とキャベツのサラダ

ベトナム料理は中国陰陽思想に基づいているといわれる。辛さ、甘さといった5つの味覚、白、赤といった5つの色、見る、聞くに代表される5感、この3種のエレメントの5つの要素を常に念頭に入れ、それぞれのエレメントから少なくとも2つの要素を取り入れて料理が作られる。さらに補色、冷熱、硬軟という対極的な要素が加わる。このことを念頭に入れてベトナム料理を見てみると、どういうことなのか何となく分かってくる。このサラダには前述の要素がかなり多く含まれていることが分かる。味だけ見ても辛味、苦味、甘味、塩味、酸味、すべての要素が盛り込まれている。

材料（4人分）

調理済鶏肉：150g（細めに裂く）／キャベツ：1/2個（千切り）／ニンジン：小1本（薄く削ぎ切り）／ミントの葉：大さじ2（粗みじん切りまたは細い千切り）／ラウラム（ベトナムコリアンダー）またはパクチー：大さじ2（粗みじん切りまたは細い千切り）／タイバジル：：大さじ2（粗みじん切りまたは細い千切り）

ドレッシング
サラダ油：大さじ2／ニョクマム：大さじ2／米酢：大さじ1／パームシュガーまたは砂糖：大さじ1/2／ニンニク：2片（みじん切り）／ショウガ：5g（細い千切り）／タイチリペッパーまたは生のチリペッパー：1〜2本（みじん切り）／塩・コショウ：適宜

ニョクマムチャム
水：120ml／米酢：大さじ1／ライム汁：大さじ2／砂糖：大さじ2／生のチリペッパー：1本（小口切り）／ニンニク：2片（みじん切り）／フィッシュソース：適宜
●器に材料を入れてよく混ぜる。

飾り
フライドエシャロット：適宜／ローストしたカシューナッツまたはピーナッツ：適宜／パクチー：適宜（みじん切り）

作り方

❶ ドレッシングの材料をすべて小さな器に入れてよく混ぜ、30分ほど味を馴染ませる。❷ サラダの材料すべてをボウルに入れ、ドレッシングを注いでよく混ぜる。❸ サラダを器に盛り、飾りを上に散らす。ニョクマムチャムと一緒に食卓へ。

The World's Salads
Chapter 11
南アジア
Southern Asia

アフガニスタン／バングラデシュ／ブータン／インド
ネパール／モルディブ／パキスタン／スリランカ

Bonjan Salat

バンジャン・サラットゥ

スパイスが効いたトマトソースで食べるソテーしたナスのサラダ

　蒸す、茹でる、焼く、炒める、揚げるなど、どのように料理してもナスはおいしい。油をたくさん吸ってしまう可能性はあるけど、ナスは油との相性が抜群にいい。そしてまたトマトともよく合う。ナス、トマト、油という組み合わせの料理は世界各地にある。このアフガニスタンのサラダではソテーしたナスをチリペッパーが効いたスパイシーなトマトソースで食べる。見た感じはサラダという感じはしないが、冷まして食べるれっきとしたサラダである。ドライミントの香りもまたこのサラダの魅力である。とにかく食が進む。このサラダとピタのようなフラットブレッドがあれば、大満足の食事になる。

材料（4人分）

ナス：5〜6本（2cm厚に輪切りまたは斜め切り）／塩：小さじ2／サラダ油：大さじ4

ソース
トマトソース：400ml／鷹の爪または生のチリペッパー：1〜2本（小口切り）／シナモンパウダー：小さじ1／ドライミント：小さじ2／塩・コショウ：適宜

作り方

❶ ボウルにナス、塩小さじ2を入れてよく混ぜ、10分ほどそのまま置いておく。❷ ①のナスを冷水で洗い、ペーパータオルなどで水気を取り除く。❸ フライパンにサラダ油を熱し、ナスを重ならないように並べ、中火で火が通り両面に焦げ目がつくまで焼く。全部一度に焼けない場合は分けて焼く。焼いたら皿などに移しておく。❹ 同じフライパンにソースの材料をすべて入れて火にかけ、沸騰したら弱火にして10分ほど煮る。❺ 器にナスを並べて上にソースをかけたら、冷蔵庫で十分冷やす。一晩置いてもOK。

Aam Bhorta

バングラデシュ
Bangladesh

|| アーム・ボルタ

マンゴーの原産地バングラデシュのマンゴーサラダ

マンゴーの原産地はミャンマー、バングラデシュ、インドの北東部だといわれる。バングラデシュやインドではデザート、サラダ、カレー、スープ、アイスクリームなどマンゴーで色々な料理を作る。アーム・ボルタはバングラデシュだけでなくインドでも日常頻繁に作られるサラダだ。

実はこのサラダには2種類ある。熟した甘いマンゴーを使うものがアーム・ボルタで、甘みが少なく酸味が強い未熟なマンゴーを使うものはカチャ・アーム・ボルタと言う。でもその中間のマンゴーを好む人もいるので、その場合はどう言うのだろうと考えてしまう。いずれにしてもとても爽やか。

材料（4人分）

マンゴー：1個（1〜2cmサイコロ切り）／キュウリ：小1本（1〜2cmサイコロ切り）／赤パプリカ：1/2個（1〜2cm角切り）／ハラペーニョまたは他の生のグリーンチリペッパー：1本または好みの量（みじん切り）／パクチー：大さじ4（粗みじん切り）／ミントの葉：大さじ1（粗みじん切り）／ライム汁：1/2個分／クミンパウダー：小さじ1/4／塩：適宜

作り方

❶ 材料をすべてボウルに入れてよく混ぜる。

Alu Kabli

バングラデシュ

| アル・カブリ

常に腹をすかしている学生にも人気のボリューム満点ポテトサラダ

アル・カブリはバングラデシュの料理というよりも、バングラデシュとベンガル人が多く住むインドの東を含めたベンガル地方のストリートフードである。ストリートフードではシャール（サラソウジュ）の葉の上にのせて出されるので、シャールパタと呼ぶことも多い。

バングラデシュだけでなく周辺国でアル（アルー）といえばジャガイモのことだ。このサラダには茹でたジャガイモのほか、ひよこ豆、イエロ—ピーなどが入るのでとてもボリュームがある。そしてこのサラダに欠かせないのがアル・カブリ・マサラと呼ばれるスパイスミックスである。

材料（4人分）

ひよこ豆：40g／イエローピー（グリーンピースと同じだが黄色）：40g／タマリンド：大さじ1.5／茹でたジャガイモ：中4個（一口大に切る）／玉ネギ：小1個（みじん切り）／生のグリーンチリペッパー：1本または好みの量（みじん切り）／パクチー：大さじ2（みじん切り）／ブラックソルト：適宜

アル・カブリ・マサラミックス
クミンシード：小さじ1／コリアンダーシード：小さじ1／アジュワンシード：一摘み／ドライレッドチリ（鷹の爪など）：1〜2本
●材料をすべてフライパンに入れ、香りが出てくるまで中火で乾煎りしたら、すり鉢、グラインダーなどで粉にする。

飾り
セブ（インドのフライヌードル）：適宜／パクチー：適宜（みじん切り）

作り方

❶ ひよこ豆とイエローピーを別々のボウルに入れ、たっぷりの水を加えて一晩置く。❷ ひよこ豆とイエローピーを別々の鍋に入れ、たっぷりの水を加えて火にかけ、沸騰したら弱火にして柔らかくなるまで煮る。煮たらザルにあけておく。❸ タマリンドを大さじ2程度の水に浸し、指で揉むようにして果汁を出したら、ザルなどで漉す。種などは捨てる。❹ 豆とタマリンド含めてすべてのサラダの材料、アル・カブリ・マサラミックスをボウルに入れてよく混ぜ、ブラックソルトで味を調える。❺ サラダを器に盛り、セブとパクチーを上に散らす。

Jhal Muri

バングラデシュ / Bangladesh

|| ジャル・ムリ

日本でもお馴染みのふっくらしたお米のお菓子で作るサラダ

　ジャル・ムリのムリはパフライスのことである、と聞いただけでピンとくる人も多いのではないだろうか。ばくだん、ポン菓子、パンパン菓子、ポッカンなどと呼ばれる、米でできたふわふわのお菓子のことだ。ただ、インドのものには何の味つけもされていない。日本では特別な道具を使って作るが、ベンガル地方では家庭で作ることもあるらしい。深いフライパンに大量の塩と一緒に入れて混ぜながら熱すると、米が膨らんでくるのだ。

　ジャル・ムリはベンガル地方のストリートフードとして大人気のスナックで、ジャガイモやトマトと一緒に甘いチャツネと各種スパイスを混ぜて作る。

材料（4人分）

ジャガイモ：小1個（小サイコロ切り）／パフドライス（無糖のポン菓子）：200g／トマト：1個（小サイコロ切り）／キュウリ：小1本（小サイコロ切り）／玉ネギ：小1個（粗みじん切り）／生のグリーンチリペッパー：1本または好みの量（みじん切り）／パクチー：大さじ3（みじん切り）／ピーナッツ：大さじ3／セブ：大さじ4／タマリンドペースト：大さじ2／マスタード油（なければサラダ油）：大さじ1／レモン：1個（櫛切り）

スパイスミックス

チャートマサラ：大さじ1／チリパウダー：小さじ1/2／ガラムマサラ：小さじ1/2／マンゴーパウダー：小さじ1/2／ブラックソルト：小さじ1/4／塩：適宜

作り方

❶ 鍋に湯を沸かし、ジャガイモを茹でる。❷ スパイスミックスの材料を器に入れて混ぜておく。❸ 茹でたジャガイモを含め、レモン以外のサラダの材料をすべてボウルに入れ、スパイスミックスも加えてよく混ぜる。❹ サラダを器に盛ってレモンを添える。好みでレモンを絞って食べる。

Cabbage Ezay

キャベッジ・イゼイ

エマダシなどスパイシーな料理で知られるブータンのキャベツサラダ

　仏教の国ブータンの主食は赤米、そば粉など日本でも馴染みのある食材だが、料理や使い方が似ているところはほとんどなく、ネパール、インド、中国など周辺国の影響を強く受けている。このサラダに登場するイゼイはブータンで欠かせない調味料で、イゼイがなければブータンの料理は語れない。スパイシーで知られるブータン料理のベースになるのがこのイゼイである。

　このサラダは本来キャベツをイゼイで和えたものだが、このレシピでは簡略化してある。キャベツと青ネギ以外の材料が簡略化したイゼイに使う材料で、実際のイゼイを作る場合はこれにトマト、パクチーなどが加わる。

材料（4人分）

キャベツ：1/4個（千切り）／玉ネギ：小1個（スライス）／青ネギ：5〜6本（大きめの小口切り）／ニンニク：4片（みじん切り）／ホットチリペッパーパウダー（カイエンペッパーなど）：小さじ4または好みの量／粒コショウ：小さじ1（包丁の腹などで砕く）／MSG（うま味調味料。お好みで）：少々／塩：適宜

作り方

❶ すべての材料をボウルに入れてよく混ぜ、塩で味を調える。冷蔵庫に数時間〜一晩入れ、味を馴染ませる。

Kosambari

インド

|| コサンバリ

南インドのキュウリ、ニンジンといった野菜とダルのサラダ

コサンバリは南インドのカルナータカ州のサラダとして知られる。日常的に食卓に上るサラダだが、ヒンズー教の春のフェスティバルであるラーマ・ナヴァミといったフェスティバルや結婚式などに出される特別な料理の側面も持っている。

コサンバリは生野菜とチャンダル、ムーングダルといった豆のサラダで、最も一般的なのがこのキュウリあるいはニンジンのコサンバリだ。小さく切った野菜、ダル、ココナッツなどをレモン汁で味つけした後、マスタードシード、カレーの葉、チリペッパーを加えて熱した油を注ぐ。このテンパリングによってサラダに豊かな香りが加わる。

材料（4人分）

ムーングダル：120g／キュウリまたはニンジン：1本（キュウリの場合は小サイコロ切り、ニンジンの場合はチーズおろし器で粗くシュレッド）／レモン汁：1個分／ココナッツフレーク：大さじ4／パクチー：大さじ3（みじん切り）／塩・コショウ：適宜

テンパリング
サラダ油：小さじ1／マスタードシード：小さじ1/2／アサフォエティダ：一摘み／ハラペーニョなど生のグリーンチリペッパー：2本または好みの量（みじん切り）／カレーの葉：4〜5枚

作り方

❶ ムーングダルをよく洗った後、たっぷりの水に4時間ほど浸け、ザルに上げて水を切る。❷ ダルを戻している間にテンパリングを作る。フライパンにサラダ油を熱し、マスタードシードを加えて中火にして、パチパチ跳ね始めたら他の材料を加え、カレーの葉がパリっとするまで炒めたら火から下ろしておく。❸ サラダの材料をすべてボウルに入れ、塩とコショウで味付けしてよく混ぜる。❹ テンパリングを加えて混ぜ、冷蔵庫で冷やした後、器に盛りつける。

Singju

シンジュ

ンガリという発酵させた小魚が重要な役割を演ずる野菜サラダ

インドは、インド洋に突き出した三角形の巨大な半島のような国で、東にはバングラデシュというイメージがある。ではバングラデシュの東は？ 東もやはりインドなのである。そのインドの東にあるマニプルがシンジュ発祥の地だ。マニプル自体が古い伝統を持ち、民族、文化的にインドとはかなり違う。

シンジュにはノンヴェジタリアンとヴェジタリアンの2種類があり、普通家庭で食べられるのはノンヴェジタリアンのシンジュで、乾燥させた後に発酵させたンガリと呼ばれる小魚が使われる。ンガリはマニプルの人が毎日のように食べる重要な食品で、一度焼いてから様々な料理に使われる。

材料（4〜6人分）

グリーンパパイヤまたはキャベツ：1/2個（千切り）／レンコン：100g（横に薄切り、またはパパイヤのように千切り）／ヨウサイ、豆の葉、セリ、ドクダミなどの葉：5〜6本（茎を含め5mm程度に切る）／紫玉ネギ：1/4個（スライス）／パクチー：2〜3本（茎ごと粗みじん切り）／ミント：3〜4本（茎ごと粗みじん切り）／ショウガ：10g（千切り）／茹でたひよこ豆：80g

味付け

ペリラシード粉またはすりゴマ：大さじ2／ひよこ豆粉：大さじ2／レッドチリペッパーフレーク：小さじ1または好みの量／ンガリ（発酵させた魚、お好みで）：小さじ1／塩：適宜

作り方

❶ ボウルにサラダの材料をすべて入れ、さらに味付け用の材料をすべて加えてよく混ぜる。❷ 塩で味を調える。

Three Bean Chaat

|| スリー・ビーン・チャートゥ

おそらく世界でいちばん豆を食べるインド人の3種豆サラダ

インドには肉や魚を食べない人がたくさんいる。インドの人はヴェジタリアンであることを選択したのではなく習慣なので、習慣の違いで鶏肉や魚を食べる家庭もあるし、人もいる。でもヴェジタリアンではなくても、他の国と比べると肉や魚の摂取量は少ない。肉や魚を食べない食習慣の中で、必要とされるたんぱく質は乳製品や卵から取るが、最も重要な食材は豆ではないだろうか。とにかくその種類の多さには目を見張るものがある。

食事には必ず一品は豆料理が用意されるといわれている。そしてどう料理すればおいしく食べられるかを熟知している。このサラダもそんなインド料理の代表的な一品だ。

材料 (4人分)

調理済豆3種類(写真はキドニービーンズ、ブラックアイビーンズ、ひよこ豆。何でも好きなものでOK):300〜400g/ピーマン:1個(1cm角切り)/トマト:小1個(1cmサイコロ切り)/キュウリ:1/2本(1cmサイコロ切り)/玉ネギ:小1/2個(みじん切り)/生のチリペッパー(ハラペーニョなど):1本または好みの量(みじん切り)/セブ:適宜/パクチー:適宜(みじん切り)/ミントまたはコリアンダーチャツネ:適宜/タマリンドまたはデーツチャツネ:適宜

スパイスミックス
クミンパウダー:小さじ1/2/チャートマサラ:小さじ1/2/ガラムマサラ:小さじ1/4/チリパウダー:小さじ1/4/塩:適宜

作り方

❶ スパイスミックスの材料をすべて器に入れて混ぜる。❷ ボウルにチリペッパーまでのサラダ材料を入れ、スパイスミックスを加えてよく混ぜる。❸ サラダを器に盛りつけて、セブとパクチーを上にかけ、2種類のチャツネと一緒に食卓へ。

Baledindina Kosambari

バレンディンディナ・コサンバリ

シャキッとした食感が心地いい、輪切りにしたバナナの茎のサラダ

　誰でも知っているバナナだが、花も茎も食べられることはあまり知られていない。バナナの花のサラダはこの本にも何度か登場してくる。ここで紹介するサラダはバナナの茎のサラダである。切り出されたバナナの茎は筒型のまま市場に出回る。外側は繊維が多く食べられないので、外皮をはがしていき中央の芯だけを食べる。カリウム、ビタミンB6、繊維を多く含んでいる。シャキッとした心地よい食感で、わずかだが甘みがある。輪切り、あるいは小さいサイコロに刻んで生のままサラダにするほか、カレーなどの具にも使われる。茹でずに水に浸しただけのムーングダルがまたこのサラダのおもしろい存在だ。

材料（4人分）

ムーングダル：大さじ4／バターミルクまたはヨーグルト：大さじ4／水：200ml／バナナステム（茎）：約20cmのもの1本／ターメリック（お好みで）：小さじ1/8／紫玉ネギ：1/4個（みじん切り）／生のグリーンチリペッパー：1本（小口切り）／レモン汁：1/2個／ココナッツフレーク（できれば生）：大さじ4／パクチー：大さじ4（みじん切り）／塩：適宜

テンパリング
サラダ油：大さじ1／マスタードシード：小さじ1／ウラドダル：小さじ1/4／アサフォエティダ：一摘み／生のグリーンチリペッパー：2本（縦に切れ目を入れる）／カレーの葉：1枝分

作り方

① ムーングダルを水洗いし、たっぷりの水に1時間ほど浸した後、ザルなどで水を切っておく。② ボウルにバターミルクと水を入れて混ぜておく。③ バナナステムの外側の硬い層をはがしたら、5mm厚ほどの輪切りにする。切ると繊維が絡まっているので、手でむしってきれいに取り除く。さらに細切りにして、②のバターミルク液に浸す。④ ③の水気を切ってボウルに入れ、①のムーングダル、ターメリックを加えて混ぜる。さらにサラダの残りの材料を加えてよく混ぜる。⑤ 小さなフライパンにテンパリング材料のサラダ油を入れて熱し、マスタードシードを加えてパチパチ音がしてきたら他の材料を加えて焦げない程度に炒め、直ちに④の上にかけて混ぜる。塩で味を調える。

インド India

Shakarkandi ki Chaat

シャッカルカンディ・キ・チャートゥ

チャートマサラとチャツネが甘いスイートポテトをさらに引き立てる

ジャガイモを使ったアルー・チャートはよく知られているが、同じような料理でもスイートポテトを使ったシャッカルカンディ・キ・チャートゥはまだまだ認知度が低いかもしれない。ストリートフードとして人気のあるサラダで、炭火などで焼かれたスイートポテトの皮をむいて作る。スイートポテトが焼ければ、あとは他の材料をプラスするだけだ。

スイートポテトはサツマイモと同様、茹でる、蒸す、焼くという調理法が考えられるが、余分な水分を飛ばし、ホクホクにするにはやはり焼くのがいちばんだ。チャートマサラ、チャツネが材料に加わるだけで、食べ慣れた食材も突然インド料理になってしまう。

材料（4人分）

スイートポテトまたはサツマイモ：4本（1000g、皮のまま一口大に切る）／サラダ油：大さじ2／チャートマサラ：小さじ1+適宜／ピーナッツ：50g／ライムまたはレモン汁：大さじ4／好みのチャツネ（できれば辛いものと甘いものの2種）：適宜／セブ：適宜

作り方

❶ オーブンを220度に熱しておく。❷ スイートポテトをボウルに入れ、サラダ油とチャートマサラ小さじ1をよく混ぜて加えて、スイートポテトにまんべんなくまぶす。❸ ②のスイートポテトをオーブンで20分程度、火が通るまで焼く。焼きすぎないように注意。形が崩れない程度まで。❹ スイートポテトを焼いている間に、フライパンでピーナッツを中火で乾煎りする。約5分、少し焦げ目がつくくらい。❺ ③のスイートポテトをボウルに入れ、チャートマサラ小さじ1、乾煎りしたピーナッツ、ライム汁を加えてよく混ぜる。❻ スイートポテトを器に盛り、チャートマサラ、チャツネ、セブとともに食卓に並べる。

Poha Salad

インド / India

ポハ・サラッドゥ

薄く平たくつぶしたシリアルのような米が主役のサラダスナック

ポハはインドのスナックや朝食によく使われる素材で、水、湯、ヨーグルト、牛乳など水分を加えるだけで柔らかくなって食べられてしまうインスタント食品でもある。ポハの原料は米である。米を炊いた後に平たくつぶして乾燥させて作る。つまりすでに調理済なのである。

ポハに野菜やスパイスを加えたのがポハ・サラダだ。ポハはインドだけでなくネパールやバングラデシュでもとても人気がある。ポハを使った料理はほとんどが軽食で地方によって加える材料が違い、そのバリエーションは何十種類にも及ぶ。単に名前をポハ・サラッドゥとしたのは、このことが理由でもある。

材料（4人分）

ポハ：200g ／ターメリック：小さじ1/2 ／サラダ油：大さじ2+1 ／ピーナッツ：大さじ5 ／マスタードシード：小さじ1 ／クミンシード：小さじ1 ／アサフォエティダ：一摘み／玉ネギ：中1個（みじん切り）／生のグリーンチリペッパー：3本または好みの量（小口切り）／カレーの葉：10枚／キュウリ：小1本（小サイコロ切り）／トマト：小1個（小サイコロ切り）／レモン汁：大さじ2〜4（好みで調整）／砂糖：適宜／塩：適宜

作り方

❶ ポハをふるいにかけて細かいかけらなどを取り除いたら、ザルに入れたまま水洗いしてボウルに移し、砂糖と塩少々、ターメリックを加えて軽く混ぜて、蓋をしておく。❷ フライパンにサラダ油大さじ2を熱し、ピーナッツを加えて黄金色になるまで炒めたら器にあけておく。❸ 同じフライパンにサラダ油大さじ1を熱し、マスタードシード、クミンシードを加えて中火でパチパチ音を立てるまで炒め、アサフォエティダ、玉ネギ、チリペッパー、カレーの葉を加えて、玉ネギが透き通るまで炒める。❹ ポハが入ったボウルにキュウリ、トマト、❷のピーナッツ、❸のフライパンの中身を加え、レモン汁、砂糖、塩で味を調えながら、ポハを崩さないように注意しながら混ぜる。

Sadeko Aloo

| サデコ・アルー

多民族国家ネパールのネワール族の間で特に人気のポテトサラダ

　南インド、インド亜大陸に含まれるネパールは食文化においてインドの影響を強く受けていることはもちろん、周辺国、地域の影響もあり、ネパール国内においても民族、地理などの違いによって異なる。カレーもあれば中華風の焼きそばもあるといった具合である。

　このサラダはスパイスが効いたポテトサラダで、ジャガイモ以外、他の野菜が加わらないことも多い。このレシピではドレッシングを使っているが、レシピに登場してくるスパイスを油に加えて熱し、最後に他の材料の上にかけるというテンパリングの方法がとられることもある。インド料理でよく使われるスパイスに交じり花椒が入っているのが興味深い。

材料（4人分）

茹でたジャガイモ：450g（一口大に切る）／紫玉ネギ：1/2個（1cm角切り）／トマト：中1個（1cmサイコロ切り）／ハラペーニョ、タイチリペッパーなど生のグリーンチリペッパー：大さじ1〜3（粗みじん切り）／パクチー：大さじ3（粗みじん切り）

ドレッシング

サラダ油：大さじ1／フェヌグリークシード：小さじ1/2／ニンニク：2片（みじん切り）／おろしショウガ：小さじ1／花椒粉：小さじ1／クミンパウダー：小さじ1／マスタード（粉ガラシでも可）：小さじ1/2／レッドチリパウダー：小さじ1/2／ターメリック：小さじ1/4／レモン汁：大さじ1／塩：適宜

作り方

❶ サラダの材料をすべてボウルに入れて混ぜ、冷蔵庫でよく冷やす。❷ フライパンにドレッシング材料のサラダ油を熱し、フェヌグリークシードを加えて茶色くなるまで弱火で炒める。❸ ②と残りのドレッシングの材料を小さな器に入れて混ぜ、サラダに加えてよく混ぜたら、塩で味を調える。

Kakroko Achar

ネパール Nepal

カクロコ・アチャール

ネパールの家庭では毎日ように作られるキュウリの浅漬けサラダ

アチャールは南アジアの広い範囲で食べられているピクルス（漬物）で、様々な野菜や果物をアチャールにする。ネパールのアチャールは漬物といっても長い時間漬け込むことはなく、浅漬けに近い。多くは漬け込む時間が10分程度なので、レモンと塩で下味をつけたサラダともいえる。

カクロコ・アチャールはキュウリのアチャールで、ネパールでは最も一般的なもののひとつだ。ジンブという乾燥した玉ネギのようなネパール独特のハーブが入るほか、ゴマ、花椒といった中華料理的な要素、テンパリングというインド料理的な要素がミックスされた、いかにもネパールらしい料理である。

材料（4人分）

キュウリ：大2本（1～1.5cmサイコロ切りまたは千切り用のスライサーでスライス）／塩：小さじ1／茹でたジャガイモ（お好みで）：中2個（1.5cmサイコロ切り）／すりゴマ：大さじ4／パクチー：大さじ4（粗みじん切り）／レモン汁：大さじ2／生のグリーンチリペッパー：1本または好みの量（小口切り）／コショウ：小さじ1/2／花椒粉：小さじ1/8

テンパリング
マスタード油：大さじ1（なければサラダ油＋マスタードシード小さじ1/2）／フェヌグリークシード：小さじ1/2／ジンブ（ヒマラヤンハーブ）：小さじ1/2／ターメリックパウダー：小さじ1/2

作り方

❶ キュウリに塩を加えてよく混ぜて10分ほどおいたら、水分を絞ってボウルに入れる。❷ 残りのサラダ材料もすべてボウルに加える。❸ フライパンにテンパリング材料のマスタード油を熱し、フェヌグリークシード、ジンブ、サラダ油使用の場合はマスタードシードも加えて、フェヌグリークシードが色づき香りが出てきたら火を消して、直ちにターメリックを加える。サラダの上にかけてよく混ぜる。

Mas Huni

マス・フニ

モルディブの人たちにとって最も大切な食材マグロのサラダ

　モルディブはインドの南、スリランカからさらに南に下ったインド洋に浮かぶ小さな島国である。この国の料理で最も重要とされる食材はココナッツ、米、そしてマグロである。マグロはそのまま調理されるだけでなく、鰹節に似た加工品の生産も盛んだ。

　マス・フニはモルディブの主要食材のひとつであるマグロを使ったサラダである。従来はヴァルホマスと呼ばれる燻製のマグロが使われていたが、モルディブの人たちの間でも缶詰のツナを使うことが多くなってきたらしい。ココナッツもこのサラダには欠かせない。ロシと呼ばれるチャパティに似たフラットブレッドとともに朝食に出されることが多い。

材料（4人分）

紫玉ネギ：中1個（半分に切って薄くスライス）／生のチリペッパー（ゴーストチリペッパーなど）：1本または好みの量（みじん切り）／ライム汁：好みで1～2個分／缶詰のツナ：120g（油または水を絞ってほぐす）／生のココナッツフレーク：100g／塩：適宜

作り方

❶ 玉ネギ、チリペッパー、ライム汁、塩をボウルに入れてギュッと握るようにしながらよく混ぜる。かなり辛いのでゴム手袋をはめるようにしたい。❷ さらにツナ、ココナッツを加え、塩で味を調えながら混ぜる。❸ サラダを器に盛り、紅茶、ロシとともにサーブする。

Boshi Mashuni

モルディブ

ボシ・マスニ

モルディブの特産品ヒキマス（マグロ加工品）入りのバナナの花サラダ

　ベトナムのところで紹介したノム・フア・チュオイはバナナの花を生のまま使うサラダだが、モルディブのボシ・マスニの場合は他の材料と一緒に炒めた後、ココナッツミルクで柔らかくなるまで煮る。柔らかくなるまで煮るといっても玉ネギのようになるわけではなく、シャキッとした食感はまだ残っている。

チリペッパーのほかにスパイシーなものは入らないがかなり量を使うので、レシピ通り5本使った場合は覚悟が必要だ。
　このサラダのモルディブならではの食材はヒキマスというマグロの加工品だ。鰹節のようなものだが、薄く削るのではなく細かくチップ状になっているものが売られている。

材料（4人分）

ライム：2個（1個はスライス）／バナナの花：1個／サラダ油：大さじ3／玉ネギ：1個（スライス）／ニンニク：3片（みじん切り）／カレーの葉：10枚／パンダンの葉：10cmのもの4本／生のチリペッパー：5本または好みの量（それぞれ3等分）／ココナッツミルク：120ml／ヒキマス（ドライツナチップス）：100g／塩：適宜

作り方

❶ ボウルに水を張り、ライムを半分に切って絞って加える。絞った後の実も水に加える。❷ バナナの花の外側の苞葉と根元の小花を、苞葉の色が薄くなるまではがし、淡い色の苞葉を塊のまま輪切りにして、変色しないように直ちに①のボウルに浸けて、そのまま次の作業に入る。❸ 鍋または深さのあるフライパンにサラダ油を加えて火にかけ、油が熱くなったら玉ネギ、ニンニク、カレーの葉、パンダンの葉を入れて、中火で玉ネギが柔らかくなるまで炒める。❹ ②のバナナの花をザルに上げて水を切る。❺ 鍋（フライパン）にチリペッパー、水を切ったバナナの花を加えて数分炒めたら、ココナッツミルクを加えて混ぜ、蓋をして弱火でバナナの花が柔らかくなるまで蒸し焼きにする。❻ ヒキマスを加えて混ぜ、再び蓋をして5分ほど、水分がほとんどなくなるまで煮る。❼ 塩で味を調えてから器に盛り、ライムを添える。

Raita

パキスタン

| ライタ

油っこい料理を食べていても口の中がすっきりするヨーグルトサラダ

　ライタはギリシャのヨーグルト・ディッピング・ソース、ザズィキに似ているが、ライタはソースというよりも他の料理のサイドディッシュとして扱うことが多い。パキスタンだけでなく、インド、バングラデシュでも一般的で、食事の間リフレッシュするために食される。

　ライタにはキュウリだけでなくビーツやカボチャ、バナナ、マンゴーなど様々な野菜や果物が使われる。豆のライタもある。野菜などの量でかなり印象が変わり、少ないとソース的、多ければ多いほどサラダらしくなる。現在は魚や肉にかけるソース、他のサラダのドレッシングなどにも使われるようになった。

材料（4人分）

ヨーグルト：250ml／牛乳：適宜／クミンパウダー：一摘みまたは好みの量／レッドチリペッパーパウダー：一摘みまたは好みの量／キュウリ：1本（1cmサイコロ切り）／トマト：1個（1cmサイコロ切り）／玉ネギ：中1/4個（粗みじん切り）／ミントの葉またはパクチー（またはミックス）：大さじ4（みじん切り）／塩・コショウ：適宜

作り方

❶ ヨーグルトとスパイス、好みの量の牛乳、塩とコショウをボウルに入れてよく混ぜる。❷ 飾り用に野菜、ミント、パクチーを少し取っておき、残りを①に加えてよく混ぜたら、冷蔵庫で1時間くらい寝かせておく。❸ ボウルの中身をそれぞれの器に注ぎ、残しておいた野菜、ミント、パクチーで飾る。野菜、ミント、パクチーはヨーグルトに混ぜないで、すべて飾りとしてヨーグルトの上にのせて、食べる時に混ぜてもいい。

Chukandar Ki Salad

パキスタン Pakistan

チュカンダル・キ・サラッドゥ

ヨーグルトのソースで果物と一緒に食べるビーツサラダ

　世界的に食されているビーツだが、最初に栽培を始めたのは中近東である。今では中近東だけでなくヨーロッパやアメリカでも頻繁に食べられる野菜となった。パキスタンは中近東ではなく南アジアの国のひとつとして考えられているが、中近東に隣接したパキスタンではビーツの栽培が行われ、様々な料理となって食卓に上る。

　このサラダはビーツと果物のサラダである。使われる果物はオレンジまたはリンゴで、ヨーグルトのソースをかけて食べる。ビーツはレシピのように茹でるのが一般的で簡単な方法だが、蒸してもオーブンで焼いてもいい。焼くのがいちばんと個人的には思う。

材料（4人分）

ビーツ：中2個／皮なしのアーモンド（お好みで）：大さじ2（砕く）／レタス：小1個（一口大に裂く）／リンゴまたはオレンジ：1個（りんごの場合は縦4等分にして薄くスライス、オレンジの場合は皮をむいて輪切り）

ドレッシング
ヨーグルト：200ml／マヨネーズ：大さじ3／砂糖：小さじ2

作り方

❶ 鍋にたっぷりの湯を沸かし、ビーツを丸ごと加えて、中火で中に火が通るまで煮る。❷ ビーツをザルに上げて水を切り、冷めたら皮をむいて薄く輪切りにする。❸ ドレッシングの材料を器に入れ、塩で味を調えながら混ぜる。❹ アーモンドを乾煎りしておく。❺ 皿にレタスを敷き、輪切りにしたビーツとリンゴあるいはオレンジを並べてドレッシングをかけたら、アーモンドを散らす。ドレッシングを先に皿に注ぎ、その上にビーツなどを並べてもいい。

Verkadalai Sundal

スリランカ / Sri Lanka

ヴェルカダラル・サンダル

ピーナッツを柔らかくなるまで煮込んで炒めたティータイムスナック

サンダルはスリランカ、南インドのスナックで、ほとんどの場合豆で作る。ヴェルカダラルはピーナッツのことだ。仕上げとしてサラダの上に砕いたピーナッツをパラッとかけることはよくある。ピーナッツバターは東南アジアやアフリカの料理のようにドレッシングやソースの材料になる。このサラダはどちらとも違い、ピーナッツそのものがサラダになる。ピーナッツを長時間水に浸した後、柔らかくなるまで煮て、さらに油で炒めて作る。手間はかかるものの、これまで味わったことのないピーナッツ料理が体験できる。このサラダはヒンズー教のフェスティバルの間、ティータイムのスナックとして振る舞われる。

材料（4人分）

生のピーナッツ：300g／ココナッツフレーク（できれば生）：大さじ4／パクチー（葉のみ）：適宜／塩：適宜

テンパリング
サラダ油：大さじ1／マスタードシード：小さじ1／ウラダル：小さじ2／アサフォエティダ：一摘み／カレーの葉：10枚／生のチリペッパー：2本（切れ目を入れる）

作り方

❶ ピーナッツを水で洗ったら、たっぷりの水に一晩浸ける。❷ ピーナッツをザルに上げて水を切ったら鍋に入れ、たっぷりの水を加えて火にかける。沸騰したら弱火にして、柔らかくなるまで煮る。大方煮えたところで塩小さじ1を加えること。8時間くらいかかるので、途中で水の量をチェックし、少なくなったら足す。圧力鍋を使うと短縮できる。煮たらザルに上げて水を切る。❸ フライパンにテンパリング材料のサラダ油を熱し、中火にしたらマスタードシードを加え、弾ける音がし始めたらウラダルを加えて、少し焦げ目がつくまで炒る。アサフォエティダ、カレーの葉、チリペッパーを加えて、数秒炒める。❹ ③に②のピーナッツを加えて塩で味を調え、ココナッツを加えて3〜4分炒めたら火を消して、パクチーを加えて混ぜる。

The World's Salads
Chapter 12

中央アジア&中近東
Central Asia & The Middle East

キルギス／カザフスタン／タジキスタン／ウズベキスタン／イラン
イラク／イスラエル／レバノン／オマーン／パレスチナ
カタール／シリア／イエメン／中近東全域

Ashlyamfu

| アシュラムフ

キルギス流のぶっかけうどんともいえる麺サラダの傑作

　アシュラムフは19世紀の清国の鎮圧から逃れてきたドンガル人、あるいはウイグル人の料理で、キルギスの都市カラコルはこの料理で世界的に知られる。

　アシュラムフは麺サラダで、地域差があるのか、最も重要な材料であるラグマンという麺に関する情報に違いが見られる。でもキルギスの情報だけに焦点を当てることで分かったのは、アシュラムフには2種類の麺が使われることだ。ひとつがラグマンで小麦粉の手延べ麺、作り方は違うが中国の拉面に似ている。もうひとつは米粉を使った中国の涼紛に似た半透明の麺だ。これらをトマト味の冷たいスープで食べるのがアシュラムフである。

材料（4人分）

コーンスターチまたはライススターチ（米の澱粉。なければポテトスターチ）：50g／水：200+100ml／サラダ油：大さじ1+3／卵：2個／ニンニク：2片（みじん切り）／生のチリペッパー：1本（小口切り）／玉ネギ：1個（スライス）／牛肉（お好みで）：200g（薄切り）／トマト：1個（一口大に切る）／赤パプリカ：1個（細切り）／乾燥拉面（ラーミエン、中華手延べ麺。なければ細めのうどん）：300g／チャイブまたは青ネギ：大さじ3（小口切り）／塩・コショウ：適宜

作り方

❶ 200mlの水を鍋に入れて火にかけ、沸騰したら中火にする。コーンスターチと水100mlをボウルに入れて塊がないようによく混ぜたら、かき混ぜながら鍋に加える。とろみがついて透明感が出てくるまで煮たら火から下ろし、油（材料外）を塗った底が平らな型に流し込んで、固まるまで冷ます。❷ フライパンを熱し、サラダ油大さじ1を加える。卵を器に入れて溶き、薄焼き卵の要領（そんなに薄くする必要はない）で何回かに分けて焼く。焼き上がった卵は細切り、あるいは帯に切っておく。❸ 鍋か深さのあるフライパンにサラダ油大さじ3を加えて熱し、ニンニク、チリペッパー、玉ネギを加えて、玉ネギが透き通るまで炒める。❹ 牛肉を加えて生の部分がなくなるまで炒めたら、トマトを加えて軽く炒め、さらにパプリカ、塩小さじ1/2、コショウ一摘みを加えて2分ほど炒める。❺ 水250ml（材料外）を加えて沸騰したら中火で5分ほど煮、塩とコショウで味を調えて、火から下ろして冷ます。❻ ❶のコーンスターチが固まったら型から出して、1〜2cm幅の短冊に切る。❼ 鍋にたっぷりの湯を沸かし、拉面を好みの硬さに茹でたら流水で洗って冷ます。❽ 器に拉面を敷き、❺の肉と野菜を汁ごとかけ、❻のスターチのヌードル、❷の卵をのせ、チャイブを散らす。

キルギス Kyrgyz

Shalgam

|| シャルガム

肉料理の横に並ぶ緑色の小さなダイコンで作るサラダ

　遊牧民であるカザフスタンの人々の食文化において肉は最も重要な食材で、山羊、ラクダ、牛、馬という4種の家畜が料理に使われる。中央アジアの名物プロヴ（ピラフ）の材料にも欠かせない。

　こうした料理のサイドディッシュとして登場するのが、ここで紹介するラディッシュのサラダだ。ラディッシュはダイコンのように大きなものからレッドラディッシュのように小さなものまで、色も白、赤、紫、緑など様々だ。カザフスタンなど中央アジアでよく使われるのは10cmほどの緑のもので、産地でもあるウズベキスタンの町の名前にちなみ、マルギラン・ラディッシュと呼ばれている。

材料（4人分）

グリーンラディッシュ（なければダイコン）:1/3本（約300g、細切りにして塩水にさらす）／玉ネギ：小1個（薄くスライスして小さじ1/2の塩で和えておく）／赤パプリカ：1個（細切り）／ニンジン：1本（細切り）／ニンニク：4片（みじん切り）／カイエンペッパー：適宜

ドレッシング
サラダ油：大さじ4／白ワイン酢：大さじ2／カイエンペッパー：小さじ1/2／コショウ：小さじ1/2／塩：適宜

作り方

❶ カイエンペッパー以外のサラダ材料（ラディッシュと玉ネギは水を絞っておく）をボウルに入れて混ぜる。❷ ドレッシング材料のサラダ油をフライパンで熱し、①にまんべんなくかけて混ぜる。❸ サラダを器に盛りつけ、残りのドレッシングの材料を器に入れて混ぜてかける。カイエンペッパーを全体に振る。

Qurutob

|| クルトーブ

ペーストリーのようなさっくりパンを浸して作るパンと野菜のサラダ

　タジキスタンの食文化や料理に関する情報は希薄だ。インターネットを通しても情報を得るのは難しい。その中でタジキスタンには国民的な料理が2つ、オシュ（ピラフ）とここで紹介するクルトーブがあることが分かった。クルトーブはイタリアのパンツァネッラや中東のファトゥーシュに似たパンと野菜の一皿だ。パンはファティールというフラットブレッドで、インドのパラータのようにサクッとしている。難題はクルトというヨーグルトで作るチーズで、中央アジア、中近東以外では手に入りにくい。幸いそのままではなく溶かして使うので、ほとんどのレシピではギリシャヨーグルトを使うことを知り解決できた。

材料（4人分）

ファティール＊：1/2枚／ポピーシード油（なければサラダ油）：大さじ4／キュウリ：1本（縦半分に切ってスライス）／トマト：小2個（半月に薄くスライス）／玉ネギ：小1個（薄くスライス）／青ネギ：2本（小口切り）／パクチー：大さじ6（みじん切り）／ディル：大さじ2（みじん切り）／塩：小さじ1/2

ドレッシング
ギリシャヨーグルト：250ml／水：100ml／塩：小さじ1

作り方

❶ ドレッシングの材料を鍋に入れて、火にかけて沸騰させる。❷ 深さのある器にファティールをちぎって敷いて、ドレッシングをかける。❸ ポピーシード油の半量を熱して、②の全体にかける。❹ キュウリ、トマト、玉ネギを上にのせて塩小さじ1/2を振る。ボウルに青ネギ、パクチー、ディルを入れて混ぜ。その上に散らす。❺ 残りのポピーシード油を熱して、全体にかける。

Sabzavot Va Nukhotli Gazak

ウズベキスタン Uzbekistan

サブザヴォートゥ・ヴァ・ヌフトリ・ガザク

野菜、果物、豆栽培が盛んな国のひよこ豆、カブ、ニンジンのサラダ

ウズベキスタンの食文化は中央アジアの中で最も豊かだ。様々な穀物が栽培され、米を使ったパロヴ（ピラフ）、神聖な食べ物とされるパン、そして米やパンと同等あるいはそれ以上に食されているといわれる麺がウズベキスタンの食を支える。野菜、果物、豆の栽培も盛んで、現在世界80か国に輸出されているほどだ。その豊富な作物を使い、ウズベキスタンでは様々なサラダが作られる。このサラダはひよこ豆とターニップ（カブ）、ニンジンのサラダだ。ターニップは日本のカブよりもひと回り大きく、頭が普通淡い紫色をしている。日本で栽培されているパープルトップと呼ばれるカブがおそらく同じものだ。

材料（4人分）

乾燥ひよこ豆：160g（調理済なら350g）／ターニップ（なければカブ）：2個（カブなら3個、皮をむいてひよこ豆大のサイコロ切り）／ニンジン：大1本（ひよこ豆大のサイコロ切り）／サワークリーム：大さじ4／ディル：大さじ2（みじん切り）／塩：適宜

作り方

❶ ひよこ豆をたっぷりの水に浸して一晩おく。洗って鍋に入れ、たっぷりの水を加えて火にかける。沸騰したら中火にして、柔らかくなるまで煮たら、ザルに上げて水を切っておく。❷ 別の鍋に湯を沸かし、ターニップとニンジンを加えて固茹でする。ザルに上げて水を切る。❸ 材料すべてをボウルに入れてよく混ぜる。

Tashkent Salati

タシュケントゥ・サラティ

起源に諸説が存在するウズベキスタンの首都の名前のサラダ

　ウズベキスタンの首都の名前を冠したこのサラダは、実のところウズベキスタンが起源なのか、旧ソ連が起源なのかあやふやなところがある。ソ連が共和国の様々な料理を宣伝するために創作された、モスクワにあるタシュケントというレストランのシェフが考案した、ソ連と構成する共和国のギャップを埋めるための橋渡しとして各共和国の料理を宣伝したなどという説がある。

　このサラダに実際に使われるラディッシュは、前述のカザフスタンのシャルガムに登場するマルギラン・ラディッシュだが、ここでは色が近いグリーンラディッシュを使った。もちろん普通のダイコンでかまわない。

材料（4人分）

塩：小さじ1／グリーンラディッシュまたはダイコン：1/4本（約200g、細切り）／サラダ油：適宜／玉ネギ：中1個（スライス）／小麦粉：小さじ2／茹でた牛肉：200g（細切り）／茹で卵：2個（細かく刻む）／ディル：大さじ3（粗みじん切り）／イタリアンパセリ：大さじ3（粗みじん切り）／パクチー：大さじ3（粗みじん切り）／青ネギ：1本（小口切り）

ドレッシング
マヨネーズ：80g／サワークリーム：60g／塩・コショウ：適宜　●サワークリームがない場合はマヨネーズを60gプラスする。

作り方

❶ボウルにたっぷりの水と塩小さじ1を入れて混ぜ、グリーンラディッシュを加えて30分置いたら、ザルに上げて水を切る。❷鍋にたっぷりのサラダ油を入れて火にかける。玉ネギに小麦粉をまぶしてよく混ぜ、十分に熱くなったサラダ油で小麦色になるまで揚げたら、ペーパータオルなどの上に置いて油を切る。❸ドレッシングの材料をすべて器に入れて混ぜる。❹ボウルに①のラディッシュ、②の玉ネギ、牛肉、茹で卵（黄身を少し飾り用に残しておく）ディル、イタリアンパセリ、パクチーを入れて、ドレッシングをかけて混ぜる。❺サラダを器に盛りつけ、上に青ネギ、残しておいた黄身をかける。

Omar Piyaz

オマル・ピヤーズ

キュウリの爽やかさにザクロの甘みがミックスされたイランのサラダ

キュウリの原産地はインドで、3000年くらい前から栽培されていたらしい。それが今や世界各地で様々な品種が栽培されている。清涼感あふれるキュウリはサラダ、特に夏のサラダには欠かせない。

数ある品種の中にパージャン・キューカンバー（ペルシャキュウリ）というのがある。長くても15cmにもならない小さなキュウリで、種が少なく甘みがあり、今最も人気のあるキュウリのひとつだ。原産は不明らしいが、調べてみるとイランにも同じようなキュウリはあるようだ。このサラダにはアブグーレという未熟のブドウで作ったジュースが使われることが多いが、ここではレモンで代用。

材料（4人分）

紫玉ネギ：小1/2個（粗みじん切り）／キュウリ：2本（1cmサイコロ切り）／ザクロの実：1個分／ミントの葉：大さじ4（みじん切り）

ドレッシング
オリーブ油：大さじ3／レモン汁：1/2個分／スーマック：小さじ1／砂糖：小さじ1／塩・コショウ：適宜

作り方

❶ ドレッシングの材料をすべて器に入れて混ぜる。
❷ サラダの材料をすべてボウルに入れ、ドレッシングを注いでよく混ぜる。塩とコショウで味を調える。

Sabzi Khordan

サブジ・ホルダン

何種類ものハーブや野菜が大皿に盛りつけられる豪華なサラダ

サブジ・ホルダンはメインディッシュの横に必ず並ぶサラダで、メインディッシュの肉や魚を食べてはこのサラダに手を伸ばし、チーズとともに口に運ぶ。そしてまたメインディッシュを食べる。イランの食事はこのように進んでいく。

ハーブや野菜をそのまま、あるいは切って、チーズやフラットブレッドとともに皿に並べるだけで、ドレッシングもソースもなしなのだが、これほど色鮮やかで豪華なサラダは世界でも珍しい。もちろん2〜3種類で小皿という場合もあり、人数や食事の機会によって種類もボリュームも変わるが、多い時は10種以上のハーブや野菜が並ぶ。

材料（4人分）

ハーブ（バジル、チャイブ、パクチー、ミント、イタリアンパセリ、タラゴンを好みの組み合わせで）：適宜／スカリオン（なければ青ネギ）：4本（半分に切る）／レッドラディッシュ：12個／クレソン：30〜50g／フェタチーズ：100g（食べやすい大きさに切る）／クルミ：30g／タフトゥーンブレッド（なければピタブレッド）：1枚（ピタなら小4枚）

作り方

❶ ハーブと野菜を大皿に盛りつけ、チーズ、クルミ、ブレッドはそれぞれ別の器に盛りつける。

Zalatat Addas

イラク

|| ザラタットゥ・アダス

冷蔵庫に入れておけば日持ちもする冷たくてもうまいレンズ豆サラダ

レンティルはレンズ豆、日本語でヒラマメと呼ばれるレンズの形をした小さな豆で、メソポタミア文明、エジプト文明を生んだ肥沃な三日月地帯で両文明時代にすでに栽培が始められていたようだ。現在主に数十種のレンズ豆が食用に利用されているが、色で分けると赤、緑、茶の3色だ。赤は南アジアのダルのひとつ、マスールダルなどになる。緑と茶は種類の違いではなく、同じ種類の中に混在し、生産プロセスの際に分けられる。

このレンズ豆のサラダはイラクだけでなくトルコ、イラン、レバノンなど中近東の広い範囲で食されている。もともとはクルド人の料理であったらしい。

材料（4人分）

グリーンまたはブラウンレンティル（レンズ豆）：250g／キュウリ（お好みで）：小1本（1cmサイコロ切り）／トマト（お好みで）：1個（1cmサイコロ切り）／ピーマン（お好みで）：1個（1cm角切り）／イタリアンパセリ：大さじ2（みじん切り）／ミントの葉：大さじ2（みじん切り）

ドレッシング
オリーブ油：大さじ4／レモン汁：1個分／ニンニク：1片（みじん切り）／ブラックペッパー、パプリカパウダー、クミンパウダー：各小さじ1/2／塩：適宜

作り方

❶ レンティルを洗って鍋に入れ、たっぷりの水を注いで火にかける。沸騰したら弱火にして、レンティルが柔らかくなるまで煮る。煮すぎて崩れないように注意。❷ レンティルをザルに上げて水を切る。❸ ドレッシングの材料をボウルに入れてよく混ぜる。さらにレンティルと残りのサラダの材料を加えて、よく混ぜる。

Salat Avocado

サラットゥ・アヴォカド

一見ワカモーレに見えなくもない茹で卵入りのアボカドサラダ

　アボカドはメキシコ原産だが、今やアジア、ヨーロッパ、中近東、アフリカでも、気候など条件が備わっていればどこでも栽培されている。イスラエルも例外ではなく、起伏のある海岸線でアボカドが栽培されている。イスラエルにアボカドのサラダというと驚く人も多いかと思うが、そこには必然性がある。

　イスラエルのアボカドサラダは、一見するとメキシコのワカモーレに似ている。完全にではないがアボカドをマッシュ状にするからだ。でもアボカドの形がちゃんと残っていることもあり、どこまでマッシュするかは個人の好みに左右されるのかもしれない。茹で卵も混ざっているというのがまたおもしろい。

材料 (4人分)

アボカド：2個／レモン汁：1個分／茹で卵：2個（細かく刻む）／青ネギまたは玉ネギ（できれば紫玉ネギ）：2本、玉ネギなら小1/2程度（みじん切り）／オリーブ（できればカラマタオリーブ）：10個（みじん切り）／塩・コショウ：適宜

作り方

❶ アボカドを半分に切って種を取り、皮をむいてボウルに入れる。❷ レモン汁を加えて、フォークなどで少し粒が残る程度までマッシュする。❸ その他の材料をすべて加えて混ぜ、塩とコショウで味を調える。

Tabbouleh

レバノン

タブーレ

世界で最もおいしいサラダと称されるイタリアンパセリが主役のサラダ

タブーレはレバノンだけでなくシリアでもよく食される、イタリアンパセリのサラダである。日頃は完全脇役のパセリだが、このサラダでは文句なしに主役である。

レバノンの人たちのタブーレに対するこだわりは強い。最も重要なのは水分を可能な限り排除することだ。そのために作る前に野菜は完全に乾かす。パセリはよく切れる包丁で切る。ブルグルはレモン汁で戻す。トマトは熟していても硬いものを選ぶ。野菜とブルグルは食べる直前に混ぜる。混ぜたらすぐに食べる。すべて水分を排除するための工夫である。ブルグルが手に入りにくい場合は、クスクスやキヌアを使ってもいい。

レバノン Lebanon

材料（4人分）

ブルグル（できれば粒の小さいもの）：大さじ3／レモン汁：1個分／イタリアンパセリ：100g／ミントの葉：20g／塩：小さじ1/2×2＋適宜／小麦粉：小さじ1×2／トマト（硬いもの）：小3個／キュウリ：1/2本（小サイコロ切り）／玉ネギ：小1/2個（みじん切り）／オリーブ油：大さじ4／レバニーズ7スパイス＊：小さじ1/4／レタス：1個

＊レバニーズ7スパイス
オールスパイス、コショウ、シナモン、クローブ、ナツメグ、フェヌグリーク、ジンジャー（すべてパウダー）：各同量

作り方

❶ ブルグルを器に入れてレモン汁をかけ、少なくとも2時間浸けて柔らかくする。❷ イタリアンパセリは太い茎を切り落とし、ミントは葉だけをつまんで別々に塩小さじ1/2、小麦粉小さじ1を加えたたっぷりの水に2分ほど浸した後、水で丁寧に汚れを落とす。ザルにあけて完全に乾かす。❸ トマトを小さなサイコロに切り、ザルにあけて水を切る。種が多い場合は種を取ってから切る。❹ レタス以外の材料をすべてボウルに入れて混ぜ、塩で味を調える。❺ 器にレタスを数枚敷き、その上にサラダをのせる。残りのレタスは別の器に盛りつける。❻ サラダをレタスで包んで、あるいはレタスの上にのせて食べる。

Raheb

ラヒーブ

ミントの香り、ザクロの甘酸っぱさが魅力の生野菜と焼きナスのサラダ

ローストしたナスを使ったサラダは北アフリカを含めた地中海料理によく見られる。多くはピーマン、パプリカといった他の野菜、時にはトマトやドレッシング用のニンニクもローストする。それぞれの野菜の形があまり残っていないものが多く、材料の味が溶け合ったソース的な料理ともいえる。

レバノンのこのサラダではローストするのはナスだけで、トマト、キュウリ、ピーマンは生のままだ。ナスはドレッシングの一部のようになって生の野菜を融和させる役目を担っている。ザクロが原料のポメグラネイトモラセスが入るので、少し甘い。ミントは贅沢にたくさん使いたい。

材料（4人分）

ナス：6〜8本／トマト：小2個（小サイコロ切り）／キュウリ：1本（小サイコロ切り）／ピーマン：2個（小角切り）／玉ネギ：小1個（粗みじん切り）／イタリアンパセリ：20g（みじん切り）／ミントの葉：20g（みじん切り）

ドレッシング
ニンニク：2片（すりおろして塩を軽く振っておく）／オリーブ油：80ml／レモン汁：1個分／ポメグラネイトモラセス（お好みで）：大さじ1／スーマック（お好みで）：小さじ1／塩・コショウ：適宜

作り方

❶ ナスを網にのせて皮全体が焦げるまで焼いたら、冷水に浸けて冷まし、皮をむいて小さな一口大に刻む。❷ ドレッシングの材料を器に入れてよく混ぜる。❸ ナスを含め、サラダの材料をすべてボウルに入れてよく混ぜ、皿に盛りつける。中央にくぼみを作っておく。❹ サラダのくぼみにドレッシングを流し入れる。

Salatet Malfouf

レバノン Lebanon

サラターテ・ミルフール

マヨネーズはなし。レモンで味つけするレバノンのコールスロー

　レバノンの代表的なキャベツ料理は3つある。海外でも知られているのはいわゆるロールキャベツで、挽き肉と米をキャベツの葉で包んで煮たものだ。もうひとつはレモン汁で漬けるキャベツの漬物、そしてここで紹介するサラダ、ミルフールである。

　ミルフールはレバノン版のコールスローともいえるキャベツのサラダだが、一般的なコールスローとの大きな違いはマヨネーズを使わないことだ。基本的にはオリーブ油とレモン汁だけで、とてもあっさりしている。トマトやレッドラディッシュが入るというのも他のコールスローにはない特徴である。また、ミントもこのサラダには欠かせない。

材料（4人分）

キャベツ：1/2個（千切り）／青ネギ（お好みで）：2本（薄く斜め切り）／レッドラディッシュ（お好みで）：6個（スライス）／トマト（お好みで）：1/2個（スライスして種を取る）／ミントの葉：適宜（粗みじん切り）

ドレッシング
ニンニク：2片（みじん切り）／ミントの葉：小さじ1（粗みじん切り）／レモン汁：1個分／オリーブ油：大さじ2／塩・コショウ：適宜

作り方

❶ドレッシングの材料をすべて一緒にすり鉢などでペースト状にする。❷ミント以外のサラダの材料とドレッシングをボウルに入れてよく混ぜる。塩で味を調える。❸サラダを器に盛り、ミントを散らす。
※キャベツが硬い場合は千切りした後に塩でよくもんで、しばらく置いておく。

Shanklish

レバノン

シンクリーシ

ヨーグルトで作る香り豊かなチーズ、シンクリーシと野菜のサラダ

シンクリーシはサラダの名前であると同時に、このサラダに使われるチーズの名前でもある。レタスやトマトといった野菜が使われるが、あくまでも主役はシンクリーシであって、このチーズを食べるために野菜が用意されているといってもいい。

シンクリーシはヨーグルトから作るチーズで、家庭でも比較的簡単に作れる。簡単にいえばヨーグルトを煮立てて、分離して上に浮いてきたカード（チーズ原料）だけを布で漉して取り出し、丸めて乾燥させて作る。タイム、スーマックなど様々なハーブやスパイスが混ぜ込まれる。これを崩して野菜と混ぜたのがこのサラダだ。

材料（4人分）

レタス：1/2個（一口大にちぎる）／シンクリーシ：1個（小さく砕く）／トマト：小2個（1cmサイコロ切り）／青ネギ：2本（小口切り）

ドレッシング
オリーブ油：大さじ3／レモン汁：大さじ2／塩：少々

作り方

❶ ドレッシングの材料をすべて器に入れて混ぜる。
❷ ボウルにサラダの材料を入れ、ドレッシングをかけてよく混ぜる。
※レタスはちぎらずに敷いて、その上にサラダをのせてもいい。

Sultat Altuwna

スルタートゥ・アトゥーナ

オマーン Oman

毎日のように水揚げされるキハダマグロのステーキと葉野菜のサラダ

アラビア半島の東端に位置するオマーンは漁業が盛んな国として知られる。中でもオマーン湾のキハダマグロは、オマーン中央に位置する漁業の町クラヤットで毎日大量に水揚げされ、世界に輸出されている。日本も主要な輸出国のひとつだ。

スルタートゥ・アトゥーナはそんなオマーン自慢のマグロを使ったサラダである。マグロの大部分は輸出されるが、マグロのステーキを使ったこのサラダはいかにもマグロの漁場らしい贅沢なサラダだ。マグロの下に敷かれる緑葉野菜には本来はスベリヒユという小さな葉が使われていたが、現在はホウレン草、ルッコラなど様々な葉物が使われる。

材料（4人分）

ステーキ用マグロ：200〜250g／クミンパウダー：小さじ1／カレー粉：小さじ1／パプリカパウダー：小さじ1／サラダ油：大さじ2／調理済ひよこ豆：80g／トマト：1個（薄い櫛切り）／玉ネギ：小1/2個（薄くスライス）／イタリアンパセリ：大さじ2（みじん切り）／デーツ：3個（種を取って縦4等分）／オリーブ油：大さじ3／レモン汁：大さじ2／ルッコラ、ホウレン草といった葉野菜のミックス：適宜／塩：適宜

作り方

❶ マグロ全体にクミンパウダー、カレー粉、パプリカパウダー、塩一摘みをまぶす。❷ フライパンにサラダ油を熱し、マグロを加えて中火で両面を好みの焼き具合まで焼き、器に移して冷ます。冷めたら5mmくらいの厚さにスライスする。❸ ひよこ豆からレモン汁までの材料をボウルに入れてよく混ぜ、塩で味を調える。❹ 器に葉野菜のミックスを敷き、その上に❸のサラダ、さらにその上にマグロをのせる。

Fatit 'Ajir

パレスチナ

|| ファティタージア

社交的な機会に作られる、熟していないスイカを使ったサラダ

　不安定な状況が続くパレスチナのガザ地区。日々不安にかられながらも人々は集い、食事をともにする。そんな時に用意されるのがこのスイカのサラダ、ファティタージアである。スイカはパレスチナの象徴といわれる。黒と緑の縞模様、赤と白の実、まさにパレスチナの国旗そのものだ。

　このサラダには熟していない小さなスイカが使われる。半分に切ったスイカをホイルで包み、直火に放り込む。中まで火が通ったら取り出して冷まし、中身を他の材料と混ぜる。サラダがのった大皿の周りに人々が集まる。同じく直火で焼いた硬いフラットブレッドをちぎり、サラダと一緒に手で食べる。

パレスチナ Palestine

材料（4〜6人分）

未熟なスイカまたは白い部分（皮付き）:1000g ／ナス：2本／グレイズッキーニ（なければズッキーニ）：2本／青ネギ：1本（小口切り）／玉ネギ：1/2個（みじん切り）／キュウリ：1本（1cmサイコロ切り）／レモン：1個（皮と袋をむいて実のみ、小さく刻む）／ディル：大さじ3（みじん切り）／イタリアンパセリ：大さじ3（みじん切り）／ピタ、ナンなどのフラットブレッド：1〜2枚／塩：適宜／オリーブ油：適宜／オリーブ：適宜

トマトペースト
生のグリーンチリペッパー：好みで1〜4本（みじん切り）／トマト：2個（1cmサイコロ切り）／塩：小さじ1/2

ドレッシング
タヒニ：120ml／レモン汁：1個分／オリーブ油：大さじ3〜4／塩：適宜

作り方

❶ スイカをアルミホイルに包んで中に火が通るまで焼く。焼く方法は直火、グリル、オーブンなど何でも可。焼けたら冷ましておく。❷ ナス、ズッキーニも同じように焼いて冷ましておく。❸ スイカなどを冷ましている間にトマトペーストを作る。チリペッパー、トマト、塩をすり鉢あるいはブレンダーでペースト状にする。❹ 冷ました野菜の焦げ、スイカの皮を取り除いて、一口大に切ったらボウルに入れ、③のトマトペーストを加えて混ぜる。❺ 残りの野菜とハーブを加えて、もう一度混ぜる。❻ ドレッシングの材料を小さな器に入れて泡立て器などでよく混ぜ、サラダに加えて混ぜる。❼ さらにフラットブレッドをちぎって加えて混ぜ、水分を十分吸わせて塩で味を調える。❽ 器に盛り、オリーブ油を上からかける。オリーブなどと一緒に食卓へ。

Salatet Djaj Wa Freekeh

パレスチナ

サラタッテ・ダジャージュ・ワ・フリーカ

穀類の中でトップクラスの栄養価を持つデュラム小麦と鶏肉のサラダ

フリーカはデュラム小麦をまだ緑色の若いうちに収穫して、煎った後に砕いたもので、タブーレに使われるブルグルとよく比較される。フリーカはとても栄養価が高く、100gあたりのたんぱく質がブルグルの場合わずか3%に過ぎないのに対して、フリーカには14%も含まれている。ミネラルやビタミンにしてもブルグルを圧倒している。

このサラダの主役は鶏肉のように見えるが、実際はフリーカであって、鶏肉がなくてもこれ一品だけで十分満足できる。中近東でよく使われるスパイスとハーブのミックス、ザータルとドライミント、ザクロが豊かな香りと風味を醸し出す。

材料（6人分）

鶏ムネ肉：2枚（400g）／ドライミント：小さじ2／ザータル：小さじ2／レッドチリペッパーフレーク：小さじ1/2／ポメグラネイトモラセス：大さじ3／オリーブ油：大さじ1／粗いフリーカ：300g／塩：小さじ1/4／イタリアンパセリ：大さじ4（みじん切り）／青ネギ：4本（小口切り）／チャイブ：20〜30本（5mm程度）／ザクロの実：1個分／ルッコラ：60g／生のレッドチリペッパー：1本または好みの量（みじん切り）

ドレッシング
リンゴ酢：60ml／ポメグラネイトモラセス：大さじ3／砂糖：大さじ1／レモン汁：2個分／オリーブ油：50ml／ドライミント：小さじ2／ザータル：小さじ2／塩・コショウ：適宜

作り方

❶ オーブンを190度にセットする。ボウルに鶏肉、塩少々（材料外）、ミント、ザータル、チリフレーク、モラセス、オリーブ油を入れ、鶏肉全体に均等にまぶす。❷ 鶏肉をトレーにのせてオーブンに入れ、途中でボウルに残っている液をかけながら鶏肉に完全に火が通るまで、20〜30分焼く。鶏肉を皿に移し、少し冷ましたら細切りにする。❸ 鶏肉を焼いている間にフリーカを水洗いして鍋に入れ、フリーカから1〜2cm上にくるまで水を注ぎ、塩を小さじ1/4くらい加えて火にかける。沸騰したら中火にしてフリーカが柔らかくなるまで煮たら、ザルに上げて水を切る。❹ ❸をボウルに移し、イタリアンパセリ、青ネギ、チャイブを加えて混ぜる。❷の鶏肉を含めサラダの残りの材料を加えて混ぜる。❺ ドレッシングの材料をすべて器に入れて混ぜたら❹に注ぎ、塩とコショウで味を見ながらよく混ぜる。

Salatet Jarjeer

カタール

|| サラタッテ・ジャルジール

スパイシーでナッツのような味も備えた中東流ルッコラのサラダ

　ルッコラは野菜なのかハーブなのか。公式にはルッコラはハーブという位置づけのようだけども、他のハーブとは違って一度に大量に消費することが多い。そういう意味では野菜と言ったほうがいい気がする。ルッコラは地中海沿岸が起源の野菜で、イタリアやトルコでは最も人気のある野菜のひとつである。

そして多くの場合、最も安い野菜でもある。ルッコラのカラシのようなスパイシーな味は、好きな者にとってはたまらない魅力だ。
　サラタッテ・ジャルジールはルッコラを存分に味わうためのサラダで、カタールだけでなく中東全域でタブーレに匹敵する人気を誇るサラダなのである。

材料（4人分）

ルッコラ：150g／チェリートマト：8〜10個（縦4等分）／紫玉ネギ：1/4個（薄くスライス）

ドレッシング
オリーブ油：大さじ2／レモン汁：1個分／スーマック：大さじ1／塩：適宜

作り方

❶ドレッシングの材料を器に入れて混ぜる。❷サラダの材料をすべてボウルに入れ、ドレッシングを加えてよく混ぜる。塩で味を調える。

Fattoush

ファトゥーシュ

古くなったピタブレッドが世界的に知られるサラダに生まれ変わる

東部地中海沿岸の歴史的な名称として使われる、通常レヴァントと呼ばれる地域がファトゥーシュ発祥の地である。シリア、レバノン、ヨルダン、イスラエル、パレスチナ、トルコの南東部がレヴァントだ。つまり、シリア以外の国でもファトゥーシュは日常よく登場するサラダである。この本ではエジプトのファトゥーシュも紹介している。大きな違いはパンで、シリアはピタブレッド、エジプトではピタに似ているが全粒粉を使った、ピタよりも厚みがあるアイシュバラディである。材料、ドレッシングにも違いがあるが、シリアとエジプトのファトゥーシュがこのようにはっきり区別されるというわけでもない。

材料（4人分）

ピタブレッド：1枚／オリーブ油：大さじ1／ロメインレタス：1/2個（食べやすい大きさにちぎる）／パースレイン（スベリヒユ。あれば）100g（葉のみ）／キュウリ：2本（皮をむいてスライス）／トマト：2個（1.5cmサイコロ切り）／レッドラディッシュ：4個（半分に切って厚めにスライス）／青ネギ：2本（小口切り）／イタリアンパセリ：大さじ8（みじん切り）／ミント：大さじ4（みじん切り）／ピーマン：1個（1cm角切り）／塩：適宜

ドレッシング
ニンニク：2片／レモン汁：1個分／オリーブ油：180ml／スーマック：大さじ2／塩：適宜

作り方

❶ ドレッシングの材料のニンニクをモルタールまたはすり鉢に入れ、塩を一振りしてペースト状にしておく。❷ ピタブレッド全体にオリーブ油を塗り、2cm角くらいに切ったら、200度のオーブンまたはトースターでパリっとするまで焼く。❸ ❶のニンニクも含め、ドレッシングの材料をすべて器に入れてよく混ぜる。❹ ピタブレッド以外のサラダの材料をボウルに入れ、ドレッシングを注いでよく混ぜる。塩で味を調える。❺ 食べる直前にピタブレッドを加えて、もう一度よく混ぜる。

Salatat Yemeni

サラタットゥ・イエメニ

緑のハーブがたくさん入った緑色のソースが決め手の焼きナスサラダ

　焼きナスの皮をむいてつぶす、あるいは小さく切って作るサラダは世界各地に点在する。イエメンのこのサラダも数ある焼きナスサラダのひとつなのだが、イエメン独特な食材が他の同種のサラダとは一線を画す。

　それは緑色をしたザハウィックと呼ばれるソースである。シリアやイスラエルでも同じようなソースを使うようだが、ザハウィックはイエメンオリジナルのソースである。

　緑色をしているのはパクチーとレッドラディッシュの葉またはミントが大量に使われているからだ。グリーンチリペッパーも多めなので、かなりスパイシーでもある。イエメンではサラダだけでなく色々な料理に使う。

材料（4人分）

ナス：5〜6本（約450g）／オリーブ油：適宜／トマト：1個（小サイコロ切り）／ニンニク：2片（みじん切り）／レモン汁：大さじ2／ザハウィック*：大さじ1または好みの量／ミントの葉：適宜／塩・コショウ：適宜

*ザハウィック
イタリアンパセリまたはパクチー（ミックス可。枝も含む）：30g（粗みじん切り）／レッドラディッシュの葉またはミントの葉：10g（粗みじん切り）／ニンニク：4片（みじん切り）／生のグリーンチリペッパー（ハラペーニョなど）：2本または好みの量（粗みじん切り）／コリアンダーパウダー：小さじ1/2／クミンパウダー：小さじ1/2／オリーブ油：大さじ4＋α／塩：適宜

●クミンまでの材料をブレンダーに入れて数回攪拌し、オリーブ油を1/3ずつ加えながらその都度数回攪拌する。時間はかかるがすり鉢を使ってもできる。ペーストを器にあけて、塩で味を調える。

作り方

❶ オーブンを200度にセットする。ナス全体にオリーブ油を塗ったらオーブンに入れて、中に火が通るまで、大きさにより20〜40分焼く。焼きナスの要領で直火で焼いてもいい。❷ ナスを冷まして皮をむき、小さなサイコロに切る。❸ ナスを含め、ミント以外のサラダの材料をすべてボウルに入れてよく混ぜ、塩で味を調える。❹ サラダを器に盛りつけ、ミントの葉で飾る。

Salatat Hummus

サラタットゥ・ホンモス

中近東どこでも見られる丸ごとひよこ豆と野菜のサラダ

日本でも人気が出始めてきたホンモス（フムス）は、ひよこ豆に中近東のゴマペーストであるタヒニ（タヒナ）とレモンなどを加えてペースト状にしたディッピングソースだ。このサラダの名前はホンモスのサラダである。でもペーストにするわけではなく、ひよこ豆丸ごとのサラダだ。アラビア語ではひよこ豆そのもののこともホンモスということなのだ。でも、ペーストのホンモスに野菜などを加えたサラダがアメリカなど中近東以外の国に結構あり、そのサラダは本場中近東のホンモスサラダとは違うので注意。また、一見ペーストのホンモスをそのままサラダにしたようにも見えるが、サラダにはタヒニが入っていないことが多い。

材料（4人分）

乾燥ひよこ豆：180g（調理済なら400g）／ピーマン：1個（1cm角切り）／赤パプリカ：1/2個（1cm角切り）／黄パプリカ：1/2個（1cm角切り）／紫玉ネギ：大さじ2（みじん切り）／イタリアンパセリ：大さじ4（みじん切り）

ドレッシング
オリーブ油：大さじ4／レモン汁：大さじ2／白ワイン酢：大さじ2／クミンパウダー：小さじ1/2／ミントの葉：大さじ2（みじん切り）／ニンニク：1片（みじん切り）／塩・コショウ：適宜

作り方

❶ ひよこ豆を洗ってボウルに入れ、たっぷりの水を加えて一晩おく。❷ 豆をザルに上げて水を切ったら鍋に入れ、たっぷりの水と塩一摘みを入れて沸騰させ、中火で柔らかくなるまで煮る。煮えたらザルに上げて水を切る。❸ ドレッシングの材料をすべて器に入れてよく混ぜる。❹ ボウルに豆と残りのサラダの材料をすべて入れたら、ドレッシングを注いでよく混ぜる。❺ 冷蔵庫で最低30分寝かせてから、器に盛りつける。

The World's Salads

Chapter

13

オセアニア

Oceania

オーストラリア／ニュージーランド／フィジー
グアム／ハワイ／サモア

Cheese Slaw

チーズ・スロー

コールスローにおけるオーストラリアの解答がこのサラダ

　コールスローにチーズを入れる人は結構いると思う。ピザ用のモッツァレラチーズなら袋から出して混ぜるだけで、食べ慣れたコールスローがガラリと変わる。チーズ・スローという言葉からそんなサラダを想像したりするのは私だけではないと思う。

　それは大きな間違いだ。サラダの名前はチーズ・スローであってコールスローではない。何が違うか。キャベツが入っていないのである。何が入っているかといえばチーズである。キャベツの代わりにチーズが入っているのである。材料は大量のチェダーチーズとニンジン、マヨネーズ。オーストラリアではオレンジ色のチェダーを使うことが多いようだ。

材料（4人分）

ニンジン：2本（薄く削ぎ切り）／チェダーチーズ：150g（細長くシュレッド）／マヨネーズ：適宜

作り方

❶ ボウルにニンジンとチェダーチーズを入れ、好みの量のマヨネーズを加えてよく混ぜる。

Strawberry Spinach Salad

オーストラリア Australia

‖ ストロベリー・スピナッチ・サラッドゥ

ホウレン草とイチゴというちょっと意外性のあるサラダ

　野菜と果物を組み合わせたサラダには意外性がある。スパイシーなルッコラとイチジク、土臭いビーツとオレンジ、辛みのあるクレソンとパイナップルなど、少しばかり癖のある野菜と組み合わせることで、互いの味がより引き立つことがよくある。このサラダはこうした対極にあるともいえる野菜と果物の組み合わせではないけれども、ホウレン草とイチゴというのは意外な取り合わせである。

　ドレッシングも変わっている。香ばしいポピーシードとゴマがたくさん入った甘めのドレッシングで、このサラダによくマッチする。酢は本来ラズベリー酢を使うようだが、バルサミコ酢で代用することが多いようだ。

材料（4人分）

ベビースピナッチ（なければ生食可能な緑色野菜）：100g／イチゴ：中10～15個（スライス）／チーズ（フェタ、ブリー、ブルーチーズなど）：適宜

ドレッシング
オリーブ油：大さじ4／バルサミコ酢：大さじ2／ハチミツ：小さじ1／ウスターソース：小さじ1／玉ネギ：小さじ1（みじん切り）／ポピーシード：大さじ1／ゴマ：大さじ2

作り方

❶ ドレッシングの材料をすべて器に入れて混ぜる。❷ ボウルにベビースピナッチを入れ、ドレッシングを加えてよく混ぜる。❸ スピナッチを器に敷き詰め、その上にイチゴ、チーズを散りばめる。

Kangaroo Salad

オーストラリア

カンガルー・サラッドゥ

カンガルーのステーキがデンと上にのった野性味あふれるサラダ

オーストラリアでカンガルーが食肉用に飼育されているわけではない。国内で販売されているものも、輸出されているものも、プロのハンターが捕獲したものだ。自然保護などの意味で問題視されているが、カンガルーの肉はスーパーなどで簡単に手に入る。

カンガルーの肉は牛肉と似ているが脂肪が少なく、野生であるため、日本でいえば鹿肉などに似ているともいえる。このサラダにはカンガルーの肉をマリネして焼いたステーキが上にのっている。今回はカンガルーの肉が入手できなかったので代わりに牛肉を使った。まったく手に入らないわけでもないが、牛肉で代用しても雰囲気だけは味わえる。

材料（4人分）

カンガルー肉：200g／サラダ油：小さじ1／紫玉ネギ：1/2個（粗みじん切り）／チェリートマト：8個（縦4等分）／キュウリ：1本（小サイコロ切り）／ベビースピナッチ（なければルッコラなど生食可の緑葉野菜）：50g／パクチー：大さじ6（粗みじん切り）／チャイブ：大さじ1（粗みじん切り）／好みのドライハーブミックス：小さじ3/4

マリネ液
オリーブ油：大さじ2／赤ワイン：大さじ4／ニンニク：2片（すりおろす）／ローリエ：1枚／ホットチリペッパーフレーク：小さじ1/2／塩：小さじ1/2／コショウ：小さじ1/4

ドレッシング
オリーブ油：大さじ2／ライム汁：1個分／生のチリペッパー：1本または好みの量（みじん切り）／塩・コショウ：適宜

作り方

❶ マリネ液の材料をすべて器に入れてよく混ぜる。❷ 肉を①のマリネ液に浸けて、1時間おく。❸ フライパンにサラダ油を熱し、マリネした肉をミディアムレア程度に焼いたら皿にあけておく。❹ ドレッシング材料をすべて器に入れてよく混ぜる。❺ 肉以外のサラダの材料をボウルに入れ、ドレッシングを注いでよく混ぜる。❻ サラダを器に盛り、その上に薄くスライスした肉をのせる。肉は他のサラダの材料と混ぜてしまってもいい。

Ika Mata

ニュージーランド

イカ・マタ

ニュージーランドだけでなく周辺島国でも人気のポリネシアの生魚サラダ

イカ・マタはニュージーランド、クック諸島のサラダだが、フィジーにはココダ、サモアにはオカ、ポリネシア全域ではオタ・イカという名前で呼ばれる、使われる材料に違いがあるが同じようなサラダがある。

このサラダは生魚のサラダで、レモン汁でマリネした後、他の材料と一緒にサラダにする。このレシピではマグロを使っているが、生食可能な魚であれば何でもかまわない。他の材料もトマト、パパイヤ、マンゴーなどが使われることもあるので、特定の食材にこだわる必要はない。でもココナッツミルクはこのサラダの最大の特徴で必要不可欠、絶対に外せない。

材料（4人分）

刺身用マグロ：400g（一口大のサイコロ切り）／レモン汁：2個分／赤パプリカ：1/2個（1cm角切り）／黄パプリカ：1/2個（1cm角切り）／キュウリ：小1本（1cmサイコロ切り）／紫玉ネギ：大さじ4（みじん切り）／ココナッツクリーム：120ml／塩・コショウ：適宜／パクチー：適宜（みじん切り）

作り方

❶ マグロをボウルに入れて、レモン汁を加えてよく混ぜたら、冷蔵庫に入れて30分〜1時間、味を馴染ませる。❷ 別のボウルにパクチー以外の野菜、①のマグロ、ココナッツクリームを加えてよく混ぜ、塩とコショウで味を調える。❸ サラダを器に盛りつけ、上にパクチーを散らす。

Kumara

ニュージーランド

| クマラ

オレンジ、ベーコン、ナッツと脇役も満載のスイートポテトサラダ

　ニュージーランドではスイートポテトのことをクマラと呼ぶ。1000年ほど前、東ポリネシアからマオリの人々がニュージーランドに持ち込んだのが始まりだといわれている。最も一般的なクマラは、日本のサツマイモに似た赤い皮で中がクリーム色のものだが、それだけではない。現在クマラは何百種類もあるらしい。中身の色もオレンジ、黄色、赤、紫など様々だ。このサラダを作るにも様々な色のスイートポテトを混ぜるときれいで楽しい。写真ではクリーム、オレンジ、紫のスイートポテトを使った。オレンジ、ハチミツ入りの甘いドレッシング、しょっぱいカリカリベーコン、ナッツといった脇役も見逃せない。

材料（4人分）

サツマイモ：3本（皮付きのまま食べやすい大きさに切る）／オリーブ油：大さじ2／ハチミツ：大さじ1／マスタード：大さじ1／ベーコン：4枚（細切り）／クルミ：80g（大きめに砕く）／パンプキンシード：40g／ベビースピナッチまたは生食可能な緑葉野菜：適宜／オレンジ：1個（皮と袋を切り取って中身だけ使う）

ドレッシング
オリーブ油：大さじ3／マスタード：小さじ1／オレンジの皮：大さじ1（千切り）／ハチミツ：大さじ1／白ワイン酢：大さじ1

作り方

❶ オーブンを180度に熱しておく。❷ サツマイモをボウルに入れてオリーブ油、ハチミツ、マスタードを加えてよく混ぜる。❸ ②のサツマイモをオーブンで30分ほど火が通るまで焼いたら、取り出しておく。❹ フライパンを熱し、中火でベーコンが少しカリッとするまで焼く。❺ ④にクルミとパンプキンシードを加えて少し焦げ目がつくまで炒めたら、ペーパータオルにあけて油を切る。❻ ドレッシングの材料をすべて器に入れて混ぜる。❼ 器にベビースピナッチを敷き詰め、その上にまだ温かい③のサツマイモをのせ、⑤を上からかける。❽ オレンジでサラダを飾り、ドレッシングをかける。

ニュージーランド New Zealand

Brown Rice Salad

🇳🇿 ニュージーランド

|| ブラウン・ライス・サラッドゥ

ちょっと和食っぽいところがある玄米を使ったライスサラダ

アジアの料理が世界的に知られるようになったこともあり、ご飯を主食として食べることも増えてきてはいると思うが、野菜など他の食材と一緒にしてサラダ感覚で食べることが多いのも事実だ。他の料理がいらない健康的な一品料理としても人気だ。

ニュージーランドのライスサラダには玄米が使われることが多い。醤油やショウガが入るので、アジア的というか日本的な味つけなのがこのサラダの特徴といえる。オーストラリアにもライスサラダがあるが、味つけが違うことが多い。米は白のロングライスで、味つけは同じようにアジア的なこともあるが、カレー味などという時もある。

材料（4人分）

調理済の玄米：400g／醤油：大さじ2／玉ネギ：小1/2個（みじん切り）／赤パプリカ：小1個（粗みじん切り）／青ネギ：小2本（小口切り）／小粒のブドウ（緑）またはクランベリー：40g／ピーナッツ：40g（乾煎り後、包丁などで粗く砕く）／ひまわりの種、パンプキンシードまたはゴマ：20g（乾煎り）

ドレッシング
オリーブ油：大さじ3／レモン汁：1/2個分／レモンの皮：小さじ1（すりおろす）／ニンニク：小1片（すりおろす）／ショウガ：小さじ1（すりおろす）／メープルシロップ：小さじ1

作り方

❶ 玄米は冷めている場合は温め直し、醤油と玉ネギを加えてよく混ぜたら冷蔵庫で最低2時間、できれば一晩寝かす。❷ ドレッシングの材料をすべて器に入れてよく混ぜる。❸ ボウルに①の玄米を入れ、ドレッシングと他のサラダの材料を加えてよく混ぜる。

Fijian Raita

フィジアン・ライタ

インド語圏の料理として知られるライタはフィジーでも人気

　ライタはヨーグルトとキュウリなどの野菜で作るインド文化圏の料理である。なぜ太平洋の只中にある島国フィジーでインド料理なのか。19世紀の後半、当時イギリスの植民地だったフィジーに、サトウキビのプランテーションのためにインドから大勢の人が労働者として送り込まれた。彼らはそのままフィジーに定住し、フィジーの文化に大きな影響を与えているのである。

　フィジーのライタは本国インドと同様、カレーなど油っこい料理を食べた後に口をすっきりさせるために食べられる。スパイシーであるのも同じ理由らしい。普通チャパティと一緒に出され、一緒に食べる。

材料（4人分）

ヨーグルトまたはサワークリーム（半々でも可）：500ml／キュウリ：1本（チーズおろし器で粗くシュレッド）／ニンジン：1/2本（チーズおろし器で粗くシュレッド）／ニンニク：1片（みじん切り）／ハラペーニョペッパーまたは他の生のグリーンチリペッパー：1本（種を取ってみじん切り）／クミンパウダー：小さじ1／塩：適宜／ハチミツ（お好みで）：少々

作り方

❶ 材料をすべてボウルに入れてよく混ぜ、1時間そのままおいて、味を馴染ませる。

Kelaguen Mannok

ケラグエン・マノック

チャモロ料理に欠かせないマリネ液に浸けて焼いたチキンサラダ

ケラグエンは先住民であるチャモロ族の料理で、フィナデニという醤油と酢がベースの液でマリネする肉や魚の料理で、このチキンサラダの鶏肉もフィナデニでマリネした後に焼くのが本式である。でも現在は一般的なローストチキンや残り物の鶏肉料理を使って作ることも多い。グアムだけでなくミクロネシア全域で食されている、最もポピュラーな料理のひとつである。材料の中で鶏肉以外に重要なのはおそらくチリペッパーだろう。チャモロ料理では、タイ料理でお馴染みのバーズアイチリという唐辛子に似た小さくてスパイシーなものが使われるが、チリペッパーの種類も辛さも好みに合わせてかまわない。

材料（4人分）

鶏肉：600g／玉ネギ：小1個（みじん切り）／生のチリペッパー：1本または好みの量（小口切り）／レモン汁：2個分／生のココナッツフレーク：100～150g／青ネギ：1本（小口切り）／塩：適宜

作り方

❶ 鶏肉の骨と皮を取ってオーブンで焼き、冷めたら食べやすい大きさに裂くまたは切る。❷ ボウルに鶏肉、玉ネギ、チリペッパー、レモン汁、ココナッツを入れてよく混ぜ、塩で味を調える。❸ 器にサラダを盛りつけて、青ネギを散らす。

Guamanian Potato Salad

グアム

|| グアマニアン・ポテイトゥ・サラッドゥ

社交的な場面に欠かせない甘いピクルス入りのポテトサラダ

　チャモロの人たちが集まるところにポテサラあり。社交的な集まりやフェスティバルはこのサラダがないと始まらないというくらいチャモロの人たちの生活に密着した料理で、大量に作ってもてなすのが習わしである。

　このレシピに使われている材料の他にニンジンやセロリがプラスされることもあるが、基本的には同じである。とはいっても個人的な好みというものがあるわけで、卵サラダなのかポテトサラダなのか分からないくらい茹で卵を入れる人もいれば、オリーブは抜いてしまう人もいる。でも他のポテサラではあまり見かけないチャモロ独特の食材、スイートレリッシュ、ピメントスは必須である。

材料（4人分）

ジャガイモ：4〜5個／卵：4個／瓶入りピメントス（なければローストして皮をむいた赤パプリカ）：大さじ4（粗みじん切り）／オリーブ（できればブラックオリーブ）：8〜10個（粗みじん切り）／スイートレリッシュ：大さじ4（粗みじん切り）／マヨネーズ：適宜／塩・コショウ：適宜

※瓶入りピメントスとスイートレリッシュは手に入りにくいかもしれない。ピメントスはローストして皮をむいた赤パプリカを代用、スイートレリッシュは甘いたくわんや福神漬けで代用するという手もある。

作り方

❶ 鍋に湯を沸かし、塩少々を加えてジャガイモを茹でる。茹ですぎて崩れないように注意。一口大に切ってから茹でても、茹でてから切ってもいい。卵も固茹でし、黄身1個分を別にして残りを細かく刻む。❷ 茹でたジャガイモと刻んだ茹で卵をボウルに入れ、ピメントス、オリーブ、スイートレリッシュはよく水気を絞って少しずつ飾り用に残して加え、マヨネーズ、塩、コショウで好みの味に調整する。❸ サラダを器に盛りつけ、残しておいた飾りの具材、崩した黄身を上から散らす。

Hawaiian Macaroni Salad

ハワイアン・マカロニ・サラッドゥ

弁当が由来ともいわれるプレートランチの必須アイテムサラダ

　ハワイのレストランのランチといえばプレートランチだ。プレートランチはスタイルで、メインディッシュからサラダに至るまで全部1枚の皿にのせる。アイスクリームをすくうスクープを使ってご飯をふた山、サラダをひと山、そしてあいているスペースに肉料理などを配置する。このプレートランチのサラダがマカロニサラダなのだ。最もベーシックなマカロニサラダはエルボー（ショートパスタ）、すりおろした玉ネギ、シュレッドしたニンジン、マヨネーズである。ここで紹介するのはひとつのバリエーションだ。このサラダで最も重要なのはパスタ。アルデンテなどということは忘れて柔らかくなるまで茹でる。

材料（4人分）

マカロニ：220g／ニンジン：小1/2本（チーズおろし器などで粗くシュレッド）／青ネギ：2本（小口切り）／セロリ：1/2本（みじん切り）／リンゴ酢：大さじ4／マヨネーズ：120ml／牛乳：120ml／砂糖：小さじ1.5／塩・コショウ：適宜

作り方

❶ 鍋にたっぷりの湯を沸かし、塩を大さじ1程度加えて、マカロニを指定の時間より長めに柔らかくなるまで茹でる。❷ 茹で上がったマカロニをザルにあけ、水を切ってボウルにあける。❸ マカロニが熱いうちにボウルにニンジンと青ネギとセロリ、リンゴ酢を加えてよく混ぜ、冷めるまで10～15分おく。❹ マヨネーズと牛乳、砂糖を別の器で混ぜてからサラダに加えてよく混ぜて、塩とコショウで味を調える。

Hawaiian Coleslaw

|| ハワイアン・コールスロー

奇想天外ともいえる、アジア人が多いハワイならではのコールスロー

　世界津々浦々、キャベツのサラダといえばコールスロー。ハワイでもハワイなりのコールスローがある。パイナップルが入るあたりはケニアのコールスローを思わせるけど、ケニアの人だけでなく世界中の人が仰天するに違いない、オリジナリティあふれるコールスローはハワイアン・コールスローの他にない。

　ドレッシングはゴマ油入りで、時にはインスタントラーメンに付いている粉末状のスープの素が入ることすらある。キャベツは白と紫の2色、パイナップルが入るのは前述した通り。極めつけはインスタントラーメンだ。これを茹でずにそのまま砕いて、クルトンのようにあしらうのである。

材料（4～6人分）

キャベツ：小1/4個（細い千切り）／紫キャベツ：小1/4個（細い千切り）／パイナップル（冷凍、缶詰可）：200g（小さめのサイコロ切り）／ゴマ（乾煎り）、スライスアーモンドまたは砕いたマカデミアナッツ：ゴマの場合大さじ4、ナッツの場合50g／チキン味のインスタントラーメン：1/2袋（食べやすい大きさに砕く）

ドレッシング
サラダ油：大さじ2／ゴマ油：大さじ1／米酢：大さじ3／砂糖：小さじ4／塩：適宜（インスタントラーメンのスープの素を使ってもOK）

作り方

❶ ドレッシングの材料をすべて小さな器に入れてよく混ぜる。❷ キャベツ、紫キャベツ、パイナップルをボウルに入れ、ドレッシングを加えてよく混ぜる。❸ 食べる直前にゴマまたはナッツとラーメンを加えて、サッと混ぜ合わせて器に盛る。少し残しておいて器に盛りつけた後にパラパラとかけてもいい。

Poke

ポケ

海産物豊富なハワイならではの生魚など寿司ネタがのった丼サラダ

　漬け丼、海鮮丼を思わせる生魚を使ったハワイ名物ポケは、19世紀にハワイに移住してきた日本人が丼を広めた頃から食べられていたらしい。それが1970年頃に爆発的な人気を呼び、今ではアメリカ本土、シンガポールや香港でもポケのレストランがあるほどポピュラーになった。

　ここで紹介するレシピはマグロを使っているので、正式にはアヒ・ポケということになる。他にも貝柱、タコなど馴染みの寿司ネタがポケに使われる。ベジタリアン向きの豆腐ポケなんていうのもある。漬け丼とか海鮮丼との違いはチリペッパー、ふりかけ、マカデミアナッツなどが上にかかっていることだ。

材料（4人分）

刺身用マグロ：450g（一口大に切る）／醤油：大さじ4／青ネギ：小1本（小口切り）／玉ネギ：小1/4個（スライス）／ゴマ油：小さじ2／ショウガ：小さじ1（すりおろす）／生のチリペッパー（お好みで）：1本（種を取って粗みじん切り）／ご飯（お好みで）：4杯分／好みのふりかけまたはゴマ：適宜／マカデミアナッツ（お好みで）：適宜（乾煎りして粗く刻む）

作り方

❶チリペッパーまでの材料をすべてボウルに入れてよく混ぜ、冷蔵庫で1〜2時間、味を馴染ませる。❷器に盛りつけ、ふりかけとマカデミアナッツを散らす。ご飯と一緒にする場合は、器にご飯を盛りつけてからサラダをのせる。

Samoan Tropical Salad

| サモアン・トゥロピカル・サラッドゥ

ココナッツの実にトロピカルフルーツを盛る南国ならではのサラダ

　オーストラリアのはるか東、南太平洋に浮かぶ島国サモアは、農業と漁業の国である。中でも果物やナッツの栽培が盛んだ。バナナ、パイナップルといったよく知られた果物はもちろん、グアバ、スターフルーツといったエキゾチックな果物、アムブレラ、サワーソップといった聞き慣れない果物も多い。

　バナナなどは海外に輸出されるが、ほとんどは国内で消費される。その豊富な果物を使ったのがこのサラダだ。ココナッツの実を器に、スターフルーツ、モンキーバナナを飾り、最後にココナッツミルクとハチミツをたっぷりかける。真っ青な海と空が目の前に現れそうな、南国の雰囲気満点のサラダである。

材料（4人分）

パパイヤ：小1個（シュレッダーなどで細かくシュレッド）／モンキーバナナ：4本またはバナナ2本（縦4等分。バナナなら半分に切って縦に4等分）／スターフルーツ：1個（スライス）／ココナッツフレーク（できれば生）：大さじ4／ピーナッツ：大さじ4（砕く）／ココナッツミルクまたはクリーム：100ml／ハチミツ：適宜

作り方

❶ パパイヤを器に盛りつけ、バナナ、スターフルーツ、ココナッツ、ピーナッツで飾り、上からココナッツミルクとハチミツを注ぐ。

参考文献 & 参考サイト

Ploughman's Lunch Salad (P14) https://www.bbc.co.uk/food/recipes/ploughmans_lunch_salad_06706 ／ Cauliflower Tabbouleh (P15) https://www.theguardian.com/lifeandstyle/2014/jun/06/yotam-ottolenghi-cherry-beetroot-recipes ／ Scottish Salmon and Prawn Salad (P16-17) https://www.scotland.org/about-scotland/food-and-drink/scottish-recipes/seared-scottish-salmon-and-prawn-salad-with-an-aromatic-honey-dressing ／ Scottish Arran Potato Salad (P18) http://www.rampantscotland.com/recipes/blrecipe_arran.htm ／ Colcannon, Irish Potato Salad (P19) https://www.irishcentral.com/culture/food-drink/colcannon-recipe ／ Kartoffelsalat (P20) https://emmikochteinfach.de/klassischer-kartoffelsalat-ganz-einfach/ ／ Wurstsalat (P21) https://germanculture.com.ua/salads-recipes/wurstsalat-german-sausage-salad/ ／ Fränkischer Spargelsalat (P22) https://www.leckerundco.de/fraenkischer-spargelsalat/ ／ Radieschen-Salat (P23) http://www.mybestgermanrecipes.com/german-radish-salad/ ／ Rotkohlsalat (P24) https://www.tasty-german-recipe.com/german-red-cabbage-recipe.html ／ Käferbohnensalat (P25) https://www.vienna-sunday.kitchen/en/recipe/styrian-scarlet-runner-bean-salad/ ／ Steirischer Backhendlsalat (P26-27) https://www.chefkoch.de/rezepte/2232501357634704/Steirischer-Backhendlsalat.html ／ Asperges op Vlaamse Wijze (P28) http://myfavouritebelgianrecipes.blogspot.com/2015/04/asparagus-la-flamande.html ／ Salade Liégeoise (P29) https://belgianfoodie.com/recipe/salade-liegeoise-green-beans-and-bacon/ ／ Pêche au Thon (P30) http://www.bibica.be/archives/2012/06/13/24468441.html ／ Tomate Crevette (P31) https://epicurien.be/blog/recettes/cuisine-belge-belgique/tomates-crevettes.asp ／ Mesclun (P32) https://www.soscuisine.com/recette/salade-mesclun ／ Salade Niçoise (P33) https://www.soscuisine.com/recette/salade-mesclun ／ Salade Lyonnaise (P34) Cecile Delarue , The Everything Easy French Cookbook, Everything, 2014 ／ Salade de Lentilles Vertes (P35) David Lebovitz , My Paris Kitchen, Ten Speed Press, 2014 ／ Salade Auvergne (P36) http://kamikacreation.fr/2019/05/salade-auvergnate.html ／ Salade de Pommes de Terre (P37) https://www.visitluxembourg.com/en/see/local-products/feierstengszalot-meat-salad ／ Koolsla (P38)https://www.smulweb.nl/recepten/1410427/Originele-coleslaw-oftewel-koolsla ／ Middeleeuwse Salade van Pastinaken (P39) https://coquinaria.nl/en/parsnip-salad/ ／ Birchermüesli (P40) https://www.myswitzerland.com/en-us/experiences/food-wine/recipe/birchermueesli/ ／ Sallatë Jeshile (P42) https://www.internationalcuisine.com/green-salad/ ／ Sallatë e Freskët e Kungullit (P43) https://www.youtube.com/watch?v=9twiLTJe0oY&ab_channel=Vila24News24 ／ Espinacas a la Catalana (P44) https://www.laranarosa.es/espinaca-a-la-catalana/ ／ Siriluk (P45) https://www.kuhar.ba/recept/siriluk/ ／ Kypriakí Saláta Dimitriakón (P46) https://neoskosmos.com/en/20340/cypriot-grain-salad-hellenic-republic/ ／ Bakalar s Krumpirom (P47) https://food52.com/recipes/21230-chunky-potato-baccala-salad ／ Salata od Hobotnice (P48) https://thecroatiankitchen.com/2018/05/23/prigorski-style-octopus-salad-salata-od-hobotnice-na-prigorski/ ／ Dakos (P49) https://www.greekflavours.com/en/salad-from-creta-salad.html ／ Tonosalata (P50) http://www.greek-recipe.com/tuna-fish-salad/ ／ Karpoúzi Saláta (P51) https://www.greekboston.com/food/watermelon-recipe/ ／ Taramasalata (P52) https://www.realgreekrecipes.com/tarama-dip/ ／ Insalata Caprese (P53) https://www.lacucinaitaliana.it/tutorial/i-consigli/come-si-prepara-l-insalata-caprese/?refresh_ce= ／ Panzanella (P54) https://www.lacucinaitaliana.it/ricetta/antipasti/panzanella-ricetta-classica/ ／ Insalata di Farro (P55) http://www.agliooliopeperoncino.com/2017/00/insalata-di-farro.html ／ Caponata (P56-57) https://www.visitsicily.info/en/caponata/ ／ Insalata di Finocchi (P58) http://www.gaiasplate.com/blog/2016/5/6/insalata-di-finocchi-e-arance-rosse-siciliani-salad ／ Insalata di Zucchine Grigliate (P59) https://www.italianfoodforever.com/2019/10/charred-summer-squash-salad/ ／ Macedonia di Frutta (P60) Phaidon Press Limited , The Silver Spoon, Bertrams Books, 2011 ／ Pinjur (P61) https://www.youtube.com/watch?v=YiAjEJ6fFY4 ／ Fazola Bajda bit-Tewm u Tursin (P62) https://www.amaltesemouthful.com/white-bean-salad/ ／ Kapunata Maltija (P63) https://www.meikepeters.com/tag/maltese-caponata/ ／ Insalata Tat-tin (P64) https://www.maltatoday.com.mt/gourmet/recipes/96309/fig_and_walnut_salad#.XkW9NGhKhPY ／ Salata od Heljdinih Rezanaca (P65) Sasha Martin , Life From Scratch, National Geographic, 2015 ／ Salada de Grao de Bico (P66) https://leitesculinaria.pt/7752/recipes-portuguese-chickpea-salad-with-salt-cod.html ／ Salada de Polvo (P67) https://www.teleculinaria.pt/receitas/entradas-e-petiscos/receita-de-salada-de-polvo/ ／ Salada de Melao (P68) https://www.saborintenso.com/f22/salada-melao-presunto-19171/ ／ Salada de Caranguejo (P69) I. J. Lacerda , Secrets of traditional Portuguese cookery, Books On Demand, 2015 ／ Urnebes (P70) https://www.serbiaincoming.com/magazine/urnebes-salad-serbs-like-it-hot/ ／ Regratova Solata (P71) http://hartkeisonline.com/2010/05/10/slovenian-dandelion-salad-recipe/ ／ Piriñaca (P72) https://www.javirecetas.com/pipirrana-prinaca/ ／ Ensalada de Pimientos Rojos (P73) https://www.thebossykitchen.com/roasted-red-pepper-spanish-salad/ ／ Ensalada de Arroz (P74) https://ifood.tv/spanish/333434-andalusian-rice-salad ／ Salpicon de Marisco (P75) https://cocina-casera.com/salpicon-de-marisco/ ／ Deniz Börülcesi Salatası (P76) https://www.thespruceeats.com/turkish-steamed-samphire-3274310 ／ Piyaz (P77) https://www.turkishfoodandrecipes.com/2008/12/kidney-bean-salad-piyaz.html ／ Yesil Zeytin Salatasi (P78) http://www.nurmutfagi.de/yesil-zeytin-salatasi-nasil-yapilir-tarifi-hatay-usulu-kirma-zeytin-salatasi-tarifi/ ／ Tahinli Ispanak Salatasi (P79) https://binnurturkishcookbook.blogspot.com/2009/11/tahini-spinach-salad.html ／ Karnabahar Salatasi (P80) https://www.turkishfoodandrecipes.com/2009/02/broccoli-cauliflower-salad-brokoli.html ／ Nordic, Scandinavian (P82) https://mydanishkitchen.com/2013/03/18/karrysalat-curry-salad/ ／ Rejesalat med Asparges (P83) https://mydanishkitchen.com/2014/04/28/shrimp-salad-with-white-asparagus/ ／ Punakaalisalaatti (P84) http://www.dlc.fi/~marian1/gourmet/xmas19.htm ／ Rækjusalat (P85) http://cafesigrun.co.uk/shrimp-salad ／ Reyktu Laxasalati (P86) https://www.mannlif.is/gestgjafinn/myndband-unadsleg-braudterta-med-reyktum-laxi-og-eplum/ ／ Agurksalat (P87) https://www.sofn.com/norwegian_culture/recipe_box/salads/cucumber_salad_agurksalat/ ／ Potetsalat (P88) http://www.wafflehearts.com/recipes/potetsalat ／ Gubbröra (P89) https://www.swedishfood.com/swedish-food-recipes-starters/174-eggs-with-swedish-anchovies ／ Äpple-, Selleri- Och Valnötssalad (P90) https://www.swedishfood.com/swedish-food-recipes-side-dishes/148-apple-and-walnut-salad ／ Nõgesesalat (P91) https://estoniancuisine.com/2019/04/11/nettle-salad-nogesesalat/ ／ Põldoasalat (P92) https://nami-nami.ee/retsept/5777/poldoasalat_1 ／ Kõrvitsasalat (P93) Shahid Khan , The National Dishes of the World, M&S Direct Publishing, 2011 ／ Rasols (P94) https://www.thefooddictator.com/the-hirshon-latvian-potato-salad-rasols/ ／ pupiņu salāti (P95) https://latvianeats.com/bean-salad/ ／ Burokelių Misraine (P96) https://www.lamaistas.lt/receptas/burokeliu-pupeliu-misraine-17416 ／ Salat Paparats Kvetka (P97) https://mydeliciousmeals.com/recipe/belarusian-beef-salad ／ Salatka z Piklowanymi Jajkami (P98) Lev Well, Eastern European Food, CreateSpace Independent Publishing Platform, 2015 ／ Surówka (P99) https://www.polishyourkitchen.com/polishrecipes/carrot-salat-surowka-z-marchwi/ ／ Salát Waldorf (P100) https://kuchynelidlu.cz/kulinarska-akademie-lidlu/salat-waldorf/ ／ Šopska Salata (P101) https://recepti.gotvach.bg/r-107402-%D0%A8%D0%BE%D0%BF%D1%81%D0%BA%D0%B0_%D0%A1%D0%B0%D0%BB%D0%B0%D1%82%D0%B0_%D0%9E%D1%80%D0%B8%D0%B3%D0%B8%D0%BD%D0%B0%D0%BB%D0%BD%D0%B0_%D0%91%D0%B0%D0%B1%D0%B8%D0%BD%D0%B0_%D0%A0%D0%B5%D1%86%D0%B5%D0%BF%D1%82%D0%B0_%D0%9C%D0%B0%D1%81%D0%BB%D0%B5%D0%BD%D0%B8%D1%86%D0%B0 ／ Salata Snezhanka (P102) http://bulgariancooking.com/cold-yogurt-cucumber-and-dill-salad-snow-white-salad-tutorial/ ／ Salata de Cartofi (P103) Anya von Bremzen, John Welchman , Please to the Table, Workman Publishing Company, 2015 ／ Salata de Boeuf (P104) https://www.lauralaurentiu.ro/retete-culinare/aperitive/salata-de-boeuf-reteta-pas-cu-pas.html ／ Treska v Majoneze (P105) https://dobruchut.aktuality.sk/recept/29447/foto-recept-treska-v-majoneze/ ／ Hrybnaya Polyan (P106-107) https://ukrainefood.info/recipes/salads/118-mushroom-lawn ／ Buryakovyy Salat (P108) Olia Hercules , Mamushka, Mitchell Beazley, 2015 ／ Salat z Tsybuleyu-Porey, Yablukom i Morkvoyu (P109) https://ukrainefood.info/recipes/salads/97-salad-with-leek-and-apples ／ Selyodka Pod Shuboy (P110) https://bridgetomoscow.com/russian-cuisine ／ Salat Mimoza (P111) https://www.rbth.com/russian_kitchen/2017/03/15/mimosa-salad-brighten-up-your-dinner-table-with-this-soviet-classic_719811 ／ Salat Olivye (P112) https://bridgetomoscow.com/russian-cuisine ／ Itch (P113) https://heghineh.com/bulgur-salad/ ／ Kankar Aghtsan (P115) https://www.thearmeniankitchen.com/2012/07/white-bean-and-artichoke-salad.html ／ Nar Salati (P116) https://azcookbook.com/2008/02/01/pomegranate-salad/ ／ Ispanakhis Pkhali (P117) https://kulinaria.ge/receptebi/ispanaxis-pxali_119/ ／ Lobios Salata (P118) https://boisdejasmin.com/2007/02/red_bean_lobio_recipe.html ／ Kachumbari (P120) Sahara Sanders, African Cuisine. ／ Achard aux Légumes (P121) https://www.cuisine.journaldesfemmes.fr/recette/308475-achard-de-legumes/ ／ Fata (P122) https://www.saveur.com/eritrean-spicy-tomato-bread-salad-fata-recipe/ ／ Ethiopian Green Salad (P123) http://www.elenikskitchen.com/blog/2020/7/2/ethiopian-green-salad-salata-recipe ／ Timatim (P124-125)https://www.internationalcuisine.com/timatim/ ／ Azifa (P126) Grizzly Publishing , Ethiopian Cookbook, Independently published, 2018 ／ Pineapple Coleslaw Salad (P127) https://nairobikitchen.blogspot.com/2014/06/pineapple-coleslaw-salad.html ／ Lasary (P128) https://lydiasflexitariankitchen.com/tomato-and-onion-salad/ ／ Salady Voankazo (P129) Selina Periampillai , The Island Kitchen, Bloomsbury Publishing, 2019 ／ Mauritian Palm Heart Salad (P130) Salmagundi: A Celebration of Salads from Around the World ／ Salade Lalo (P131) Selina Periampillai , The Island Kitchen, Bloomsbury Publishing, 2019 ／ Salada de Abocate (P132) http://culinary-adventures-with-cam.blogspot.com/2013/07/salada-pera-de-abacate-mozambique.html ／ Rwandan Fruit Salad (P133) http://globaltableadventure.com/recipe/rwandan-fruit-salad/ ／ Salata Aswad (P135) https://

nyamijwok.wordpress.com/2016/06/27/salata-aswad-sudanese-aubergine-salad-recipe/ ／ Kuku (P136) https://www.habariportal.com/recipe/kuku-salad-recipe/ ／ Kachumbari Ya Matango (P137) https://www.lafujimama.com/tanzanian-cucumber-salad/ ／ Zimbabwean Rice Salad (P138) http://www.hillsofafrica.com/blog/traditional-zimbabwe-lunch-dinner-recipes-from-my-childhood ／ Salada Limão (P139) https://edibleun.wordpress.com/2016/03/29/20-angola-africa-moqueca-de-camarao-angolan-shrimp-stew-lemon-salad-and-corn-and-rice-bread/ ／ Cameroonian Fruit Salad (P140) http://www.foodbycountry.com/Algeria-to-France/Cameroon.html ／ Salade du Tchad (P141) https://www.internationalcuisine.com/chad-salad/ ／ Salade de Concombre Gabonais (P142) https://edibleun.wordpress.com/2016/05/23/trip-28-gabon-africa-gabonese-mustard-lemon-chicken-cucumber-salad-baked-bananas-gabon-french-bread/ ／ Algerian Sunset Salad (P144) https://globaltableadventure.com/recipe/recipe-algerian-sunset-salad-blood-oranges-fennel-black-olives/ ／ Badendjal (P145) https://mybookofrai.typepad.com/cuisinealgerienne/2007/08/badendjal-chtet.html ／ Salata Baladi (P146) Amy Riolo, Nile Style Egyptian Cuisine and Culture, Hippocrene Books, 2009 ／ Fakhfakhina (P147) https://www.foodaholic.biz/fakhfakhina-mother-of-fruit-salads/ ／ Egyptian Smoked Herring Salad (P148) https://www.foodofegypt.com/04/13/smoked-herring-salad/ ／ Egyptian Fattoush (P149) Amy Riolo, Nile Style Egyptian Cuisine and Culture, Hippocrene Books, 2009 ／ Dukkah chicken salad (P150-151) https://www.cairowestmag.com/craves-chicken-dukkah-salad/ ／ Shlada Batata Hilwa (P152) Claudia Roden , Arabesque, Michael Joseph, 2005 ／ Laymūn bel-Qerfa (P153) Peter Heine, Food Culture In The Near East, Middle East, And North Africa, Greenwood Pub Group, 2004 ／ Shlada Alkusa (P154) https://tasteofmaroc.com/moroccan-zucchini-salad-with-chermoula/ ／ Shlada Alekseks (P155) https://www.cookingwithalia.com/426-couscous-shrimp-salad/ ／ Shlada Matisha wal Hamed Marka (P156) Murdoch Books Test Kitchen, The Little Moroccan Cookbook, Murdoch Books, 2014 ／ Shlada Mangoob (P157) http://moroccancuisinemarocaine.blogspot.com/2008/10/lmangoub-salade-marocaine-base-de-fves.html ／ Salata Tomatim bel Daqua (P158) Dave DeWitt , 1,001 Best Hot and Spicy Recipes, Agate Surrey, 2010 ／ Salatet Zabady bil Ajur (P159) https://www.scribd.com/document/27518724/Sudanese-Recipes ／ Slata Mechouia (P160) Murdoch Books Test Kitchen, The Little Moroccan Cookbook, Murdoch Books, 2014 ／ Ommek Houria (P161) https://tunisiaonaplate.com/tunisian-carrot-caviar-omek-hourria/ ／ Umphokoqo (P162) https://www.theguardian.com/lifeandstyle/2009/jul/20/nelson-mandela-african-recipe-umphokoqo ／ Copper Penny Salad (P163) https://www.lovemysalad.com/recipes/south-african-copper-penny-carrot-salad ／ Slaai (P164) https://www.196flavors.com/eswatini-slaai/ ／ Gambian Cabbage and Pineapple Salad (P165) Coco Wiseman, Coco Cooks Gambia, Wingback Books, 2013 ／ Gambian Fonio Salad (P166) https://drinkbaotic.co.uk/blog/gambian-fonio-salad/ ／ Ghanaian Salad (P167) http://ndu-du-by-fafa.blogspot.com/2018/01/the-tastiest-ghanaian-salad-recipe.html ／ Ghanaian Avocado Salad (P168) Zoe Adjonyoh , Zoe' s Ghana Kitchen, Voracious, 2021 ／ Liberian Potato Salad (P169) https://www.familycookbookproject.com/recipe/2646471/liberian-potato-salad.html ／ Niger' s Mango Salad (P170) https://ivu.org/recipes/african/mango.html ／ Nigerian Salad (P171) https://allnigerianfoods.com/vegetable-salads ／ Salade Niébé (P172) https://www.saveur.com/article/Recipes/Senegal-Black-Eyed-Pea-Salad/ ／ Tropical Curried Chicken Salad (P174) Cuking Book for Students ／ Spicy Mango and Avocado Salad (P175) http://globaltableadventure.com/recipe/recipe-spicy-mango-and-avocado-salad/ ／ Conch Salad (P176) https://www.nassauparadiseisland.com/recipe-conch-salad ／ Lobster Salad (P177) https://www.uncommoncaribbean.com/st-croix/taste-of-the-caribbean-crucian-contessas-luscious-lobster-salad/ ／ Ensalada de Aguacate, Berro, y Piña (P178) Beverly Cox , Martin Jacobs , Eating Cuban, Harry N. Abrams, 2006 ／ Ensalada Cubano (P179) http://www.cubarecipes.org/recipes/salads/cuban-salad ／ Ensalada de Coliflor (P180) Troth Wells, Salads & Side Dishes from around The World, New Internationalist, 2006 ／ Ensalada Verde (P181) https://www.dominicancooking.com/461-ensalada-verde-fresh-salad.html ／ Breadfruit Salad (P182) http://caribbeanpot.com/a-delightful-caribbean-breadfruit-salad/ ／ Grenada Black Beans, Heart of Palm and Corn Salad (P183) Various Authors, International Cookbook of Life-Cycle Celebrations, Greenwood, 2018 ／ Pikliz (P184) http://haitiancreolecuisine.com/cabbage-salad.html ／ Jamaican Jerk Chicken Salad (P185) Grizzly Publishing , Jamaican Cookbook: Traditional Jamaican Recipes Made Easy, 2018 ／ Jamaican Fruit Salad (P186) Enid Clarke Watson , Enid' s Homestyle Authentic Jamaican Cuisine, Bookwhirl.com, 2013 ／ Ensalada de Repollo (P187) https://www.helloforos.com/t/receta-ensalada-de-repollo-col-y-aguacate/125103 ／ Ensalada de Coditos (P188) https://www.tablespoon.com/recipes/puerto-rican-macaroni-salad/501b-8bc9-5ef7-4652-9f7f-4721495b3fb9 ／ Serenata de Bacalao (P189) https://www.deliciosoyligero.com/2016/02/serenata-de-bacalao-y-breve-resena-de-una-visita-rapida-a-puerto/ ／ Yuca en Escabeche (P190) https://www.kitchengidget.com/2018/07/02/yuca-en-escabeche/ ／ Green Fig Salad (P191) https://www.international-cuisine.com/green-fig-and-salt-fish-salad/ ／ Buljol (P192) https://www.trinigourmet.com/buljol-recipe/ ／ Belizean Potato Salad (P194) https://belizeinlandtours.com/belizean-potato-salad/ ／ Refresco de Ensalada de Fruta (P195) https://www.whatscookingella.com/refresco-de-ensalada.html ／ Fiambre (P196-197) https://www.aspicyperspective.com/guatemalan-fiambre-salad/ ／ Ensalada en Escabeche (P198) https://aprende.guatemala.com/cultura-guatemalteca/cocina/receta-ensalada-en-escabeche-guatemalteca/ ／ Chojin (P199) https://www.quericavida.com/recipes/guatemalan-chojin-salad/491605a3-a810-4742-ab04-3e00e45f7bd0 ／ Caesar Salad (P200) https://www.withlovepaperandwine.com/food/original-ceasars-salad-tijuana-caesars-restaurant-bar ／ Bionico (P201) https://www.mexicoenmicocina.com/receta-de-bionico/ ／ Ensalada de Nopales (P202-203) https://www.thebossykitchen.com/authentic-mexican-cactus-leaves-salad-ensalada-de-nopales/ ／ Esquites (P204) https://www.mylatinatable.com/authentic-mexican-esquites-mexican-corn-salad/ ／ Salpicón de Res (P205) http://www.mexican-authentic-recipes.com/ensalada-salpicon_res.html ／ Xec (P206) http://theothersideofthetortilla.com/2013/05/ensalada-xec-spicy-mayan-citrus-jicama-salad/ ／ Ensalada de Navidad (P207) https://www.kiwilimon.com/receta/ensaladas/ensalada-navidena-de-manzana-con-pina-y-nuez ／ Ensalada de Tres Legumbres (P208) https://www.animalgourmet.com/2017/06/22/ocho-recetas-frijoles-mexicanos/ ／ Vigoron (P209) https://www.internationalcuisine.com/nicaraguan-vigoron/ ／ Guacamol (P210) https://savory-roads.com/the-daily-chop---recipes/guacamol-nicaraguan-avocado-salad ／ Pasta Primavera (P211) https://www.recipehub.com/22021-recipe-primavera-salad-from-panama.html ／ Ensalada Criolla (P212) https://recetasdeargentina.com.ar/ensalada-criolla/ ／ Ensalada de Quinoa y Frijoles (P213) https://www.quericavida.com/recipes/bolivian-quinoa-and-bean-salad/74239923-2712-44a1-8b84-ed5467e57d3e ／ Silpancho (P214) https://www.internationalcuisine.com/silpancho/ ／ Salsa de Palmito (P215) https://www.onegreenplanet.org/vegan-recipe/salsa-de-palmito-brazilian-hearts-of-palm-salad/ ／ Salada de Couve com Manga (P216) Marian Blazes , The Everything Brazilian Cookbook, Everything, 2014 ／ Xuxu (P217) Marian Blazes , The Everything Brazilian Cookbook, Everything, 2014 ／ Ensalada de Arroz Frío (P218) https://www.chilerecetas.cl/joomla/index.php/cocina-facil/ensaladas/506-ensalada-de-arroz-frio ／ Aguacate Relleno con Atun (P219) https://www.laylita.com/recipes/avocados-stuffed-with-tuna-salad/ ／ Ensalada Mixta (P220) https://www.laylita.com/recipes/garden-salad-with-lime-cilantro-dressing/ ／ Kalawang (P221) http://mariecuisine.canalblog.com/archives/2007/04/06/4532891.html ／ Ensalada de Mandioca (P222) http://www.cocina33.com/receta/ensalada-paraguaya-de-mandioca ／ Ensalada de Quinua (P223) https://www.eatperu.com/peruvian-avocado-quinoa-salad/ ／ Aguacate Relleno con Camarones (P224) https://www.laylita.com/recipes/aguacate-relleno-con-camarones-shrimp-stuffed-avocado/ ／ Goedangan (P225) http://globaltableadventure.com/recipe/mixed-vegetable-salad-with-coconut-dressing-goedangan/ ／ Ensalada de Porotos (P226) https://www.lr21.com.uy/gastronomia/1266368-ensalada-porotos-manteca-provenzal-receta ／ Maple Dressing Salad (P228) https://www.readersdigest.ca/food/recipes/apple-and-cheddar-salad-maple-dressing/ ／ Canadian Beef Taco Salad (P229) https://dairyfarmersofcanada.ca/en/canadian-goodness/recipes/tasty-taco-salad ／ Ambrosia (P230) https://www.southernliving.com/recipes/ambrosia-salad ／ Celery Victor (P231) Laura Smith Borrman , Iconic San Francisco Dishes, History Pr, 2018 ／ Cobb Salad (P232-233) https://www.saveur.com/article/Recipes/Cobb-Salad-1000080529/ ／ Chef Salad (P234) https://www.recipetips.com/recipe-cards/t--1609/traditional-chefs-salad.asp ／ Crab Louie (P235) https://www.williams-sonoma.com/recipe/crab-louie.html ／ Seven-Layer Salad (P236) https://feastandfarm.com/traditional-seven-layer-salad/ ／ Watergate Salad (P237) https://food52.com/recipes/29380-watergate-salad ／ Waldorf Salad (P238) https://www.today.com/recipes/classic-waldorf-salad-recipe-t106553 ／ Spicy Cajun Potato Salad (P239) https://www.cajuncookingtv.com/cajun-potato-salad/ ／ Kale Salad (P240) https://cooking.nytimes.com/recipes/11746-tuscan-kale-salad/ ／ Shaved Brussels Sprout Salad (P241) https://cooking.nytimes.com/recipes/1018236-brussels-sprouts-salad-with-apples-and-walnuts ／ Raw Butternut Squash Salad (P242) https://www.aveggieventure.com/2011/09/raw-butternut-squash-salad.html ／ 凉拌木耳 (P244) https://thewoksoflife.com/wood-ear-mushroom-salad/ ／ 凉拌土豆丝 (P245) https://www.chinasichuanfood.com/chinese-potato-salad/ ／ 凉拌秋葵 (P246) https://www.chinasichuanfood.com/okra-salad-with-black-vinegar/ ／ 凉拌皮蛋 (P247) https://www.xiangha.com/cai-pu/92920127.html ／ 凉拌莲藕 (P248) https://home.meishichina.com/recipe-351548.html ／ 凉拌海带丝 (P249) https://www.meishij.net/chufang/diy/langcaipu/37567.html ／ 골뱅이 무침 (P256) http://www.aeriskitchen.com/2009/04/spicy-sweet-sour-sea-snail-dish-%EA%B3%A8%EB%B1%85%EC%9D%B4-%EB%AC%B4%EC%B9%A8golbaengi-muchim/ ／ 도라지 무침 (P257) https://mykoreankitchen.com/spicy-bellflower-root-salad/ ／ 해파리냉채 (P258) Naomi

Imatome-Yun , Seoul Food Korean Cookbook, Rockridge Pr, 2017 ╱ 나물 (P259) http://www.koreaherald.com/view.php?ud=20130802000721 ╱ 무생채 (P260) https://www.koreanbapsang.com/mu-saengchae-spicy-korean-radish-salad/ ╱ 涼拌黃瓜 (P261) https://omnivorescookbook.com/recipes/easy-chinese-cucumber-salad ╱ 涼拌茄子 (P262) https://icook.tw/recipes/161389 ╱ Rujak (P264) https://www.marga.com/food/int/brunei/salad.html ╱ Neorm Sach Moan (P265) Various Authors, We Are La Cocina, Chronicle Books LLC, 2019 ╱ Lap Khmer (P266) Various Authors, Cambodian Cooking, Tuttle Publishing, 2017 ╱ Lalab (P267) https://aussietaste.com.au/vegetables/lalap-sundanese-vegetables/ ╱ Gado Gado (P268-269) Various Authors, the food of Indonesia, Periplus Editions, 2006 ╱ Plecing Kangkung (P270) Various Authors, the food of Indonesia, Periplus Editions, 2006 ╱ Larb (P271) https://cookingwithlane.com/larb-gai-recipe/ ╱ Thum Mak Hoong (P272) https://cookingwithlane.com/lao-style-green-papaya-salad-recipe/ ╱ Pasembur (P273) https://aromasian.com/recipe/malaysian-indian-salad-pasembur/ ╱ Yusheng (P274-275) https://www.nyonyacooking.com/recipes/yu-sheng-prosperity-raw-fish-salad~rk-AwvoDf5ZQ ╱ Gin Thoke (P276) MiMi Aye , Mandalay, Absolute Pr, 2019 ╱ Lahpet Thoke (P277) Claudia Saw Lwin Robert , Food of Burma, Tuttle Pub, 2000 ╱ Tofu Thoke (P278) MiMi Aye , Mandalay, Absolute Pr, 2019 ╱ Ensaladang Ampalaya (P279) https://www.pinoyrecipe.net/ensaladang-ampalaya-recipe/ ╱ Ensaladang Itlog na Maalat (P280) http://recipes.pinoytownhall.com/recipe/salted-egg-and-tomato-salad/ ╱ Tam Khanun (P281) https://www.thaifoodheritage.com/en/recipe_list/detail/26 ╱ Miang Kham (P282) https://rasamalaysia.com/leaf-wrapped-salad-bites-recipe/ ╱ Khanom Chin Sao Nam (P283) https://www.thaistreetfood.net/food/%E0%B8%82%E0%B8%99%E0%B8%A1%E0%B8%88%E0%B8%B5%E0%B8%99%E0%B8%8B%E0%B8%B2%E0%B8%A7%E0%B8%99%E0%B8%99%E0%B8%B3-2-2/ ╱ Sup No Mai (P284) https://whattocooktoday.com/bamboo-shoot-salad-sub-no-mai.html ╱ Nom Hoa Chuoi (P285) Various Authors, Food of Vietnam, Periplus Editions, 2005 ╱ Goo Ngó Sen (P286-287) https://www.eatwithemily.com/recipe/lotus-root-salad-with-pork-and-shrimp-goi-ngo-sen-tom-thit/ ╱ Goi Ga Bap Cai (P288) Vietnamese Food and Cooking Cook Book ╱ Bonjan Salat (P290) http://lorenceskitchen.blogspot.com/2006/03/eggplant-salad-bonjan.html ╱ Aam Bhorta (P291) http://www.manjulaskitchen.com/fresh-mango-salsa/ ╱ Alu Kabli (P292) https://notoutofthebox.in/2017/02/aloo-kabli/ ╱ Jhal Muri (P293) https://www.vahrehvah.com/jhal-muri-spicy-puffed-rice-salad ╱ Cabbage Ezay (P294) https://internationalcookingclubsingapore.wordpress.com/2017/04/23/bhutanese-pickle-chilli-salad-ezay/ ╱ Kosambari (P295) https://www.archanaskitchen.com/hesaru-bele-southekayi-kosambari-recipe ╱ Singju (P296) https://www.youtube.com/watch?v=KhrVfVRO6go ╱ Three Bean Chaat (P297) http://showmethecurry.com/salad-raita/sprouted-mung-bhel-chaat-healthy-salad.html ╱ Baledindina Kosambari (P298-299) https://www.archanaskitchen.com/karnataka-style-baledindina-kosambri-recipe-banana-stem-salad ╱ Shakarkandi ki Chaat (P300) Uma Aggarwal , Incredible Taste of Indian Vegetarian Cuisine, Allied Publishers Pvt. Ltd., 2016 ╱ Poha Salad (P301) https://www.indianhealthyrecipes.com/poha-recipe-kanda-batata-poha/ ╱ Sadeko Aloo (P302) Sharada Jnawali , Cibeleh Da Mata , Nepali Home Cooking for Healthy Living, Xlibris AU, 2014 ╱ Kakroko Achar (P303) https://www.internationalcuisine.com/nepali-cucumber-pickle-salad/ ╱ Mas Huni (P304) https://www.themaldivesexpert.com/1783/maldivian-cuisine-recipes-to-try-at-home/ ╱ Boshi Mashuni (P305) https://nadiyas-tasteofmaldives.blogspot.com/2012/01/meeru-kuri-boashi-banana-flower-salad.html ╱ Raita (P306) https://www.teaforturmeric.com/2019/06/cucumber-raita-recipe/ ╱ Chukandar Ki Salad (P307) https://www.masala.tv/beetroot-salad/ ╱ Verkadalai Sundal (P308) https://www.sailusfood.com/peanut-sundal-quick-easy-snacks/ ╱ Ashlyamfu Salad (P310-311) https://kuking.net/15_1109752.htm ╱ Shalgam (P312) https://edibleun.wordpress.com/2017/07/10/trip-87-kazakhstan-asia-kazakh-rice-palaw-central-asian-radish-salad-shalgam-kazakh-flat-bread-taba-nan/ ╱ Qurutob (P313) https://www.196flavors.com/tajikistan-qurutob/ ╱ Sabzavot Va Nukhotli Gazak (P314) http://www.uzbekcuisine.com/salads.html ╱ Tashkent Salati (P315) https://uztravelguide.com/uzbek-cuisine/recipe-book/tashkent-salad/ ╱ Omar Piyaz (P316) https://www.foodwine.com/food/cookbook/2007/flavor-born/tuna-salad.html ╱ Sabzi Khordan (P317) https://turmericsaffron.blogspot.com/2010/04/sabzi-khordan-persian-assortment-of.html ╱ Zalatat Addas (P318) Arto Der Haroutunian , Middle Eastern Cookery, Grub Street, 2009 ╱ Salat Avocado (P319) https://veredguttman.com/index.php/2018/07/06/israeli-avocado-salad/ ╱ Tabbouleh (P320-321) https://www.mamaslebanesekitchen.com/salads/authentic-lebanese-tabbouleh-salad-recipe/ ╱ Raheb (P322) http://www.tasteofbeirut.com/the-monks-salad-salata-el-raheb/ ╱ Salatet Malfouf (P323) https://yourlebanon.com/recipe/malfouf/ ╱ Shanklish (P324) http://www.tasteofbeirut.com/shanklish/ ╱ Sultat Altuwna (P325) https://manaui.com/how-to-make-simple-cook-kilish-salad-style-ika-mata/ ╱ Sultat Djaj Wa Freekeh (P328) https://www.welcometopalestine.com/food/meat/freekeh-salad-marinated-chicken/ ╱ Salatet Jarjeer (P329) http://savvychef.blogspot.com/2011/08/arugula-salad-salatet-jarjeer-wild.html ╱ Fattoush (P330) https://www.tasteofbeirut.com/fattoush-2/ ╱ Salatat Yemeni (P331) https://pomegranatesandzaatar.blogspot.com/2009/12/salatat-yemeni-yemenite-salad.html ╱ Salatat Hummus (P332) https://www.atyabtabkha.com/%D9%88%D8%B5%D9%81%D8%A7%D8%AA/%D8%B3%D9%84%D8%B7%D8%A9-3/%D8%B3%D9%84%D8%B7%D8%A9+%D8%A7%D9%84%D8%AD%D9%85%D8%B5++8349 ╱ Cheese Slaw (P334) https://aaronaa.blogspot.com/2009/06/aussie-food-cheese-slaw.html ╱ Strawberry Spinach Salad (P335) https://homesmsp.com/2018/06/wednesdays-unplugged-st-paul-hotel-strawberry-spinach-salad-and-dressing.html ╱ Kangaroo Salad (P336) https://livelighter.com.au/Recipe/597/kangaroo-salad ╱ Ika Mata (P337) https://manaui.com/how-to-make-simple-cook-kilish-salad-style-ika-mata/ ╱ Kumara (P338-339) http://www.kumara.co.nz/recipes/roasted-sweetie-kumara-salad-with-bacon-walnuts ╱ Brown Rice Salad (P340) https://wildandgrace.co.nz/2016/01/27/alison-holsts-brown-rice-salad/ ╱ Fijian Raita (P341) https://www.internationalcuisine.com/fiji-raita/ ╱ Kelaguen Mannok (P342) https://www.guampedia.com/kelaguen-meat-chicken-or-seafood-with-lemon/ ╱ Guamanian Potato Salad (P343) http://chamorrorecipes.blogspot.com/2007/11/potato-salad.html ╱ Hawaiian Macaroni Salad (P344) https://www.cookscountry.com/recipes/4790-hawaiian-macaroni-salad ╱ Hawaiian Coleslaw (P345) http://alohaworld.com/ono/print.php?id=1097463928 ╱ Poke (P346) https://www.hawaiimagazine.com/blogs/hawaii_today/2009/7/17/ahi_poke_Hawaii_style_recipe ╱ Samoan Tropical Salad (P347) https://www.thecoconet.tv/coco-cookbook/coco-cooking/savaiian-esi-salad-or-papaya-tropical-fruit/

あとがき

　サンドイッチの本の時もスープの本の時も、「これは絶対太るぞ」と覚悟していたのにも関わらずそんなことはなく、むしろ少しやせたくらいだった。「サラダなら太るなんてことはないよね」などと高をくくっていたのだが、それが太ったのである。毎日野菜をしこたま食ってなんで太るのだ。どうしてなのかしばらくさっぱり分からなかった。葉っぱとかキュウリとかトマトとかを食べても太ることは100％ないわけで、ドレッシングをたっぷりかけたということもない。確かに普段は消費が少ないマヨネーズを5倍以上のスピードで使ったことは事実である。とはいっても3〜4か月で一般サイズの日本のマヨネーズ2本である。やっぱり分からない。

　ところがある日、それが正しいかどうかは確信できないにしても、突然あることに気がついた。なぜサラダは前菜として出されることが多いのか。その後メインディッシュ、デザートへと進む食事をよりおいしく食べるため、食欲を増進させる役目を担っているのではないか。つまりサラダ以外のものを、またはサラダ以外のものもたくさん食べてしまうのではないかということだ。まっ、一人で納得すればいいことなので、きっとそういうことなんだと今は思うようにしている。

　すぐに通常の体重に戻ったけど、サラダ熱は冷めずいまだに続いている。サンドイッチやスープ以上にサラダには新しい発想を生むヒントが隠されているのである。だから色々と試してみたくなるのである。だからサラダは魅力的で楽しい。

　このあとがきを書いているほんの1週間前に、私がこよなく愛していた創業100年という、日本のスーパーくらいの売り場面積を持つ巨大八百屋が閉店してしまった。他の店ではなかなか見つからない、入手が困難な野菜や果物を何種類もこの八百屋で購入したが、今はもうない。サラダの撮影をしている最中に閉店にならなくてよかったともいえるが、毎週必ず行っていた店がなくなったのはやはりさみしい。

佐藤政人

佐藤政人 さとう・まさひと

アメリカのボストン在住の編集者。アウトドア関連の書籍、雑誌の編集や著者として活躍。アウトドアクッキング本の調理・編集、『日本の郷土料理』シリーズ（ぎょうせい出版）の編集など料理にも造詣が深い。著書は『世界のサンドイッチ図鑑』『世界のスープ図鑑』『アメリカン・スタイルBBQ』（すべて誠文堂新光社）など。

アートディレクション
草薙伸行
(Planet Plan Design Works)

デザイン
村田 亘
(Planet Plan Design Works)

校正
中野博子

驚きの組み合わせが楽しいご当地レシピ304
世界のサラダ図鑑

2021年11月17日　発　行　　　　　　　　　　NDC596

著　　者	佐藤政人	
発 行 者	小川雄一	
発 行 所	株式会社 誠文堂新光社	
	〒113-0033 東京都文京区本郷 3-3-11	
	電話 03-5800-5780	
	https://www.seibundo-shinkosha.net/	
印刷・製本	図書印刷 株式会社	

©Masahito Sato.2021　　　　　　　　　　　Printed in Japan

本書掲載記事の無断転用を禁じます。

落丁本・乱丁本の場合はお取り替えいたします。

本書の内容に関するお問い合わせは、小社ホームページのお問い合わせフォームをご利用いただくか、上記までお電話ください。

[JCOPY] 〈（一社）出版者著作権管理機構　委託出版物〉
本書を無断で複製複写（コピー）することは、著作権法上での例外を除き、禁じられています。本書をコピーされる場合は、そのつど事前に、（一社）出版者著作権管理機構（電話 03-5244-5088 ／ FAX 03-5244-5089 ／ e-mail：info@jcopy.or.jp）の許諾を得てください。

ISBN978-4-416-52182-3